BESTSELLER

Julia Llewellyn vive en Londres y escribe regularmente para el *Sunday Telegraph*, el *Sunday Times* y muchas otras publicaciones. Es autora también de *Love Trainer* y *¿Qué harías tú en mi lugar?*, publicadas en esta misma colección.

Biblioteca
JULIA LLEWELLYN

Nunca le preguntes
a qué hora llegará a casa

Traducción de
Ana Isabel Domínguez Palomo
María del Mar Rodríguez Barrena

DEBOLS!LLO

Título original: *The Model Wife*

Primera edición: abril, 2010

© 2008, Julia Llewellyn
© 2010, Random House Mondadori, S. A.
  Travessera de Gràcia, 47-49. 08021 Barcelona
© 2010, Ana Isabel Domínguez Palomo y María del Mar Rodríguez Barrena, por la traducción

ISBN: 978-84-9908-232-5 (vol. 624/4)
Depósito legal: B-10329-2010

Compuesto en Lozano Faisano, S. L. (L'Hospitalet)

Impreso en Liberdúplex, S. L. U.
Sant Llorenç d'Hortons (Barcelona)

P 882325

Agradecimientos

Esta parte nunca la lee nadie; pero, como siempre, les doy las gracias de todo corazón a Mari Evans y al increíble equipo de Penguin al completo, sobre todo a las geniales Natalie Higgins, Liz Smith y Ruth Spencer. A Lizzy Kremer y a todo el personal de David Higham. A todos los de Channel 4 News por sus consejos, en especial a Jon Snow. Victoria Macdonald me prestó una ayuda maravillosa, como siempre. Cualquier parecido con un informativo concreto es pura coincidencia y cualquier error es solo mío. A Micaela Byrne: ¡gracias por tu ensayo! A Jana O'Brien, Hannah Coleman y, sobre todo, a Kate Gawryluk, porque no podría haber escrito este libro sin vosotras. A mis padres y a la familia Watkins, por todo su amor y su apoyo.

1

Poppy Price siempre soñó que se casaría con un apuesto príncipe, que llamaría su atención en mitad de un salón de baile atestado, donde él se le acercaría y le preguntaría: «¿Bailamos?». Darían vueltas por la pista de baile toda la noche al compás de *El Danubio azul* y a la mañana siguiente, postrado de rodillas, él le pediría matrimonio.

Las cosas no habían sido así con Luke Norton. Lo conoció una lluviosa mañana de junio, un viernes para más señas, cuando le sirvió un café exprés doble. Poppy tenía veinte años y trabajaba como camarera en Sal's, una cafetería cutre de King's Cross, situada entre una tienda que vendía anime y otra que vendía productos de belleza ecológicos. Poppy acababa de aceptar el empleo porque los trabajos como modelo escaseaban y tenía que pagar el alquiler del diminuto apartamento de Kilburn que compartía con Meena, una antigua compañera de clase.

Luke estaba sentado solo en un rincón, hablando acaloradamente por teléfono. Cuando Poppy lo vio, le dio un vuelco el corazón, como si se estuviera asomando a un acantilado muy profundo. Alto, de pelo oscuro y mentón fuerte, parecía el héroe rudo de las películas en blanco y negro que tanto le gustaban. La clase de hombre que la rescataría de un edificio en llamas o la subiría a su camello para atravesar el desierto.

Era mayor, cierto. Estaría más cerca de los cincuenta que de los cuarenta, pero eso no le importó. Como modelo, ella había estado con muchos chicos jóvenes. Jóvenes y guapos, pero que no tenían dos dedos de frente: se ponían de los nervios si creían haber engordado cien gramos y ensayaban mohínes delante del espejo. Poppy quería a alguien más sensato, alguien que pudiera protegerla de un mundo donde parecían reinar los codazos y las zancadillas. Protegerla tal como la habría protegido su padre de haber tenido la oportunidad de conocerlo.

—Joder, Hannah, no sé si puedo... —estaba diciendo Luke.

Justo en ese momento, una mujer malhumorada que estaba sentada tres mesas más allá gritó:

—¡Camarera!

—¿Sí? —preguntó Poppy entre dientes.

—Llevo diez minutos esperando mi café. ¿Dónde coño está?

—Voy a ver —contestó Poppy con toda la serenidad de la que fue capaz. Metió la cabeza por la puerta que daba a la cocina—. Oye, Sal, date prisa con el café de la mesa diez.

—No me has pedido café para la mesa diez —protestó Sal, su más que paciente jefe portugués, apartando la mirada de su ejemplar del *Metro*.

—Sí que te lo he pedido. Hace siglos.

—No lo has hecho. Poppy, eres un desastre de camarera. —Pero estaba sonriendo, porque era difícil no sonreír al ver el pelo de Poppy, corto y rubio, y sus enormes ojos que tenían el mismo color que los caramelos de menta para la tos que a Sal tanto le gustaban.

—Ay, lo siento. Bueno, quiere uno con leche.

—Marchando —dijo Sal.

Poppy volvió al supuesto comedor de la cafetería con su suelo rojo y negro, sus mesas de formica y sus fotografías de los jardines de Madeira enmarcadas.

—Ya sale —le dijo a la mujer.

Se llevó una decepción al ver que el hombre perfecto estaba con una mujer igual de perfecta. Perfecta desde atrás, al menos. No podía verle la cara. Era morena, llevaba el pelo recogido en una trenza e iba elegantemente vestida con un traje pantalón de raya diplomática. Estaba a punto de acercarse para tomarles nota cuando una mujer con un cochecito de bebé la interrumpió.

—Perdone, ¿tienen tronas?

—Hannah me está calentando la cabeza de nuevo —escuchó que decía el hombre perfecto—. No quiere que vaya a Alemania para las elecciones porque Tilly compite ese mismo día.

La mujer replicó con voz exasperada:

—Pobrecillo. ¿Es que no puede entender que es tu carrera? Vamos, ni que estuvieras encerrado en casa cuando te conoció.

—Eso digo yo. ¿Cómo cree que pagamos la mensualidad de ese colegio tan caro al que va Tilly? Yo...

—Le he preguntado si tienen tronas.

—¡Ah, sí! Por supuesto. Le traeré una enseguida.

Poppy aguzó el oído para seguir pendiente de la conversación mientras volvía a la cocina. La única trona que tenían estaba llena de papilla pegajosa del último niño que la había usado. Había tenido la intención de limpiarla, pero se le había olvidado. Se apresuró a hacerlo en ese momento. Cuando volvió a toda prisa al comedor, vio que la mujer perfecta salía por la puerta. El hombre perfecto seguía sentado a la mesa, con aspecto derrotado.

—¡Por fin! —dijo la mujer con el cochecito de bebé—. Creí que se había muerto o algo. —Sacó al bebé del cochecito—. Vamos, cariño. Te toca desayunar.

En ese preciso momento, doña Antipática gritó:

—¡Camarera! Esto es el colmo. La próxima vez me voy al Starbucks.

—Lo siento —murmuró Poppy. Volvió corriendo a la cocina y salió con el café con leche.

—Ya era hora —masculló doña Antipática—. Y si crees que te voy a dejar propina, puedes esperar sentada.

—Lo siento —repitió Poppy, que se puso como un tomate.

—Yo también quiero pedir —le dijo la mujer del cochecito de bebé—. Dos cruasanes, por favor, y un café con leche.

Luke carraspeó en aquel momento.

—Y si no es mucha molestia, otro café doble para mí.

—Ah. Vale. Lo siento. Lo siento. —Salió disparada hacia la cocina, le gritó a Sal las comandas y regresó corriendo al comedor—. Lo siento muchísimo. Creí que ya le había tomado nota —se disculpó ante la mujer del cochecito, que puso los ojos en blanco y no dijo nada. Se volvió hacia Luke—. Lo siento de verdad.

Él sonrió de tal modo que le salieron arruguitas alrededor de los ojos.

—No pasa nada. Me estás levantando el ánimo. Creo que tu día es peor que el mío.

La frase para la que había estado haciendo acopio de valor le salió sola:

—¿Quieres hablar de ello?

—La verdad es que no me importaría.

Doña Antipática se acercó a ellos mientras se abrochaba la chaqueta verde. Poppy se preparó para una bronca, pero vio que la mujer sonreía.

—Perdone que interrumpa así. Pero acabo de darme cuenta de que es Luke Norton. Me encanta su programa, de verdad. Es lo único inteligente que ponen en la tele.

—Gracias —dijo Luke.

—Esto… Bueno… —La gorgona se había transformado en una belleza sureña incapaz de hilar dos frases seguidas—. Buena suerte. Siento haberlo molestado. Soy una gran admiradora suya.

Se alejó a la carrera. Luke se pasó una mano por el pelo.

—¡Dios, cómo odio que pasen estas cosas! Qué vergüenza me da.

—¿Sales en la tele? —preguntó Poppy.

—Sí. —Sonrió, justo antes de darle una palmadita a la silla donde había estado sentada la mujer perfecta—. ¿Quieres sentarte?

—Enseguida —contestó Poppy, aturullada—. Antes tengo que servir a esa mujer.

De modo que le puso los cruasanes y, como no había más clientes a la vista, se sentó y charló con Luke durante casi una hora. Él le contó que había sido corresponsal de guerra, que narraba los conflictos bélicos por todo el mundo. En la actualidad era el presentador del *Informativo de las Siete y Media*, cosa que sonaba muy glamourosa, aunque Poppy no lo sabía porque nunca lo había visto, y que además estaba escribiendo un libro sobre la historia de los Balcanes, una obra que esperaba que considerasen «definitiva».

—Seguro que sí. —Poppy asintió con la cabeza, sin comprender del todo lo que le estaba diciendo.

La mujer con el cochecito de bebé se marchó sin dejar propina. Luke siguió hablando de su familia, de sus tres hijos y del creciente distanciamiento con su mujer.

A Poppy se le cayó el alma a los pies al escuchar la palabra «mujer», pero volvió a animarse porque saltaba a la vista que su matrimonio hacía aguas.

—Es todo muy difícil —le aseguró él—. Quiero ser un buen padre, pero nos casamos muy jóvenes y ya no nos hacemos felices el uno al otro.

—Es muy triste, sí —murmuró ella, mientras le daba gracias a Dios por que la cafetería de Sal fuera tan mala que seguramente no entrara nadie más hasta la hora de comer, lo que significaba que podría tirarse toda la mañana hablando con Luke.

—Eres muy dulce —le dijo él—. ¿Qué haces trabajando en un cuchitril como este?

—Bueno, la verdad es que soy modelo —le confesó Poppy—. Es que acabo de terminar un trabajo y estoy esperando a que me salga el siguiente...

Odiaba tener que decir a lo que se dedicaba porque enseguida la miraban de arriba abajo, a todas luces pensando «demasiado gorda, demasiado baja, demasiado chata». Las mujeres ponían cara de asco; los hombres la miraban como un experto en decoración que estuviese evaluando una mesa de comedor victoriana. Unas y otros pensaban: «Más tonta que Abundio».

Sin embargo, Luke se limitó a sonreír.

—Ya me lo imaginaba. Con lo guapa que eres, seguro que triunfas en un santiamén. —Miró su reloj. Tenía unas manos grandes y fuertes—. Joder, tengo que irme. Una conferencia en cinco minutos. Pero ha sido un placer hablar contigo…

—Poppy.

—Poppy. Nos vemos. Eso espero. Si no estás desfilando por una pasarela en Milán.

—Eso espero —respondió ella—. Quiero decir que espero no estar desfilando por una pasarela en Milán, que espero estar aquí.

Luke se echó a reír y ella estuvo sonriendo toda la mañana, y no solo por las cinco libras de propina que le había dejado.

A partir de ese día Luke fue de forma regular a la cafetería para charlar con ella. Por su parte, Poppy comenzó a ver el *Informativo de las Siete y Media* en el Canal 6. Se quedó pasmadísima cuando descubrió que su nuevo amigo presentaba el programa unas cuatro noches a la semana. Nunca había conocido a nadie tan importante. Tomaba notas de las noticias que daban y después acribillaba a Luke con preguntas. ¿Encontrarían la solución al conflicto de Israel? ¿Cómo se podía atajar la criminalidad juvenil? ¿Qué podía hacer el gobierno para arreglar la sanidad pública?

—Qué dulce eres —le contestaba invariablemente Luke.

Poppy era consciente de su actitud paternalista, pero no le importaba, aunque habría sido agradable que le hubiese dado una respuesta.

Tras un par de semanas Luke le preguntó si estaba libre para cenar. Quedaron a las ocho y media en un restaurante coreano un poco destartalado, situado cerca del edificio del Canal 6, en Pentonville Road.

—Me encantaría llevarte al Ritz —confesó él—, pero podrían reconocerme.

Lo del Ritz le daba igual, pero sí le molestó un poco que cuando intentó cogerse de su brazo mientras paseaban por la calle, él se apartara.

—Lo siento, pero alguien podría vernos.

Antes de que pudiera meditar esas palabras, Luke le preguntó si quería volver a cenar con él. De hecho, cenaron dos veces más y, tras una tercera cena, se acostaron juntos en su apartamento, que por suerte estaba vacío porque Meena estaba con su familia en Bangalore. A partir de ese momento comenzaron los doce meses más felices de la vida de Poppy: doce meses de piernas entrelazadas, de cuerpos sudorosos y de «¡Me pones a cien!» jadeantes; de hilarantes cenas a la luz de las velas en restaurantes escondidos, durante las cuales bebían más que comían; de lencería cara y picnics en habitaciones de hotel.

Poppy había tenido novios antes, claro, pero muy pocos. Había estudiado en un internado para chicas en Oxfordshire, Brettenden House, donde solo se tenía contacto con los chicos dos veces por semestre, cuando los obligaban a asistir a lo que los profesores llamaban «guateques». En una de esas fiestas, Poppy, que por entonces tenía quince años, conoció a Mark, que iba al Radley College. Bailaron pegados toda la noche, se besaron en el callejón de la cocina donde estaban los contenedores de basura, y a partir de entonces quedaban cada dos fines de semana en Henley, donde se pasaban casi todo el tiempo dándose el lote en un banco junto al río. Sin embargo, tres meses después, Mark la dejó tirada porque no quería llegar hasta el final. Confundida y deseando desquitarse, a la semana siguiente perdió la virginidad bajo un álamo con el mejor amigo de

Mark, Niall, allí mismo en el patio. Al día siguiente, este también la dejó porque era «demasiado ligera de cascos».

Después de esa humillación, se mantuvo alejada de los hombres durante unos cuantos años. Quien consiguió ganarse su confianza fue Alex, que trabajaba en el departamento de alimentación de Harvey Nichols, donde ella obtuvo su primer trabajo. Alex la abrazó y la besó unas cuantas veces, pero para su alivio no quiso presionarla para llevársela a la cama. Con el tiempo, descubrió que Alex era gay, de modo que se separaron como amigos.

Y eso era todo. De modo que, a la avanzada edad de veinte años, Poppy era casi virgen. Desde luego, nunca antes se había enamorado. Así que cuando lo hizo, cayó con todo el equipo.

Gran parte de culpa la tuvo el sexo. Luke fue muy delicado con ella la primera vez, y también la animó mucho. No dejaba de gemir «Dios, eres preciosa», una enorme mejora con respecto al «¿Te la meto ya?» de Mark o bien el «Yo... ay... ¡ayyyyyyyy!» de Niall. Le enseñó lo que le gustaba y le preguntó lo que le gustaba a ella, así que el resultado fue tan increíblemente espectacular que cada vez que Poppy pensaba en él, se le ponía la piel de gallina y se estremecía, y se olvidaba por completo de las comandas de los clientes de Sal.

No obstante, era mucho más que el aspecto físico. Luke era un hombre de verdad. Se encargaba de pagar la cuenta. En una ocasión le preguntó qué vino le apetecía beber y cuando ella admitió que no entendía nada de vinos, él le dijo que le gustaría enseñarle todas las variedades de uva y de tierras de labor. La llevó a una ópera, y ella fingió que le encantaba, aunque se pasó casi todo el tiempo sumida en una fantasía en la cual Luke y ella protagonizaban una especie de anuncio de café, dándose cruasanes el uno al otro en un soleado apartamento. Aunque el mejor momento llegó después de un revolcón en su estrecha cama. Luke se dejó caer sobre la almohada y le preguntó:

—¿Cuánto tiempo lleva rota la cañería del baño?

Se refería a la cañería del desagüe del lavabo, que goteaba constantemente en un cubo y que podía llegar a ser un método de tortura muy rudimentario. Cada cierto tiempo o Meena o ella tenían que vaciar el cubo en el inodoro. Una vez, cuando las dos se fueron de fin de semana, la moqueta del cuarto de baño acabó empapada y con un olor parecido al de un perro callejero después de una tormenta.

—Meses —contestó Poppy—. Meena y yo no paramos de pedirle a la señora Papadopoulos que la arregle, pero no hace nada. Supongo que deberíamos llamar a un fontanero, pero nos cobraría un riñón. Otra vez.

El último fontanero al que habían llamado les cobró doscientas ochenta y nueve libras más IVA por arreglar el grifo de la cocina y, con cierta razón, la señora Papadopoulos se había negado a reembolsarles el dinero.

—No puedo soportarlo más —dijo Luke—. Voy a arreglarlo ahora mismo. ¿Tienes una caja de herramientas?

Lo mismo habría dado que le preguntara si tenía un manual de física cuántica escondido bajo el colchón. Cuando le contestó que no, él se limitó a sonreír.

—Espera un momento. Traeré una enseguida.

Volvió veinte minutos después y se metió bajo el destartalado mueble del lavabo entre gruñidos y gemidos. A medianoche ya estaba arreglada la cañería. Poppy lo miró con admiración.

—Gracias, Luke —murmuró.

Fue un alivio enorme. Poppy siempre había tenido que apañárselas sola. Su madre no era de las que cocinaban, lavaban y planchaban. Aprendió desde pequeñita que si quería comer, tenía que encontrar algo que meter en el microondas; y si toda su ropa estaba sucia, tenía que poner en marcha la lavadora, aunque nunca dominó la cantidad exacta de detergente que debía echar ni la temperatura a la que había que ponerla. De modo que su ropa interior siempre acababa gris y deformada hasta que Meena le explicó que la ropa de color y la ropa blanca se lavaban aparte. Cuando algo se rompía, Poppy llamaba al técnico de turno, que le tiraba los tejos y luego le cobraba un riñón, así que a veces lo desechaba directamente.

Meena no era así. Cuando le apetecía que la mimaran, iba a su casa de Wembley, donde su madre le lavaba la ropa (incluso le planchaba las bragas) y la atiborraba a curry, y su padre le arreglaba la delicada caja de cambios de su coche. A Poppy siempre le había resultado agotador estar sola, pero con Luke a su lado, no. Ya no.

—Gracias —repitió.

Luke esbozó una sonrisa un tanto ufana.

—Me gusta ensuciarme las manos —adujo él—. Para variar. —Hizo una pausa—. Y también me gusta que aprecien lo que hago. Para variar también. Con todos los demás solo doy, doy y doy. «¿Por qué no viniste a la función del colegio?» «¿Qué quieres decir con eso de que no puedes tomarte dos semanas de vacaciones por Navidad para pasarla en Barbados conmigo?» «Quiero un poni.» «¿Puedo ir a esquiar?» Eres la única que me deja ser como soy.

Las referencias a su vida familiar hicieron sonar algunas alarmas, pero el mensaje que transmitían sus palabras era lo que había estado esperando. Poppy le acarició la cara.

—Te quiero —dijo en voz baja.

Luke le sonrió.

—Yo también te quiero, Poppy mía.

En la corta vida de Poppy ese fue el primer instante de perfección absoluta. Una perfección que se vio ligeramente turbada cuando, cinco segundos más tarde, el móvil de Luke comenzó a sonar. Al mirarlo, él frunció el ceño, lo apagó y dijo:

—¡Mierda, tengo que irme!

Comenzó a desvestirse para meterse en la ducha, cosa que siempre hacía antes de volver a su casa. A veces, Poppy se sentía insultada por ese afán de eliminar cualquier rastro de ella en su piel, pero esa noche no le importó. Se sentó en el borde de la bañera para observarlo, consumida por la alegría que le corría por las venas. La quería. ¡La quería! Iban a vivir felices para siempre.

Después de que Luke se fuera en un taxi, Poppy volvió a concentrarse en el molesto asuntillo de su mujer. Y de sus tres hijos. Sabía que vivían al norte de Londres, que eran dos niñas, ya adolescentes, y un niño más pequeño, que la mujer se llamaba Hannah y que era periodista, pero que se había convertido en ama de casa. Se preguntó si Hannah se preguntaría dónde había pasado su marido las últimas noches y, por un milisegundo, sintió una punzada de culpabilidad. Pero después se desentendió de ella. Luke nunca hablaba mucho de su familia y cuando lo hacía solo era para quejarse, así que no podía importarle tanto. Ella no tenía la culpa de que la prefiriera y ni se planteó la posibilidad de que Hannah pudiera interponerse en su felicidad futura. Al fin y al cabo, los hombres dejaban a sus mujeres y a sus hijos todos los días. El ejemplo más cercano era el de su propia madre. Poppy había conocido a su príncipe azul. Y de un modo u otro, lo llevaría al altar, porque así terminaban todos los cuentos de hadas.

2

No hacía falta ser Sigmund Freud para comprender por qué buscaba Poppy un apuesto príncipe azul. Su padre abandonó a su madre, Louise, cuando tenía solo veintidós años y estaba embarazada de siete meses. Poppy no sabía prácticamente nada de él, salvo que se llamaba Charles y que Louise lo había conocido en el sur de Francia, donde pasó todo un verano vendiendo helados en las playas. La idea de que la histérica de su madre pudiera comportarse de una forma tan liberal le resultaba difícil de creer, pero había pruebas: una foto en una playa pedregosa donde aparecía muy sonriente, vestida con unos pantalones cortos blancos, una camiseta verde fosforito con una frase que decía «Frankie Says Relax» y una gorra negra. Llevaba el pelo rizado y una bandeja de helados colgada del cuello.

De cualquier forma, Charles y su madre habían tenido un rollo de verano sin más. Después él desapareció y nunca respondió a las cartas de Louise en las que le decía que se había quedado embarazada. Eso era lo único que Poppy sabía. Cada vez que intentaba averiguar algo más sobre él, como qué aspecto tenía, de dónde era o qué música le gustaba, Louise le soltaba de muy malos modos:

—No necesitas saber nada sobre ese cabrón. Nos las hemos apañado muy bien sin él, ¿verdad?

Así que Poppy dejó de hacer preguntas sobre su padre a una edad muy temprana.

Y en cierto modo se las habían apañado bien sin él. Muy bien, de hecho. Evidentemente Louise se había visto obligada a trabajar como una mula para salir adelante con un bebé. Al final encontró empleo en una empresa de recursos humanos, así que Poppy pasó sus primeros años de vida en una guardería o con su abuela, que se instaló con ellas cuando Poppy tenía cuatro años. Un par de años más tarde la artritis de su abuela se agravó hasta que le fue imposible ocuparse del cuidado de la niña, pero para entonces Louise había montado su propio negocio y las cosas le iban bien. De manera que Elisabetta, una chica salvadoreña, llegó para convertirse en la sustituta de Louise. El arreglo funcionó de maravilla hasta que llegó la factura del teléfono, que dejó a Louise en números rojos e hizo que Elisabetta se marchara en el primer avión.

Después de esa experiencia hubo una ristra de *au pairs*. Poppy se quedaba hecha polvo cada vez que una de ellas se marchaba. Sus más tiernos recuerdos se remontaban a Margarita, una chica colombiana, haciéndole mimos después de haberse golpeado la rodilla. A Greta, una austríaca, aplaudiéndola cuando consiguió montar en bici sin las ruedas de apoyo. A Adalet, que era turca, andando de espaldas en la piscina mientras la animaba a nadar hacia ella. Sin embargo, Louise las había visto a todas de otro modo. Para ella las chicas eran demasiado descuidadas, demasiado descaradas y volvían demasiado tarde a casa las noches que libraban. Incluso las que demostraban un comportamiento intachable acababan despachadas en cuanto Louise notaba que Poppy empezaba a encariñarse demasiado con ellas, lo que sería una inconveniencia.

Poppy lloraba de forma inconsolable en cada despedida. Las *au pairs* le juraban a la niña rubia de ojos azul turquesa que siempre seguirían en contacto con ella, pero después de un par de postales la correspondencia comenzaba a espaciarse hasta que acababa interrumpiéndose por completo cuando seguían con sus vidas y encontraban una nueva familia, algún novio o un empleo en condiciones.

A la postre Louise llegó a la conclusión de que lo mejor para Poppy era un internado, cuyo coste podía permitirse a esas alturas, ya que el negocio marchaba sobre ruedas. Vendió el dúplex de Saint Albans, se compró un apartamento de dos habitaciones en Clapham y comenzó a ojear folletos. Todo el mundo se sorprendía al enterarse de que Poppy había comenzado a estudiar en Watershead a la tierna edad de nueve años, pero en realidad para ella fue genial. La supervisora era muy simpática; la directora, un encanto; hizo un sinfín de amigas y su abuela iba a verla los fines de semana.

Fue en Brettenden House cuando comenzó la mala racha. Un colegio megapijo donde daba la sensación de que todas las alumnas vivían en enormes mansiones campestres, tenían al menos cuatro ponis y sus madres eran también antiguas alumnas de Brettenden. Poppy era consciente de que a sus espaldas la llamaban «la nueva» ya que la consideraban una nueva rica, término que para ellas era el peor de los insultos. En aquella época solo hizo una amiga, Meena, cuyo padre era un contable de Wembley de origen paquistaní que se había deslomado para enviar a su hija a un buen colegio, donde descubrieron que la menospreciaban sin piedad por ser de clase media baja.

—¿Tu padre es quien hace la declaración de impuestos a mi padre? —le preguntaban las hijas de los terratenientes entre risillas.

Para empeorar aún más las cosas, a Meena no le interesaba lo más mínimo la universidad y no paraba de pedir a sus padres que concertaran un matrimonio de conveniencia con el hombre más rico que pudieran encontrar.

Los sábados por la noche, cuando la mayoría de sus compañeras de colegio se iba a sus casas de campo, Poppy y Meena se acurrucaban en la sala común para ver su película favorita: *Pretty Woman*. La idea de que existiera un mundo donde hubiera hombres del estilo de Richard Gere que solucionaran los problemas a golpe de tarjeta de crédito les resultaba irresistible.

—Eso es lo que queremos —decía Meena entre suspiros—. Si nos casáramos con un hombre así, no tendríamos que preocuparnos por los exámenes.

Poppy estaba totalmente de acuerdo.

—Sería mucho más divertido que lo que hace mi madre, que se pasa la vida trabajando y está siempre agotada.

El sueño de poner un Richard Gere en su vida se hizo más acuciante para Poppy cuando su abuela murió justo una semana antes de que comenzaran los exámenes para obtener el título de bachillerato. Sus expectativas para superar los exámenes con éxito ya eran de por sí bastante escasas, pero afectada por la pérdida de su abuela, solo consiguió aprobar dos y con notas bajísimas: un bien en arte y un suficiente en lengua. Desde el propio Brettenden House le sugirieron que no se decantara por seguir estudiando, y a Poppy le encantó la idea. Por suerte, Meena tampoco aprobó, así que las dos acabaron compartiendo piso en Kilburn. Meena consiguió un empleo en el Starbucks de Oxford Street y Poppy, en Harvey Nichols, vendiendo bañadores.

Echando la vista atrás, esa fue la época más feliz de la vida de Poppy. El trabajo era divertidísimo; por las noches siempre había alguien con quien tomarse una copa y durante el día se entretenía viendo cómo las ricas metían barriga para lograr enfundarse biquinis de quinientas libras. Sin embargo, unos meses más tarde llegó una señora con cara de halcón que le preguntó si sabría distinguir entre Eres y Missoni, y después quiso saber si había hecho algún trabajo como modelo, tras lo cual la invitó a su despacho para hablar.

Y así fue como a los dieciocho años convencieron a Poppy Price para que renunciara a su empleo en Harvey Nichols y, en cambio, comenzara a patear las calles de Londres con una guía bajo el brazo y un *book* de fotos que fue enseñando a un sinfín de mujeres de cara avinagrada en oficinas oscuras, que se miraban entre sí y soltaban: «Preciosa de cara, pero necesita perder por lo menos cinco kilos», como si ella no estuviera delante.

Poppy no estaba muy convencida de su nueva carrera, ya que tenía una talla treinta y ocho cuando lo ideal en ese mundillo era una treinta y seis o una treinta y cuatro. En todas partes le decían que carecía del físico angular requerido para la pasarela, pero que su aspecto era ideal para la publicidad, lo que supuso su aparición en unos cuantos anuncios de unos grandes almacenes especializados en accesorios para el cuarto de baño y detergentes. También hizo algunas sesiones de fotos para revistas de adolescentes, cosa que implicó plantarse en una esquina con un vestido de punto y medias de rayas, cogida del brazo de otra modelo (más guapa que ella) mientras fingían reír a carcajadas aunque el aire era tan frío que le cortaba la cara, los transeúntes se reían de ella al pasar y el fotógrafo no paraba de gritarles que se suponía que estaban haciendo el ganso y no asistiendo a un funeral. Sin embargo, sus amigos, Meena sobre todo, estaban tan alucinados con la idea de conocer a una modelo de carne y hueso que decidió seguir un par de años más antes de regresar a los bañadores. Y entonces fue cuando Luke y el amor llegaron, y la buena suerte pareció extenderse a todos los aspectos de su vida. Después de sus desastrosos comienzos los trabajos empezaron a lloverle del cielo: una sesión de fotos para la versión estadounidense de *Elle*, la portada del *Cosmo*, una sesión de fotos para *Glamour* (en Cuba), otra para *Harper's Bazaar*...

La relación de Poppy y Luke ya duraba todo un año. Ella lo adoraba y se sentía cada vez más angustiada porque seguía sin divorciarse de Hannah, aunque estaba segura de que todo era cuestión de tiempo. Solían verse dos noches a la semana y, alguna vez que otra, se escapaban los fines de semana para pasar un par de noches juntos. No salían tanto como al principio y se limitaban a pasar el rato en la cama, pero le bastaba.

Y justo entonces llegó el día, aterrador y emocionante, en el que Poppy, que se sentía rarísima hasta el punto de no beber nada de alcohol y con un retraso considerable en su período, decidió comprar un test de embarazo. Orinó sobre el palito y vio aparecer una línea azul. La noticia no la pilló por sorpresa. Aunque Luke solía preguntarle si tomaba la píldora y ella solía contestarle que sí, en realidad nunca había ido al ginecólogo para que se la recetara. Al fin y al cabo, Meena aseguraba que la píldora provocaba retención de líquidos y ella no dejaba de leer en todos lados que era muy difícil quedarse embarazada en los tiempos que corrían, salvo que se recurriera a los carísimos y dolorosos métodos de fecundación artificial. Y aunque ni siquiera era capaz de admitirlo para sus adentros, deseaba un bebé al que querer por encima de todas las cosas porque de ese modo Luke tendría que dejar a su mujer. Así que el embarazo no le pareció problemático en absoluto.

Estuvo tentada de llamar a Meena, que estaba haciendo surf en Cornualles ese fin de semana con la esperanza de enrollarse con el príncipe Guillermo o, al menos, con alguno de sus amigos. Al final decidió que Luke debía ser el primero en enterarse de la noticia, pero tuvo que esperar dos días enteros a que apareciera después de emitir su programa. La intención era contárselo nada más verlo, pero llegó con ganas de marcha y la llevó directa a la cama sin darle tiempo siquiera a abrir la boca. Después de una sesión que no fue tan movidita como de costumbre porque a ella la asustaba la posibilidad de hacer daño al bebé, a quien ya llamaba Isabelle, decidió soltarlo.

—Luke —dijo después de respirar hondo y mientras le acariciaba el pecho—, tengo que decirte una cosa.

—¿Mmm? —Luke tenía los ojos cerrados y estaba medio dormido.

—Yo… Bueno, nosotros… Vamos a tener un bebé.

—¿¡Cómo!? —preguntó él, sentándose de golpe. Parecía horrorizado—. ¿Es una broma?

—No —contestó ella, confusa.

—¡Me cago en la puta, Poppy! ¿Cómo cojones ha pasado? ¿No estás tomando la píldora?

—Yo, sí… pero… Supongo que ha fallado.

—¡La píldora no falla, Poppy! Mierda. En fin, será mejor que vayas al médico lo antes posible. ¿De cuánto estás?

—No estoy segura. De un par de meses, creo. No he querido ir al médico hasta habértelo dicho. Creí que iríamos juntos.

—¡Me cago en la puta! —exclamó él de nuevo.

Poppy se echó a llorar. Esa no era la reacción entusiasmada que había esperado.

—Pensaba que te alegraría la noticia.

—¿¡Que me alegraría!? ¿Cómo quieres que me alegre? No me apetece que tengas que someterte a un aborto, pero no veo otra solución.

Ella jadeó.

—¿Un aborto?

—¿Es que habías pensado otra cosa?

—Pues pensaba tener el bebé, evidentemente. Se llama Isabelle.

Luke se puso casi morado.

—¿¡Isabelle!? ¿Ya sabes que es una niña?

—No, pero tengo el presentimiento. Yo…

—Una de mis hijas se llama Isabelle. ¡Joder, Poppy!

Poppy no podía dejar de llorar. Le dijo que no estaba dispuesta a someterse a un aborto. Le dijo, aunque no estaba muy convencida, que le iría bien como madre soltera, que su madre se las había apañado y que ella también lo haría. Luke le soltó, como era normal, que no podría hacerlo sola y que él la ayudaría, pero que no podía abandonar a Hannah y a sus hijos, y que ella debía entenderlo.

—Pero ¿por qué no? ¡Si no la quieres!

De repente, los cuarenta y nueve años de Luke se hicieron evidentes.

—Se me había olvidado lo joven que eres, Poppy. Claro que quiero a Hannah. Es mi mujer. La madre de mis hijos.

—¿Y yo? ¿No me quieres?

—Os quiero a las dos —contestó él, nervioso a esas alturas—, pero de formas diferentes. A ver, si las cosas hubieran sido distintas, si te hubiera conocido en otra época de mi vida, me habría casado contigo. Pero estoy casado con Hannah. No puedo dejarla. Entiéndelo.

—Pero hay muchos hombres que dejan a sus mujeres y no pasa nada. ¿Por qué tú no?

La pregunta lo dejó espantado.

—¿De verdad no lo entiendes?

—Podrás seguir viendo a tus hijos.

Luke salió de la cama y comenzó a vestirse.

—No es tan fácil. Soy un personaje famoso, ¿recuerdas? Los periódicos se ensañarían conmigo si dejara a mi mujer por una chica más joven.

—No lo creo —replicó ella—. No eres tan famoso.

Al fin y al cabo, desde que doña Antipática lo reconoció aquel primer día, nadie más había vuelto a hacerlo, salvo el camarero del restaurante indio de la esquina, aunque a medida que la conversación progresaba resultó que lo había confundido con uno de los concursantes de *El Factor X*.

Fue lo peor que podría haber dicho.

—Puede que tus amiguitos no me conozcan, pero soy una leyenda. —Se anudó la corbata—. Tengo que irme. No llores. Lo solucionaremos. Buscaré un médico. El mejor. No puedes tener el bebé.

Poppy se pasó toda la noche llorando y al final se quedó dormida al amanecer. Se le olvidó por completo que a las nueve la recogerían y la llevarían a una sesión de fotos para promocionar una nueva barrita de chocolate baja en calorías. Ni siquiera oyó el timbre. Su móvil se había quedado sin batería; así que, cuando se levantó a las once, se encontró con una retahíla de mensajes de una Elsa muy enfadada. Sin embargo, no había mensajes de Luke. Ni uno.

El coche que había ido antes a buscarla regresó y finalmente llegó a la sesión de fotos, donde el maquillador le echó la bronca por haberse presentado con los ojos rojos y la piel irritada, y le dijo que fuera una niña buena en el futuro. Entre cambio y cambio, comprobaba si le había llegado algún mensaje al teléfono.

Ni uno.

Ella sí que envió mensajes a Luke, que tenía el móvil desconectado. Se pasó el día tecleando. Al final, la llamó poco después de las ocho y la pilló llorando a moco tendido en el sofá mientras se atiborraba de helado bajo en calorías.

—Perdona por no haberte contestado —dijo con una voz tan distante que parecía estar llamándola desde la luna—. Ha sido un día horrible en el trabajo, pero te buscaré un médico.

Poppy parecía tener un pedrusco en el pecho.

—Ya te he dicho que no pienso abortar.

Luke suspiró.

—En fin, piénsatelo. Tengo que colgar. Mañana te llamo. Adiós.

Aunque ya había experimentado lo que era la tristeza en el pasado, Poppy se familiarizó en ese momento con la desesperación. Se pasó esa noche y el día siguiente llorando a lágrima viva, sin poder dormir e intentando localizar por teléfono primero a Meena, luego a Luke y de nuevo a Meena. Ninguno de los dos le devolvió las llamadas (luego descubriría que en la zona donde estaba Meena no había cobertura). Sin embargo, a las nueve de la noche se produjo un milagro. Alguien llamó al timbre y cuando contestó, esperando que fuera el repartidor del restaurante chino, oyó la voz de Luke por el interfono.

—Poppy, soy yo. Déjame entrar, por favor.

Cuando abrió la puerta, lo vio subir la escalera con una maleta enorme.

—Los he abandonado —le dijo al tiempo que se detenía en el descansillo para recuperar el aliento—. Poppy, me vengo a vivir contigo. Tú vas a tener ese bebé y yo voy a casarme contigo.

MI MARIDO, LA ZORRA Y YO

por HANNAH CREIGHTON

Hannah Creighton se quedó destrozada cuando su marido, Luke Norton, el presentador del *Informativo de las Siete y Media* del Canal 6, la dejó por una modelo de veintidós años. Actualmente, Luke ha vuelto a casarse y acaba de tener una niña, y Hannah ha rehecho su vida con sus hijos: Mathilda, de quince años; Isabelle, de trece, y Jonty, de ocho. Aquí nos relatará con desgarradora sinceridad la que ha sido la experiencia más dolorosa de su vida.

Las noticias que cambiarían mi vida para siempre llegaron durante una soleada tarde de finales de verano. Estaba sentada en mi despacho, contemplando el jardín de nuestra preciosa casa de Hampstead, en Londres, mientras disfrutaba de una taza de té, de los trinos de los pájaros y de los rayos de sol que se colaban entre las hojas de un sauce. Era un breve paréntesis, ya que acababa de meter un pollo en el horno para la cena y tenía que ir a recoger a Jonty al colegio antes de pasar a buscar a Isabelle, que estaba en su entrenamiento de lacrosse.

Di un respingo al escuchar el aviso de un nuevo correo electrónico procedente del ordenador. Me volví hacia el monitor sin muchas ganas. Pensaba que sería un mensaje de Cheryl, una gran amiga, agradeciéndome que hubiera recogido a su hija del colegio el día anterior, pero era de Luke. Un aviso de que llegaría tarde a cenar, me dije. Enfadada, porque en aquel entonces reunirnos los cinco a la mesa era tan difícil como cultivar cocos en la Antártida, abrí el correo, lo leí y parpadeé varias veces, confundida.

Querido Luke:

Te mando un correo xq no me devuelves las llamadas ni los mensajes y estoy desesperada. Siento mucho haberte asustado con lo del bebé, pero tenemos q hablar. Pienso tenerlo digas lo q digas y entenderé q quieras lavarte las manos, pero te pido q vengas otra vez para hablarlo con más tranquilidad. Te quiero, te quiero muchísimo y creía q tú también me querías. Llámame x favor, x favor, x favor.

Te quiero con toda mi alma.

Poppy xxxxOOOOO

El corazón me atronó los oídos de repente y pensé que me iban a reventar los tímpanos. Se me olvidó que tenía que asar las patatas, porque decidí buscar en Google el nombre de Poppy Price, que aparecía como remitente del correo. Gracias a la tecnología moderna, solo tardé un momento en conocer a mi enemiga. Encontré una foto de una sonriente rubia de mirada dulce que no podía ser mucho mayor que Mathilda. La zorra, según leí, tenía veintidós años y era modelo. A partir de ese momento todo adquirió un tinte irreal, como si sucediera a cámara lenta. No podía ser cierto.

Cuando Luke y yo nos conocimos en un bar israelí, dieciocho años antes, los dos creímos que nos había atravesado un rayo. Yo estaba allí como corresponsal para el periódico en el que trabajaba y él era un prometedor corresponsal de la BBC. Al principio me tomé con recelo sus atenciones porque conocía su reputación de mujeriego. Sin embargo, al final me desarmó con su encanto. Seguimos viéndonos al volver a Inglaterra y al cabo de unos meses éramos inseparables. Dieciocho meses después de conocernos nos casamos en una iglesia pequeñita, rodeados de familiares y amigos que lloraban mientras mi marido me tomaba de la mano y prometía serme fiel y olvidar a todas las demás. Como tonta que soy, me lo creí.

Un año después tuvimos a nuestra primera hija. Como les sucede a todas las parejas, la vida nos pareció un poco monótona cuando comenzamos a pasar las noches en vela por culpa de los llantos del bebé. Hubo

33

ocasiones en las que deseábamos liarnos la manta a la cabeza y salir corriendo, y me refiero a los dos. Sin embargo, seguimos queriéndonos y queriendo a nuestros hijos. Como Luke continuó viajando por el mundo como corresponsal, me di cuenta de que la mejor forma de conseguir una familia feliz era dejando mi adorada carrera para garantizar que mis hijos y mi marido tuvieran unas bases sólidas. Echaba de menos el bullicio de la oficina, los viajes al extranjero y las entrevistas con los famosos, pero la mayor parte del tiempo me alegraba ser la encargada de construir el nido para mi «equipo». No obstante, estos últimos años me he visto obligada a ir con la cabeza bien alta mientras hacía oídos sordos a los amigos «preocupados» por ciertos comentarios sobre Luke y las «amistades» que hacía durante sus viajes o sobre las «confianzas» que se tomaba con algunas compañeras de trabajo. Desesperada por seguir disfrutando de una familia feliz, descartaba todos esos rumores. Intenté sonsacarle algo a Luke en un par de ocasiones, pero él se limitó a reírse de mí, diciendo que eran tonterías y que para él su familia era lo más importante del mundo.

Pero esto era algo diferente. Un bebé, si era cierto, era algo muy diferente. Tuve la impresión de que acababan de clavarme una navaja en el estómago y que la estaban retorciendo. Le dije a Luke que regresara a casa de inmediato. Mantuvimos una conversación de varias horas que parecía sacada de una novela romántica, de este estilo más o menos:

«—¿Cómo has podido hacerme algo así?

»—Ha sido un error. Ella no significa nada para mí.»

Después de pasar toda la noche repitiendo ese esquema una y otra vez, le dije que se fuera.

«—¿Aónde voy a ir? —me preguntó él.

»—Vete con esa zorra —le contesté yo.»

Y se fue.

Se pasó unos cuantos días suplicándome que lo perdonara a través del teléfono, del correo electrónico y de mensajes de texto. Sin embargo, algo se había roto en mi interior. Después de tantos años haciendo la vista gorda, la esposa había abierto los ojos.

La furia dio paso a la desesperación a medida que pasaban las semanas y los meses. Conforme el enfado disminuía, descubrí que (por mucho que lo intentara) no podía olvidarme de Luke. Me horrorizaba ser una madre divorciada y llegué a preguntarme si no habría cometido un error al echarlo de casa y si habría vuelta atrás. Hubo una cosa que no cambió en absoluto: la zorra estaba embarazada.

La desesperación estuvo a punto de acabar conmigo. Pensé en tomar antidepresivos, pero decidí que la única forma de recuperarme a largo plazo pasaba por volver a divertirme. Al principio no me apetecía ver a nadie, pero me obligué a salir. Organicé cenas con amigas y empecé a ir a natación. Incluso me hice socia de un club de amigos del vino. Comencé a divertirme y cada vez que escuchaba mi propia risa me decía que estaba a un paso más cerca de recuperar el control de mis emociones.

La luz apareció al final del túnel, pero fue un proceso muy lento. Después de descubrir que tenía el valor necesario para echar a Luke de casa, adquirí una confianza que se reflejó en otros aspectos de mi vida. Aunque la mayoría de los amigos con los que teníamos relación se fueron alejando, hubo otros que me echaron una mano. Lo que realmente me ayudó fue retomar mi carrera como escritora. La que había abandonado para convertirme en la esposa y la madre perfectas. Con las manos temblorosas, hice un par de llamadas a antiguos contactos. Para mi eterna gratitud, resultó que muchos de ellos habían pasado por la misma experiencia en la que yo me encontraba y se mostraron encantados de ayudarme a retomar mi carrera. Ver mi nombre impreso por primera vez después de tantos años me provocó un subidón similar (supongo) al de la Viagra que, más o menos por aquel entonces, descubrí que Luke había estado comprando por internet.

Pese a esos momentos de alegría, es imposible negar que la ruptura con Luke ha sido muy traumática. No solo para mí, sino también para los niños —cosa que es muchísimo peor—, porque adoraban a su padre. Durante los primeros meses Jonty tuvo muchos problemas en el colegio porque no dejaba de enzarzarse en peleas con otros niños. Las niñas se distanciaron y perdieron parte de su alegría. Juraron que jamás volverían a ver a su padre, cosa que me produjo un dolor terrible, pero también una inmensa satisfacción.

Sentía unos celos horrorosos. Sabía que Luke había instalado a esa zorrilla en una casa muy lujosa con vistas al canal en una de las zonas más exclusivas de Londres. Qué diferentes de nuestros principios como pareja, cuando vivíamos en un piso de una sola habitación en Willesden, donde Tilly dormía en el cajón de la cómoda y la caldera siempre estaba rota. Para esta nueva esposa-florero no había estrecheces. Me había robado a mi marido cuando estaba en la cima de su carrera profesional. No, no sabría lo que eran el estrés ni los apuros para llegar a fin de mes.

Sin embargo, por mucho que odiara a Luke, a ratos lo echaba de menos como echaría de menos un brazo o una pierna si me los amputaran. Me casé con él porque era listo, gracioso y guapo, pero debía recordar que también era un mentiroso y un sinvergüenza. Era incapaz de romper nuestras fotos, algunas de las cuales se remontaban a los primeros años de nuestra vida en común, cuando tenía más pelo y menos barriga. Los amigos me habían dicho que sería perjudicial conservarlas, ya que espantarían a mis futuros amantes. De todas formas no me sentía con fuerzas para arrasar con todo. También era la casa de mis hijos y no me entraba en la cabeza que hubiera que eliminar todo rastro de la existencia de su padre.

Al parecer, Luke y la zorra acaban de ser padres de una niña. De modo que estoy obligada a tragarme mis sentimientos y espero que mis hijos aprendan a querer a su hermanastra. Hay ciertas personas a las que he borrado para siempre de mi lista de felicitaciones de Navidad, después de decirme que debería dar las gracias porque Luke haya accedido a pasarme una pensión generosa y me haya permitido seguir en la casa sin hacerme cargo de la hipoteca. La idea de darle las gracias por permitirme seguir en la casa que he decorado y cuidado, en la que he criado a mis hijos, hace que me salga humo por las orejas.

Sin embargo, no dejo de repetirme que tengo que mudarme. No me queda otra alternativa. Tengo que encontrar el modo de enfrentarme a mi nueva situación. Miles de familias pasan por este mismo trance todos los días y, aunque ahora mismo me parece imposible, hay que aprender a perdonar. Para que mis hijos y yo podamos ser felices necesitamos creer en un futuro de color rosa, muy distinto del que soñaba cuando juré ser fiel a Luke.

3

El mes que siguió a la llegada de Luke a casa de Poppy fue un torbellino. Tras una semana en su apartamento, Luke dijo que ya no aguantaba más ese estilo de vida estudiantil, sin poder entrar en el cuarto de baño por la mañana porque Meena se estaba maquillando. De modo que alquiló una casa enorme en Maida Vale, justo al lado del canal. Era un bonito edificio de estuco blanco, de dos plantas. Tenía dos dormitorios, un despacho para Luke, una sala de estar de techo muy alto y una cocina-comedor lujosamente amueblada.

—Es preciosa —murmuró Poppy, incapaz de creer lo rápido que se habían mudado desde Kilburn. Sabía que Luke era rico. Era evidente que la cadena de televisión le pagaba bien y, además, había heredado mucho dinero de su padre, un inversor de bolsa de prestigio. Sin embargo, hasta ese momento no se había imaginado lo rico que era—. ¿Necesitamos un sitio tan grande? —preguntó.

—Bueno, los chicos vendrán para quedarse unos días —respondió Luke.

—¡Ah! —exclamó ella—. Claro. Me muero de ganas de conocerlos.

De un modo un tanto retorcido, era verdad que se moría de ganas de conocerlos. Al fin y al cabo, no había mucha diferencia de edad entre ella y las hijas de Luke. Pero al final no fueron. Dijeron que no tenían ganas de conocer a la mujer que les había arruinado la vida a ellos y a su madre, de manera que Luke se vio obligado a pasar fines de semanas alternos llevándolos a comer pizza y (después de rechazar con desdén su sugerencia de ir al zoo) de compras, cosa que declaró que sería su ruina. Poppy había soñado con pasar los fines de semana paseando cogidos de la mano por el canal, y en cambio acabó pasándolos sola con un montón de películas en DVD y una creciente barriga.

Ni siquiera los fines de semana que se quedaba con ella le dedicaba tiempo, porque estaba muy ocupado trabajando en su libro sobre los Balcanes y se pasaba los días encerrado en su despacho. Poppy le llevaba algo de comer y se ofrecía a hacerle masajes en la cabeza, que él agradecía y aceptaba, hasta que acababa echándola.

Nadie había recibido la noticia de su embarazo como ella esperaba.

—¡Estás preñada! —exclamó Meena—. ¡Mira que eres idiota, Poppy! —Tras lo cual añadió—: Quiero decir, felicidades. Supongo que es una manera de conseguir un anillo en el dedo. Pero, Poppy, tú no quieres un bebé. Te vas a poner como una vaca y el parto te dolerá muchísimo. No volverás a dormir y te pasarás la vida cubierta de vómitos y caca.

—Me encantan los bebés.

En realidad le encantaba la idea que tenía sobre los bebés, la idea de arrullarlos en mantitas rosa mientras cantaba nanas. Nunca había tenido a uno en brazos.

—Pues hazte niñera. No tengas uno propio. Acabas de cumplir los veintidós. Tienes toda la vida por delante. Además —dijo antes de detenerse un segundo—… Además, sé que Luke trabaja en la tele, pero es un coñazo. ¿No podrías haberte liado con alguien de un culebrón o de alguna serie? ¡Venga ya, no lo conocen ni en su casa a la hora de comer! Y tú eres un bombón, Poppy. Sé que puedes encontrar algo mejor.

Poppy decidió que Meena le tenía envidia. Al fin y al cabo, esta no escondía que su objetivo en la vida era cazar a un miem-

bro de la familia real o, si no lo conseguía, a un productor ricachón de Bollywood para pasarse el resto de su vida comprando. Para alcanzar dicho objetivo, Meena trabajaba como recepcionista en un gimnasio pijísimo en Saint John's Wood, donde
conseguía manicuras, cortes de pelo y tratamientos faciales a
precios rebajados, además de conocer a un montón de posibles maridos. De modo que el hecho de que hubiera pescado
a un marido rico antes que ella tenía que haberle sentado como
una patada en el estómago.

A su madre, que estaba de mal humor porque le había fallado otra relación, le hizo menos gracia todavía.

—No puedo creer que seas tan tonta, Poppy. Estás come-
tiendo el mismo error que cometí yo.

—No, Luke me está apoyando —dijo ella, pero después
se dio cuenta de que no podría haber dicho nada peor.

—Puede que te esté apoyando, pero para eso ha abandonado a su esposa y a sus tres hijos. ¿En qué clase de hombre
lo convierte eso? ¿De verdad quieres que sea el padre de tu
hijo? Poppy, eres preciosa. Siempre le he dado gracias a Dios
por tu aspecto porque por desgracia es lo único que tienes.
Siempre he deseado que te casaras con un hombre bueno, no
que acabaras liada con un cerdo.

—No es un cerdo.

Louise suspiró.

—Poppy Price, ¿cómo es posible que haya criado a una
hija tan tonta?

—Tú no me criaste, lo hicieron las *au pairs* y la abuela.

—Hice todo lo que pude —masculló Louise—. No tienes la menor idea de lo duro que es ser madre. Ya te entera-
rás. —Se llevó la mano a la frente—. Ay, me está viniendo
una de mis migrañas. Tengo náuseas. Será mejor que me eche
un rato.

Poppy no se molestó en decir que ella tenía náuseas todo
el tiempo. A los cuatro meses de crecimiento incesante de su
barriga, tuvo que dejar de trabajar. Aceptó su nueva vida de

futura madre a jornada completa con entusiasmo, pero resultó ser mucho más solitaria y aburrida de lo que había esperado. Ser modelo le había parecido aterrador, pero al menos le ofrecía una excusa para levantarse por las mañanas y tenía a gente con quien hablar todo el día. En cambio, Luke casi nunca estaba en casa. En ocasiones, tenía la sensación de que lo veía más cuando era su amante. Se marchaba muy temprano por la mañana y volvía a medianoche, con la corbata torcida, apestando a Chianti y con la Blackberry echando humo.

—Entretener a los contactos, cariño —le decía cuando se metía en la cama a trompicones—. En eso consiste mi trabajo. Gracias a ello podemos vivir en esta preciosa casa.

—Pero a mí no me interesa tener una casa preciosa. Preferiría verte más.

—Esta es mi vida —dijo él al tiempo que se encogía de hombros—. He dejado a mi familia por ti. No esperarás que renuncie también a mi trabajo…

En la oscuridad, a Poppy se le llenaron los ojos de lágrimas. Estaba aprendiendo que era mejor no llorar delante de él, porque con eso solo conseguía enfurecerlo.

—No te pedí que renunciaras a tu familia. Tú los dejaste, yo no te obligué.

—¿Ah, no? —preguntó él entre dientes antes de tumbarse boca arriba.

Se produjo un breve silencio.

—El bebé me ha dado hoy una patada.

—¿En serio? Poppy, estoy muerto. Me voy a dormir. —Y en cuestión de segundos lo oyó roncar.

De modo que Poppy se pasaba los días y las noches delante de la tele, pendiente de que sonara la llave de Luke en la puerta mientras se acariciaba con ternura la barriga y hojeaba su libro prenatal para ver qué estaba haciendo su feto esa semana (dando saltos o patadas o chupándose el pulgar, seguramente). Le preguntó a Luke si podía asistir a alguna de sus cenas de trabajo, pero él suspiró y le dijo que no sería adecuado.

—La mayoría de esa gente conoce a Hannah desde hace mucho tiempo. No puedo aparecer contigo de buenas a primeras.

Hannah consiguió un divorcio fulminante, aduciendo adulterio. Poppy no se enteró de todos los detalles, pero sí supo que Luke había aceptado pasarle una pensión considerable. Cuando Poppy estaba de ocho meses, se casaron.

—Sabes que no tenemos que hacerlo, ¿verdad? —le preguntó a Luke mientras iban al registro civil de Marylebone sentados en el asiento trasero de un taxi. Por supuesto, era lo que ella más deseaba, pero parecía tan derrotado que cualquiera diría que iba a un funeral y no a su propia boda.

—No seas tonta —contestó él, intentando sonreír—, claro que tenemos que hacerlo.

Y se casaron en una diminuta estancia que apestaba a Pronto. Poppy iba ataviada con un vestido premamá blanco y azul que había comprado en Topshop, en vez del vestido de princesa a lo Diana de Gales que siempre había soñado. Tuvieron dos testigos: Meena y Gerry, un antiguo corresponsal de guerra amigo de Luke, que tenía la nariz roja (consecuencia de la gran cantidad de noches que había pasado en bares) y una cicatriz en la mejilla donde le habían quitado un melanoma. Los padres de Luke habían muerto.

Louise dijo que le habría encantado asistir, pero que esa misma semana tenía que presidir una importante conferencia en Glasgow.

—Lo entiendes, ¿verdad, cielo? —Como de costumbre, Louise no esperó a que le respondiera—. Tengo que irme, cariño. Espero que pases un buen día.

Después de la ceremonia almorzaron en el Orrery, en Marylebone High Street. La comida estaría deliciosa, sí, pero Poppy no se dio cuenta por las vibraciones tan raras que había entre los cuatro. Los otros tres comensales parecían estar cabreadísimos y Meena acabó vomitando en el servicio, tras lo cual tuvieron que meterla en un taxi para que la llevara de vuelta a casa. Gerry se fue dando tumbos por la calle. Luke y ella cogieron otro taxi para volver a Maida Vale. Para alivio de Poppy, hicieron el amor con mucha más pasión de lo que lo habían hecho en semanas, y después Luke se durmió como un tronco. Cuando se despertó, pidieron comida india y comieron en la cama, riéndose mientras se daban trocitos de pan de yogur, una imagen muy parecida a la de su fantasía del anuncio de café. Así que Poppy se durmió en su noche de bodas convencida de una vez por todas de que su cuento de hadas estaba a punto de comenzar.

LA MUERTE DE LA MUJER FLORERO

Las oportunistas que engañan a sus ricos maridos están al borde de la extinción, dice HANNAH CREIGHTON.

No hace mucho tiempo, se consideraba una verdad universal que un hombre con un trabajo alucinante necesitaba una mujer florero. Estas yeguas de cría, dóciles y maravillosas, eran el complemento perfecto para la mansión, el Maserati y las vacaciones en las islas Mauricio.

Sin embargo, los tiempos cambian… y mucho. Según una reciente investigación, los sueldos que perciben ambos miembros del matrimonio se están igualando. En la actualidad los hombres se aburren con los parásitos que se quedan en la casa todo el día y buscan mujeres ambiciosas. Parafraseando a Jerry Hall, buscan a «putas en la cama, chefs en la cocina… y reinas en la sala de juntas». Algunos han interpretado esto como una victoria de las feministas, algo similar a lo de la quema de los sujetadores. Lo triste es que, sin embargo, no habla muy bien de nuestro sexo. Creo que los hombres poderosos solo se han quedado con la parte negativa de la esposa que se queda en casa. O se casan con una mujer preparada para pagarse sus facturas o acaban atados a una chupasangre vaga y mimada.

Ya veo los dedos que me acusan. ¡Vale! Lo admito. Yo también era una de esas mujeres que se quedaban en sus casas a las que ahora mismo critico. Mi marido, Luke Norton, era un importante corresponsal en el extranjero que, en la última etapa de nuestro matrimonio, se convirtió en el presentador del *Informativo de las Siete y Media* del Canal 6 y, por tanto, en un personaje famoso.

Vivíamos con nuestros tres hijos en una maravillosa casa en Hampstead, al norte de Londres, y yo no trabajaba fuera de casa. Pero hasta aquí llega mi parecido con una mujer florero.

Veréis, es que yo era de una generación distinta, la generación *Cosmo* que creía en eso de «tenerlo todo». A las hijas de los setenta nos educaron para entender que eso significaba llevar la casa, hacer de anfitriona, educar hijos encantadores, mantener contentos a nuestros maridos y tener algo que hacer para que no se nos atrofiara el cerebro y nuestras cuentas corrientes siguieran separadas.

Confieso que no conseguí ese último objetivo. Aunque tenía una carrera como periodista antes de conocer a Luke, los desafíos que me presentaban tres niños pequeños me resultaron demasiado agobiantes para combinarlos con un trabajo. Pero al sentirme culpable por no ser una chica trabajadora y rompedora a la vez, me esforcé más por criar a unos niños felices, que vivían en una preciosa casa, jugaban en un magnífico jardín y tenían cenas nutritivas en la mesa todas las noches. Cuando mi marido volvía a casa, lo esperaba una cena igual de nutritiva, además de una enorme copa de vino. Después de escuchar las historias que me contaba sobre las intrigas internas y sus hazañas, le decía lo valiente e inteligente que era. Nunca compartí mis preocupaciones causadas por las discusiones con los albañiles o por los cambios en el curso escolar. Creí que eso formaba parte del trato: yo mantenía el fuego vivo en la casa mientras él salía a cazar la carne.

Qué inocente fui. Cuando el más pequeño de mis hijos fue por fin lo bastante mayor para no necesitar toda mi atención y comencé a pensar en un trabajo a tiempo parcial, mi marido anunció que me dejaba. Por una modelo de veintidós años. Con la que iba a tener su cuarto hijo. Los años que me pasé creando un hogar estable no contaban para nada. La historia de mi furia y mi recuperación se ha documentado con creces. Dejémoslo en que me quedé destrozada, pero ya me he recuperado y hoy soy más feliz que nunca.

Sin embargo, lo que me interesa ahora es la mujer florero que mi marido parecía dar por sentado, lo mismo que un hombre de su posición anhelaría tener un Bentley con chófer o ser miembro del Garrick Club. Por supuesto, no puedo hablar en nombre de la segunda señora Norton, pero por lo que he observado, pertenece a una nueva y fascinante especie de mujer florero. Las nuevas mujeres florero parecen creer que su función es la de ser mantenidas sin dar a sus maridos nada a cambio.

Si son lo bastante ricos, contratan a un cocinero; si no lo son, el pobre marido tiene que conformarse con cenar en el trabajo. Lo mismo pasa con la limpieza. Si no pueden permitirse una limpiadora, el marido tiene que vivir en una pocilga. A los niños los dejan en las guarderías o en manos de las niñeras. Eso no exime a la nueva raza de quejarse a todas horas de lo cansadas que están, ni de exigir a sus maridos que pasen todo el fin de semana llevando a los críos al parque para que puedan disfrutar de un poco de tiempo para ellas.

Cada vez con más frecuencia me encuentro con hombres de mi edad que están amargados y decepcionados con las mujeres inútiles que se han buscado. «No me importaría trabajar para ella y para mi hija si hiciera algo por mí de vez en cuando», me susurraba un marido destrozado recientemente. «Pero no limpia, no sabe cocinar y ni siquiera es capaz de conseguir que nuestra hija deje de usar pañales. Creí que las relaciones eran cosa de dar y de recibir, pero yo no paro de dar y ella solo recibe. Me divorciaría de ella, pero ya he perdido a una mujer y no soy capaz de volver a pasar por eso.» «Mi mujer es tan vaga que además de no organizar ni una simple cena, se niega a relacionarse con alguien que no pertenezca a su círculo de esposas ociosas», me decía otro. «Es aburrida y egoísta a más no poder.»

Ahora, sin embargo, parece que las cosas están cambiando. No puedo hablar en nombre de mi ex marido, claro, pero otros hombres que se han casado dos veces me han dejado caer su descontento por el precio que conllevan sus bonitas mujeres florero y lo bien que estaban con sus laboriosas primeras mujeres, que trabajaban en casa o en la oficina (o en ambos sitios) para proporcionarles el nivel de vida que se merecían. ¡Así que daos por avisadas, sanguijuelas chupópteras! Estáis en peligro. Ya no hay nada de balde.

4

Ocurrió un plomizo martes de enero. En las oficinas del equipo del *Informativo de las Siete y Media* la temperatura había alcanzado un punto álgido. Los rumores llevaban circulando varias semanas, desde que Jonathan Chambers, el simpático director ejecutivo de la cadena al cargo de las contrataciones, despidos y presupuestos, se jubiló mucho antes de lo esperado y fue sustituido por Roxanne Fox (conocida en la oficina como «Foxy Roxy»), que había demostrado ser tan generosa con el dinero de la compañía como una monja con sus favores sexuales.

La noche anterior los rumores se convirtieron en una realidad difícil de digerir cuando se confirmó que Chris Stevens, el orondo director de informativos desde hacía ya una década, había presentado su «renuncia» de la noche a la mañana. Según se anunció en una breve conferencia de prensa, su sustituto sería Dean Cutler, recién arrebatado a la BBC.

—¿Qué se sabe del tal Dean? —preguntó Lana, la secretaria de informativos, mientras se enroscaba las cadenas de oro que llevaba al cuello en una mano que más bien parecía una garra.

Lana era una divorciada cuarentona con tres hijos a su cargo, por lo que se tomaba muy en serio cualquier amenaza a su medio de vida.

—Es joven —contestó Luke Norton, que alzó la vista de

la lista de noticias que tratarían durante el informativo de esa noche. La había leído unas seis veces, pero su cerebro se negaba a asimilarla de lo nervioso que estaba. Por no mencionar que de un tiempo a esa parte no veía bien, pero se negaba a llevar gafas. Menos mal que el autocue estaba lo bastante cerca para leerlo sin entrecerrar los ojos.

—¡Qué va a ser joven! —protestó Marco Jensen, el reportero estrella, desde su escritorio, situado justo detrás del de Luke—. Tiene treinta y siete.

Luke miró a Marco sin disimular el asco que le provocaba. Con sus espesas pestañas, los hoyuelos en sus mejillas y sus rizos rubios (fruto de la favorecedora mezcla de los genes noruegos de su padre con los italianos de su madre), era demasiado guapo para que los hombres confiaran del todo en él. A primera vista parecía gay, pero en realidad tenía una novia preciosa desde hacía bastante tiempo llamada Stephanie. Marco tenía solo treinta y tres años, lo que quería decir que llevaba pantalones cortos cuando Luke esquivaba balas en la franja de Gaza. Lo más peligroso que había hecho el muchacho en su vida fue dejarse el gas encendido cuando llegó de éxtasis hasta el culo tras una noche de juerga.

Marco había ascendido poco tiempo antes al elenco de copresentadores, formado por cuatro reporteros que se turnaban para presentar las noticias con Luke y que lo sustituían cuando se ausentaba. Cada vez que le tocaba a Marco, los correos electrónicos y los mensajes de texto felicitándolo por su trabajo inundaban la redacción. De ahí que Luke hubiera decidido tomarse cada vez menos tiempo libre.

Aunque trabajaba cuatro días a la semana, llevaba un tiempo trabajando cinco sin que nadie se lo pidiera, tal era su paranoia con su joven rival.

—Algún día esa edad te parecerá joven, inútil —replicó una sonriente Lana, gesto que acentuó sus patas de gallo bajo la espesa capa anaranjada de maquillaje—. ¿Qué más sabes, Luke?

—Que es un lelo de cuidado. Está obsesionado con la audiencia más joven. Fue el que lió aquel follón en la BBC con la entrevista a Jordan y a Peter Andre.

—La audiencia fue increíble —apostilló Marco.

—Los números no lo son todo —replicó Luke con toda la grandilocuencia de la que fue capaz—. Lo importante es dar una exclusiva demoledora.

—Pues nuestros accionistas no opinan lo mismo. Nuestros índices de audiencia siguen bajando. Por eso han despedido a Chris.

—Chris no ha tenido la culpa de la pérdida de audiencia —protestó Lana—. La culpa la tiene el dichoso internet. La gente ya no ve las noticias en televisión. —Lanzó una mirada amenazadora a su ordenador, como si ese terminal en concreto tuviera la culpa de que Chris Stevens fuera en esos momentos de camino a casa con el finiquito en la mano.

—En fin, los accionistas creen que deberíamos hacer algo para mejorar los datos —añadió Marco con una sonrisa burlona, mientras clavaba la vista en el montón de periódicos que tenía en el escritorio.

Se hizo un breve silencio. Lana se mordió las uñas y después se aplicó una capa de brillo de labios con olor a pera. Luke regresó a la lista de noticias:

1. Brote de vacas locas en Shropshire.
2. Rumor: el primer ministro anunciará elecciones anticipadas.

La aparición de Alexa Marples, que había sido ascendida poco antes a editora y que pasó a su lado contoneándose con unos pantalones que se le pegaban al trasero como si los tuviera pintados, lo distrajo momentáneamente. Una tentación.

«Ya vale, Luke», se dijo.

Volvió a fijarse en el monitor. Tenía dos correos electrónicos nuevos. Uno era publicidad, y lo borró sin leerlo. El otro era de su hija mayor, Tilly. Dios, seguro que iba a pedirle la pasta para el fin de semana esquiando que le había prometido Hannah. Lo que debería hacer era preparar el correo electrónico que tenía pensado enviar al presidente de Siria para pedirle una entrevista en exclusiva, pero no tenía ni pizca de ganas.

—¡Mirad! —exclamó Marco con cierta malicia—. El *Daily Post* publica una bonita descripción tuya.

A Luke se le cayó el alma a los pies. Sabía lo que eso significaba.

—Ah, sí… —dijo, fingiendo todo el desinterés del que fue capaz.

—Mmm… Hannah ha escrito otro artículo: «La defunción de la esposa florero». Parece interesante.

—Tengo que cambiarle el agua al canario —soltó Luke de repente.

Se levantó y cruzó la redacción en dirección al baño. En realidad no necesitaba ir. Lo que necesitaba era alejarse del cerdo de Marco y del nerviosismo que reinaba en la redacción.

—¿Estás bien, Luke? —le preguntó Emma Waters, reportera y copresentadora, al tiempo que apartaba la vista de su monitor, donde posiblemente estaría haciendo la compra del día. Emma era una amiga de toda la vida de Hannah y el brillo malicioso de sus ojos era inconfundible.

—Genial, mejor que nunca. Emocionado por el soplo de aire fresco que se respira últimamente. —Decidió que lo mejor era un contraataque—. Me encanta tu chaqueta, por cierto. Mi mujer me dijo la otra noche que el verde te sentaba muy bien.

Y siguió hacia el baño, muchísimo más animado que antes. Una de las quejas recurrentes de Emma era lo poco que la audiencia se fijaba en su trabajo, aunque entrevistara al primer ministro, y lo mucho que se fijaba en su ropa y en cómo le sentaba. «Luke y Marco no se pasan la vida recibiendo correos que les aconsejan cortarse el pelo» era una de sus frases preferidas, a la que nadie sabía qué contestar.

«Al menos, no soy una mujer», pensó Luke como siempre que hacía recuento de sus ventajas. Aunque después, una vez que acabó de orinar, se miró en el espejo con la misma expresión horrorizada de una actriz famosa al borde de la mediana edad.

«Mierda», pensó. Definitivamente, tenía menos pelo. Además, desde que se veía obligado a dividirse entre dos familias y a pasar la pensión alimenticia, estaba más gordo porque había tenido que dejar el gimnasio, por falta de tiempo y de dinero. Sin embargo, lo peor eran las arrugas que le habían salido casi de la noche a la mañana en la frente, como si le hubieran hecho un pespunte en punto de cruz. De esa sí que no podía librarse. Los cincuenta y un años (uno más en un par de semanas, recordó con un escalofrío) comenzaban a notársele. Las chicas de maquillaje podrían ser de gran ayuda, claro estaba. Pero no podrían hacer nada contra la piel fláccida y las arrugas, ni contra esas bolsas que tenía bajo los ojos que tanto le recordaban las recargadas cortinas de la casa de su ex suegra. Y su aspecto cansado era normal dado el ritmo que llevaba. Desde que nació Clara, casi dos años antes, tenía suerte si conseguía dormir cuatro horas seguidas. Lo aceptó como algo normal cuando era un bebé, pero a esas alturas todavía seguía llorando por las noches.

—Déjala —solía decirle a Poppy de mala manera—. Hannah lo hacía con los niños. Y no tardaron en aprender.

—¡Eso es una crueldad! —protestaba Poppy con voz lastimera mientras mecía y tranquilizaba a la desconsolada niña, que siempre acababa con ellos en la cama, donde se pasaba el resto de la noche roncando porque se le tapaba la nariz.

En el pasado, cuando sus otros hijos le daban una mala noche, se largaba a la habitación de invitados. Sin embargo, en su casa nueva no había habitación de invitados. A veces se iba al sofá del salón, pero era incomodísimo, porque hacía mucho calor en verano y mucho frío en invierno por culpa de los ventanales que daban al canal.

Durante las noches que la niña no los molestaba, eran sus preocupaciones las que no le dejaban pegar ojo. El daño que había hecho a sus tres hijos al abandonarlos. El dineral que necesitaban sus dos familias, sobre todo por los internados de sus hijos, ya que Hannah insistía en que era la mejor solución para una madre divorciada. Los ataques reiterados de Hannah, que había retomado su carrera con renovadas fuerzas. La dulce y preciosa Poppy, que era ideal para llevarla del brazo, pero nula como esposa. La «compañía» que se había visto obligado a buscar en otro lado, una búsqueda que había incluido una aventurilla con (en ese punto siempre se apartaba la sábana de una patada) Foxy Roxy, que en esos momentos era una de las personas que controlaban su futuro.

¿Por qué había cortado con ella?; solía preguntarse cuando lo asaltaba la desesperación, normalmente a eso de las cuatro de la mañana. ¿Por qué no había continuado con el rollito? Claro que conocía la respuesta: se había acojonado cuando le dejó las bragas en el bolsillo de la chaqueta. Como acabó imaginándose un segundo divorcio, además de una bronca que obligaría a la policía a intervenir, se la quitó de encima con un sinfín de tonterías del estilo de: «Tú no tienes la culpa, soy yo». Foxy se lo había tomado con estoicismo, pero Luke sabía mejor que nadie lo peligrosa que era una mujer despechada.

Sin embargo, no eran ni su tambaleante segundo matrimonio ni su incierto futuro laboral lo que lo mantenían toda la noche en vela, sino aquel dichoso correo electrónico que le reenvió por error a Hannah. ¿Cómo pudo hacerlo? ¿Fue en un arrebato de locura? No tenía sentido ninguno. Pero la cosa era que lo había hecho y que ya no había vuelta atrás.

La puerta se abrió en ese momento.

—¡Ajá, sabíamos que estarías aquí! —gritó Marco—. Dean Cutler quiere verte. Ahora mismo.

De haber estado conectado a un monitor cardíaco, se habría puesto a pitar como loco en ese preciso instante.

—¿Ahora?

—Ya me has oído. ¡Un, dos, un, dos!

Luke atravesó la redacción hacia el antiguo despacho de Chris mientras se enderezaba la corbata. Los teléfonos sonaban por todas partes. Emma se había puesto unos auriculares y estaba grabando el relato que acompañaría las imágenes de un reportaje sobre el consumo de heroína en las cárceles.

—Jermaine Franks no había probado las drogas hasta que… —estaba diciendo mientras, a su lado, el realizador utilizaba el ratón para ir pasando las imágenes que pensaban utilizar.

Por encima de su cabeza había una hilera de relojes que marcaban la hora de Londres, Washington, Bruselas, Bagdad y Bangkok. Los informativos de Sky News estaban siempre en pantalla en los diversos monitores. Un terremoto en México. La detención de una red acusada de explotar trabajadores en Albania. Un accidente de autobús en Francia con unos cuantos ciudadanos británicos heridos, uno de ellos de gravedad. El golazo de Duane Bryonne. Le encantaban esos monitores. Le encantaba la idea de que cualquier drama que se produjera en el mundo estaba allí para que él lo analizara. No sabía por qué estaba tan nervioso. Era la «cara» del programa. Era de esperar que Dean quisiera conocerlo nada más llegar. Sin embargo, el corazón le latía el doble de lo normal. Los directores solían hacer cambios drásticos para dejar clara su autoridad. ¿Qué podría ser más drástico que reemplazar al antiguo presentador por uno nuevo?

Lindsay, la antigua secretaria de Chris, todavía ocupaba el escritorio situado junto a la puerta de la guarida de su antiguo jefe. Parecía espantada.

—¿Estás bien, Lin?

—Estupendamente —contestó, poniendo los ojos en blanco para desmentir sus palabras—. Pasa. Dean te está esperando.

Luke abrió la puerta del despacho, construido por completo con paneles de cristal. Dean Cutler se puso en pie al otro lado del antiguo escritorio de Chris y le tendió la mano. Era alto, delgado, de pelo rubio y corto, y ojos saltones de color verde que le daban el aspecto de una rana. Llevaba un polo gris oscuro, pantalones de rayas y botines negros. Era difícil imaginarse a alguien más opuesto al serio de Chris con sus trajes arrugados.

—Luke. —Intercambiaron un apretón de manos, ambos decididos a dejar bien clara su hombría—. Es un placer. Un enorme placer. —Dean tenía una voz nasal y un acento que pretendía imitar al londinense, pero que no lograba ocultar un origen humilde. Nadie como un imitador para pescar a otro—. He sido un admirador tuyo desde hace tanto tiempo que me parece increíble conocerte por fin.

—Gracias —dijo Luke, que sonrió pese al recelo que sentía—. Mmm… Lo mismo digo. Me encantó lo que hiciste en tu programa de entrevistas.

—Gracias, tío. Siéntate, siéntate.

Luke se sentó. Todo rastro de la presencia de Chris en el despacho había desaparecido de la noche a la mañana: las fotos de familia, los premios que había ganado a lo largo de los años, los títulos de su paso por Oxford, la librería con sus ajadas enciclopedias y diccionarios. Las paredes estaban desnudas; las estanterías, vacías. Como si Chris no hubiera existido. Luke tragó saliva.

—Bueno, esto es solo una charla preliminar. A lo largo de estos días nos iremos conociendo mejor. Tenemos que comer juntos. O cenar. Sí, mejor una cena. En mi casa, con tu mujer y la mía, y así nos conocemos todos. —Cogió una grabadora y dijo—: Recordar a Farrah: Luke y su mujer vendrán a cenar.

A Luke se le cayó el alma a los pies. Convencer a Poppy para que saliera de casa no iba a ser fácil. Una de las ventajas de estar casado con una mujer tan guapa era que podía presumir de ella, pero Poppy era tan tímida que para ella las salidas eran casi siempre una tortura. Por no mencionar las miradas asesinas que les lanzaban los amigos de Hannah cuando se encontraban con ellos y que siempre le hacían pensar en un campo de minas.

—Una idea genial —dijo.

—En fin, Luke… —Dean se inclinó hacia delante y comenzó a juguetear con un horrendo pisapapeles rojo y verde—, mientras tanto, una advertencia. Ya te he dicho que siempre he sido un admirador tuyo. Un gran admirador. Pero… —Con una floritura similar a la que haría un mago para sacar un conejo de la chistera, Dean sacó el ejemplar del *Daily Post*—. Parece que no todo el mundo opina lo mismo que yo.

Luke se encogió de hombros.

—Es mi ex… ¿qué quieres que haga?

—Estoy de acuerdo, tío. No puedes hacer nada. No entiendo por qué la ha tomado contigo de esta manera. A ver, al fin y al cabo no has hecho nada malo, ¿verdad? Solo la has dejado. Has dejado a tu fiel esposa y a tus tres hijos por una chica tan joven que podría ser tu hija. No entiendo por qué está tan cabreada, la verdad. —Hubo un breve silencio—. ¡Ja! ¡Te lo has tragado! Estaba de broma, tío. Eres un cabrón con suerte. Todos haríamos lo mismo si se nos presentara la oportunidad. Pero en tu caso, es una putada que la menopáusica de tu ex haya logrado una columna en un periódico de tirada nacional.

—¡Uf! —fue lo único que Luke consiguió decir.

—Desde luego, me pongo en tu pellejo y te compadezco, pero… —Una pausa dramática. Dean puso los ojos en blanco—. Me temo que los accionistas no. Les he dicho que hemos mejorado las cifras de audiencia desde que Hannah comenzó a publicar, porque la gente siente curiosidad por verle la cara al «sinvergüenza». Pero los accionistas opinan que todo eso empaña la imagen del programa. Además… y esto te lo digo en confianza, les preocupa tu edad. Algunos dicen que ya va siendo hora de buscar una cara nueva para el *Informativo de las Siete y Media*. Que conste que yo te he defendido a muerte. Les he dicho que es imposible prescindir de tan ilustre periodista. Que tu presencia da peso al programa. Pero ellos, escúchame bien, ellos han dicho: «Bueno, sí, daba peso al programa

hasta que su ex lo convirtió en un mamarracho». Así que...
—Le guiñó un ojo—. Te lo advierto, Luke. Tienes que ser un dechado de virtudes de ahora en adelante. No podemos evitar que la loca de tu ex te siga atacando, pero lo que sí podemos evitar es que hagas cualquier cosa que alimente sus críticas. *Capichi*?

—*Capichi* —acordó Luke.

—Eres un hombre felizmente casado. Has encontrado el amor verdadero con tu guapísima segunda mujer y con tu hija pequeña. Punto y final. *N'est-ce pas?*

—Desde luego. —El corazón de Luke volvía a ir a doscientos. Mierda. ¿Se habría enterado de algo?, pensó. ¿¡Cómo!?

Dean le guiñó un ojo.

—Así que no te importará saber que Thea Mackharven vuelve de Nueva York para ocupar el puesto de productora. Es una magnífica periodista y estoy encantado de que haya decidido regresar a mi formidable equipo.

«¿Thea?», repitió Luke para sus adentros. El alivio fue tan grande que incluso se mareó un poco. ¿Pensaría Dean que Thea era una ex novia? De vez en cuando habían echado un polvo, cierto, pero lo suyo no se podría calificar nunca como un apasionado romance a lo Romeo y Julieta, ni mucho menos.

—Magníficas noticias —dijo con sinceridad—. Será una gran baza para el programa.

—Me alegra que lo veas así. Estaba desaprovechando su talento en Estados Unidos. —Dean sonrió, dejando a la vista una hilera de dientes desiguales, y se puso en pie, gesto que indicó que la charla había llegado a su fin—. Es genial haberte conocido por fin. Organizaré lo de la cena lo antes posible para que todos nos conozcamos. Hasta entonces, recuerda: no todos están de tu parte, pero yo sí lo estoy.

—Me alegra escucharlo. Y me alegra tenerte a bordo. Sé que el programa va a mejorar muchísimo contigo al timón. —Luke se encogió para sus adentros por la deslealtad hacia Chris, pero ¿qué otra cosa podía hacer?

Todo el mundo conocía las reglas. Esa noche habían quedado con Chris en Bricklayers para hacerle una despedida improvisada. Se emborracharían, jurarían que no podrían trabajar sin él y, a la mañana siguiente, se levantarían con resaca, se tomarían una pastilla y empezarían a lamerle el culo a Dean. El director había muerto, larga vida al director...

5

Ese mismo martes gris, ajena por completo al caos que asolaba la vida de su marido, Poppy Norton empujaba el cochecito donde iba su hija, Clara, por el Tesco de Maida Vale. Intentaba recordar con desesperación lo que había escrito en la lista de la compra que había redactado con tanta paciencia y que se había dejado en la mesa de la cocina. Leche ecológica para Clara. Zumo de naranja. Glenda, la limpiadora que Luke había contratado a pesar de que Poppy le había dicho que era muy capaz de limpiar la casa sola, quería un producto para quitar la cal del cuarto de baño, pero Poppy no recordaría el nombre aunque le fuera la vida en ello.

Y luego estaban todos los ingredientes para la cena que iba a preparar a Luke el viernes, que era el día libre de su marido y también su segundo aniversario. Poppy había decidido sorprenderlo con salmón (a Luke le encantaba el pescado) a las finas hierbas, pero ¿qué hierbas eran?

¡Joder! Le entusiasmaba hacer experimentos culinarios. Cuando comenzaron a vivir juntos, Luke se quedó de piedra al ver que no sabía cocinar y le preguntó que cómo era posible que alguien subsistiera a base de pasta precocinada y zumo de manzana.

—¿Y qué es esto? —le había preguntado al ver el tarrito de Crème de la Mer que había mangado de una sesión de fotos.

—¡No te comas eso! ¡Cada tarro cuesta más de doscientas libras!

—¡Madre del amor hermoso! —exclamó él—. Una crema de doscientas libras y ni un trozo de pan con mantequilla para comer. —Guardó silencio y después añadió—: Esto va a cambiar. —Así dejó claro que Hannah siempre se ocupaba de esos detalles.

Cuando Poppy soñaba con el matrimonio y los hijos, siempre había imaginado una especie de montaje etéreo con muchos paseos y besos, en lugar de pasarse el día limpiándole el culo a su hija y lavando baberos sucios. Si se concentraba un poco más en su ensoñación, se veía en el papel de María, de *Sonrisas y lágrimas*, acurrucada en la cama con una docena de niños mientras los truenos retumbaban en el exterior.

Ni siquiera había pensado que tener a los niños a su alrededor a las tres de la mañana mientras su marido refunfuñaba porque tenía ganas de marcha sería poco divertido. Claro que su marido imaginario nunca refunfuñaba, ni hablar. Era un hombre adorable que la miraba desde el otro lado de una mesa con copas de vino y adornada con velas y que le decía cosas como «Has hecho que mi vida sea completa». Nunca se le había ocurrido que sería ella quien tendría que poner las velas y las copas, y preparar la cena para satisfacer la exigencia de Luke de comer comida casera. Que sería ella quien tendría que asegurarse de que siempre hubiera tres tipos diferentes de muesli en la casa, además de pan «decente», mantequilla francesa, mermelada natural, confitura Bonne Maman, salsa Marmite, café «de verdad» (es decir, nada de Nescafé) y zumo de naranja recién exprimido. Y eso solo para el desayuno.

—Luke suele salir para la oficina sobre las diez —murmuró—. Y por las noches, por supuesto, presenta las noticias y normalmente cena en la cafetería antes del informativo o sale después con sus compañeros. Así que casi siempre me hago una patata en el microondas y de postre me como una tarrina de helado bajo en calorías (hay que luchar contra ellas) mientras veo a Luke en la tele.

Poppy no recordaba cuándo empezó a dar entrevistas. Poco después de que Clara naciera, comenzó a tener conversaciones en su cabeza con una señora muy amable de una revista que apoyaba a Nisha, la antigua presentadora de un programa infantil, para que ganara la edición de ese año de *Mira quién baila*. Le dijo que acababa de volver de una visita a Hogarth's House, en Chiswick, y que no entendía cómo podía existir semejante oasis de tranquilidad en una de las carreteras más transitadas de Londres. Le contó que la actividad favorita de Clara en ese momento era dar de comer a los patos del canal mientras gritaba «Cuá, cuá». Todas las cosas que se moría de ganas por compartir con Luke, pero que rara vez escuchaba porque no estaba allí; además, en el caso de que estuviera presente, parecían aburrirlo.

—¡Mami! —gritó Clara, sacándola de su ensimismamiento.

—¿Sí, cariño?

—Mamiiiiii, salir.

—Enseguida, cariño. Deja que mamá termine de hacer la compra.

Alzó la vista y vio a otra mujer que empujaba un cochecito. Alta, de pelo oscuro, seguramente guapa en otro tiempo, pero talludita, de unos cuarenta años como poco, y demacrada. La reconoció de la clínica infantil. Las dos habían sido asiduas durante los primeros e infernales días con sus recién nacidos, cuando estaba tan cansada que una vez echó la leche en polvo de Clara a la pasta de Luke creyendo que era queso parmesano y le limpió el culo a su hija con las toallitas para limpiar el lavabo. Le sonrió.

—¡Hola!

La mujer frunció el ceño mientras intentaba hacer memoria.

—Ah, hola, ¿cómo estás?

—Bien. —Sonrió al pequeñín que la mujer llevaba en el

cochecito, cuyo nombre era incapaz de recordar—. ¿Cómo estás, precioso? Vaya, sí que has crecido.

—Tu niña está para comérsela —dijo la otra mujer, como era de esperar, mirando a Clara—. ¿Cómo se llamaba?

—Clara.

—¿Sí? Conozco a dos Claras. Y a una Clare.

—Ah. —¿Cómo se suponía que tenía que responder a eso? ¿Tenía que cambiarle el nombre a su hija?—. Estoy buscando algún producto para quitar la cal del cuarto de baño —dijo con una carcajada—. ¿Conoces alguno?

—Viakal —contestó la otra madre al tiempo que señalaba con el dedo la estantería de los productos de limpieza. Acto seguido, sonrió de oreja a oreja al ver a otra mujer con coleta y pelo canoso que empujaba un cochecito—. ¡Marcia! ¿Cómo estás, cariño? No te vi en Gymboree ayer. ¿Tienes tiempo para tomarte un café?

—Adiós —dijo Poppy—. Gracias.

Pero no le hicieron ni caso. Siempre pasaba lo mismo. Como era muy joven, las otras madres creían que no estaba a su nivel. Había intentado integrarse en los grupos de madres e hijos y en las sesiones de música, pero las demás madres eran mucho mayores. De vez en cuando, veía a alguna chica de su misma edad y se le aceleraba el corazón, pero cuando se paraba a hablar con ella, resultaba que era la niñera o la *au pair*, siempre con su propio grupo de amigas del mismo ramo, que veían a las madres como los palestinos veían a los israelíes.

La soledad que iba a sufrir en su papel de esposa y de madre jamás había estado presente en las fantasías de Poppy. Nunca había pensado que las únicas conversaciones con adultos que mantendría durante esos días serían las palabras que intercambiaba con las personas de aspecto aburrido con las que coincidía en la cola del supermercado. Nunca había imaginado que aguzaría el oído a la espera de la llegada del cartero porque, si calculaba bien el momento, podría acorralarlo en el portal y entablar conversación con él sobre el tiempo... aunque el pobre hombre reculara.

Luke viajaba con frecuencia y muchas veces se olvidaba de llamar durante días, pasando de sus desesperados mensajes de voz o de texto. Poppy los enviaba muerta de preocupación por que hubiera pisado una mina antipersona, pero después ponía las noticias de las siete y media, y lo veía vivito y coleando.

—Lo siento, cariño —se disculpaba él como si nada cuando se lo echaba en cara—. Es que muchas veces no tenemos cobertura, y cuando tengo un plazo que cumplir, me desentiendo de los asuntos personales. Me esforzaré más la próxima vez.

Y lo hacía durante un tiempo, pero después las llamadas volvían a brillar por su ausencia, hasta que Poppy acabó acostumbrándose, lo mismo que se acostumbró a que Luke le hablase de malos modos cuando lo llamaba y a vivir sola con un bebé. Los primeros días con su hija, sin dormir, sin que la niña dejara de llorar y sin contar con el apoyo de su madre o de otras personas en su misma situación fueron durísimos para ella.

—Los bebés son una pesadilla. Dímelo a mí, que las pasé canutas contigo —fue la increíble contribución de Louise.

A Luke, Clara le parecía muy tierna, pero no pasaba mucho tiempo con ella, ya que solía trabajar hasta tarde o se iba al extranjero; además, a pesar de tener tres hijos, no era capaz de ofrecerle consejo alguno.

—Hannah se encargaba de los bebés —fue todo lo que le dijo, así como de pasada, cuando Poppy le pidió consejo sobre los gases y la lactancia artificial.

Sin embargo, y poco a poco, las cosas fueron mejorando. Poppy adoraba a Clara, a pesar de sus chillidos, y como ya hablaba y andaba, se había convertido en su pequeña compañera de correrías. Pasaban los días leyendo cuentos, viendo a los patos nadar por el canal y, una vez que Clara fue un poco mayor y algo más civilizada, explorando los rincones más escondidos de Londres. Juntas descubrieron la elegante iglesia de Saint Andrew-by-the-Wardrobe en Blackfriars, con su acogedor interior de madera; los magníficos cuadros de la Wallace Collection, con su claustro y la fuente con un cisne dorado; las coloridas tiendas de Oriente Medio en Edgware Road con sus expositores a rebosar de granadas y eneldo, de mangos verdes y delicias turcas.

—¡Mamiiiiii!

—Sí, cariño, mamá va a pagar y luego podrás volver a casa andando.

Su cesta de la compra tenía leche ecológica, zumo de naranja, Cheerios (el pediatra le había dicho que debería dar a su hija papilla de cereales por la mañana, pero Clara la odiaba y la tiraba a las paredes) y Viakal. A la mierda el pescado. Ya compraría algo al día siguiente en la pescadería de Chapel Street. Ese sería el proyecto del día. Poppy hacía mucho que había llegado a la conclusión de que la organización del tiempo era vital para sobrellevar la maternidad. Nunca compraba más de lo que cabía en una cesta de la compra porque, en primer lugar, si colgaba demasiadas bolsas del cochecito, se volcaría y, en segundo lugar, porque necesitaba una excusa para salir al día siguiente.

Con el rabillo del ojo vio el nuevo ejemplar del *Tatler* con las demás revistas. Daisy McNeil, la mayor rival de Poppy cuando era modelo, estaba en la portada con una enorme sonrisa. Ambas eran guapas, de aspecto saludable, rubias con ojos claros y dientes grandes y siempre habían coincidido en los castings. Por regla general, Poppy solía conseguir el trabajo, pero las cosas habían cambiado, por razones obvias. Más abajo, con los periódicos, estaba el *Daily Post.* ¡Joder, era martes! Lo que quería decir que… Sí, allí, justo debajo de la cabecera, estaba una sonriente Hannah. «La defunción de la mujer florero», gritaba el titular, y debajo: «Hannah Creighton sobre la muerte de la zorra».

«¡Ay, no, no! —pensó—. Otro ataque no.» Hannah llevaba semanas en silencio. Pero al igual que se sabía que el asesino en serie con el hacha de la película de terror solo fingía estar muerto para poder saltar sobre la heroína y darle un susto de muerte, Poppy sabía que nunca podría relajarse mientras la ex mujer de Luke y ella vivieran en el mismo planeta.

Pocas semanas después del nacimiento de Clara se llevó una desagradable sorpresa al encontrarse en la página dieciocho del *Daily Post* una enorme fotografía de Luke y una guapa pelirroja abrazándose junto a un titular que decía: «Mi marido, la zorra y yo», por Hannah Creighton. El pie de foto rezaba: «Luke y Hannah en días más felices», y había una foto más pequeña de Poppy en la que parecía más tonta que de costumbre, con un sombrero de flores rojas, bajo la que se podía leer: «La otra mujer… Poppy Price».

A continuación estaba la historia desgarradora del final del matrimonio de Hannah. Desde entonces publicaban una columna semanal sobre la maravillosa vida de Hannah como divorciada, llena de amigos, vacaciones exóticas, trabajos interesantes y sexo increíble.

Al mismo tiempo, tiraba pullas al «sinvergüenza» y a la «zorra» (después de la primera columna no había vuelto a mencionar el nombre de Poppy, cosa que era un alivio, o eso suponía ella). Hannah contaba que le habían llegado rumores de que el matrimonio pasaba por una mala racha tras el nacimiento de Clara, y también aseguraba que sentía lástima por Poppy, porque tenía que cargar con un hombre que compraba Viagra por internet.

Por supuesto, las columnas suscitaron un montón de preguntas. Con cierta timidez, Poppy habló a Luke acerca de ellas y él reaccionó enfureciéndose.

—¡Pues claro que no le supliqué que volviera conmigo! ¡Claro que no hubo docenas de mujeres antes que tú! ¡Claro que no pido Viagra por internet! —Tras eso, se tranquilizó—. ¿Por qué iba a hacerlo? ¿Necesito ayuda en el dormitorio?

Poppy tenía que creerlo o se volvería loca, pero la duda siguió existiendo bajo la superficie, como una espina que las pinzas no pudieran arrancar.

Al principio recibieron un aluvión de llamadas, cartas y correos electrónicos de varios periódicos, incluido el *Daily Post*, preguntando si a Poppy le interesaría conceder una entrevista para defenderse. Habría tenido la oportunidad de defenderse, pero Luke se negó en redondo y, pasado un tiempo, dejaron de llamarlos a pesar de que los ataques de Hannah continuaron.

Tras echar un vistazo a su alrededor, Poppy metió el periódico en la cesta de la compra como si fuera una revista porno. Pagó y, una vez en el exterior, sacó a Clara del cochecito para volver a casa a paso de tortuga, con paradas para examinar cada piedra, ramita y colilla que hubiera entre Clifton Gardens y Blomfield Road. Su móvil comenzó a sonar. Meena. Aburrida en el trabajo de nuevo.

—Hola, guapísima. —Poppy intentó sonar contenta.

—¿Qué tal, mujer florero? He estado leyendo cómo esa zorra te pone otra vez de vuelta y media en el *Daily Post*. Vieja asquerosa. Está celosa porque tú eres joven y guapa y ella es una cuarentona arrugada.

—Pues no lo he visto —mintió Poppy.

Meena siempre se enfadaba con ella por dejar que las palabras de Hannah le hicieran daño.

—Bien. No lo hagas. Solo te llevarías un berrinche. Bueno, ¿cómo te va?

—En fin, Clara ha tenido un poco de diarrea, pero...

—Demasiada información. Demasiada. —Meena era muy buena con Clara cuando la veía, poniéndole caras graciosas y haciéndole cosquillas; pero, como solía pasarle a la gente sin hijos, no tenía la menor idea de la cantidad de espacio y de tiempo que los niños robaban. No la culpaba, porque hasta hacía bien poco ella también había estado en la inopia—. Dime, ¿qué estás haciendo?

—Ah, lo de siempre. Comprar.

—¿En Westbourne Grove? —Meena se emocionó.

—No, en Tesco, tonta.

—¡Poppy! De verdad que no lo entiendo. Estás casada con un ricachón, ¿por qué no te pasas el tiempo fundiéndole la tarjeta?

—Sabes que no me gusta mucho ir de compras. Es aburrido.

Además, la alegría de pasear de tienda en tienda, rebuscando en los percheros y tocando la ropa, se veía un poco empañada cuando se tenía una hija con la costumbre de levantar la cortina del probador mientras ella se quitaba el sujetador o de salir cuando solo llevaba la ropa interior puesta. Claro que Poppy no iba a decírselo. De cualquier modo, Meena ya había cambiado de tema.

—Oye, tienes que ayudarme. Dan me ha mandado un mensaje.

—¿En serio? —Dan era un banquero que trabajaba en Goldman Sachs o en Salamon, no lo recordaba con exactitud, con el que Meena se acostaba de vez en cuando—. ¿Qué te ha dicho?

—«¿Estás libre el sábado por la noche?» ¿Qué te parece? ¿Crees que es una buena señal?

—Claro que sí.

Poppy no terminaba de comprender los misteriosos rituales que rodeaban la vida amorosa de Meena. Como su único novio formal había sido Luke, se había perdido el rito de iniciación consistente en ligar en bares, tener rollos de una noche, esperar mensajes de texto, memorizar su página de Facebook… todas las cosas que dominaban la existencia de su amiga. Poppy intentaba darle consejos útiles, pero a menudo tenía la sensación de estar tratando de traducir un ejemplar del *Financial Times* al mandarín por lo limitado que era su vocabulario en emoticonos y en abreviaturas.

Sabía que Meena creía que tenía la vida perfecta, pero a

veces sentía celos de su amiga, porque su única preocupación consistía en decidir si se ponía el top rojo o el verde para ir a Boujis el viernes o si cambiaba su perfil en Facebook y escogía la opción de «Tiene una relación», mientras que ella —que había creído que Luke la libraría de todas las preocupaciones— tenía que atosigar al casero para que mandara a un técnico a arreglar el lavavajillas. En ocasiones se miraba en el espejo y se sorprendía al ver el rostro juvenil y sin arrugas que le devolvía la mirada, porque por dentro se sentía agotada y hecha polvo.

—No sé yo —dijo Meena—. Creo que cree que soy facilona. Se pone en contacto de la noche a la mañana, sin avisar ni nada. No es respetuoso. Creo que voy a pasar.

—Pero te gusta, ¿no?

—Mamiiiiii, ¿qué eees?

—Un segundo, cariño. Creo…

—¡Mamiiiiii!

Poppy gritó. Clara había cogido una bolsa de plástico transparente que tenía excrementos de perro muy frescos.

—¡No! ¡No! ¡Suelta eso! ¡Caca! ¡Caca! ¡Caca!

Clara se echó a llorar cuando tiró el objeto ofensivo a la carretera. «¡Socorro!», pensó Poppy, que estaba segura de que la mierda de perro tenía algún parásito que te dejaba ciego.

—Clara, no te toques los ojos. ¿Me oyes? No te toques los ojos. —La cogió en brazos—. Vamos. Tenemos que llegar pronto a casa y lavarte las manos. Meena, lo siento, tengo que dejarte.

—¿Qué me dices de la reunión del colegio?

—Bueno…

Las habían invitado a una reunión que se celebraría en Brettenden House al cabo de un mes y aún no sabían si ir o no. Meena estaba a favor; Poppy, en contra. Pero en ese preciso instante le preocupaba mucho más salvar la vista de su hija.

—Si tú vas, yo también. Ya hablaremos.

Caminaron por la calle con Poppy empujando el cochecito cargado de bolsas con una mano porque con el otro brazo sostenía a una Clara que lloraba a pleno plumón. Un hombre trajeado que pasó por su lado desvió la mirada. Hasta hacía bien poco, se la habría comido con los ojos, pero en ese momento Poppy se había convertido en otra víctima del síndrome cegador del cochecito de bebé, por culpa del cual todas las mujeres que empujaban uno se volvían invisibles, salvo a los ojos de ancianas y otras mujeres con niños. A veces creía que debería ofrecer sus servicios como agente secreto al MI6. Mientras llevara su cochecito de bebé con ella, podría infiltrarse sin que nadie se diera cuenta en reuniones terroristas donde planearan borrar Londres del planeta.

El móvil volvió a sonar. Luke. Seguramente para decirle que no leyera el *Daily Post*. Tendría que prometérselo, y luego recordar que debía esconder bien su ejemplar entre el montón de periódicos para reciclar.

—Dime, cariño —dijo antes de añadir, dirigiéndose a Clara—: Es papá.

—¡Abajo, mamiiiiii!

—¿Está bien? —preguntó Luke, pero después, sin esperar una respuesta, dijo—: Oye, ¿puede quedarse Glenda con la niña el viernes?

Poppy creyó morir de felicidad. Se había acordado de su aniversario.

—No lo sé. Supongo que sí. Se lo preguntaré enseguida.

—Joder, espero que pueda, porque tenemos que asistir a una cena de trabajo.

—Ah.

Era cierto que le había suplicado que la llevara a las cenas de trabajo, pero en ese momento se arrepentía de haberlo hecho. En cuanto llegaban, Luke desaparecía entre la multitud, dejando a su tímida esposa para que fuera de un grupo a otro con una sonrisa nerviosa. El problema era que la gente se limitaba a seguir hablando a voz en grito y, aunque de vez en cuando se apartaban para dejarla pasar, nadie interrumpía su conversación por ella. Sí, por muy mona que fuese no parecía lo bastante importante para dignarse hablar con ella. Y cuando por fin encontraba a Luke y se pegaba a él, los hombres la desnudaban con los ojos mientras que las mujeres la recibían con el mismo cariño que demostrarían por una enfermedad venérea.

—No es negociable. Han despedido a Chris Stevens, y Dean, su sucesor, va a dar una cena íntima. —Hizo una pausa—. Sabes quién es Chris Stevens, ¿verdad?

—¡Claro que sí! —Poppy intentaba con todas sus fuerzas mantenerse informada acerca de los asuntos laborales de Luke. Era lo que tenía que hacer una buena esposa—. El director de informativos. Es una noticia terrible.

—Lo es. Es el fin de una era. Pero ahora tenemos al astuto Dean. El todopoderoso. Es muy importante que me presente acompañado por mi mujer.

Poppy se quedó de piedra.

—Ahora que lo pienso, creo que Glenda suele estar ocupada los viernes.

—Glenda parece estar menos ocupada estos días —señaló Luke con brusquedad.

—Pero cuida a los hijos de mucha gente —mintió Poppy, sintiéndose culpable al punto porque sabía que a Glenda le vendría muy bien la pasta. A lo mejor tendría que darle una propina o algo.

—Si Glenda no está libre, empieza a buscar a otra. Ya te lo he dicho, Poppy, es muy importante que me acompañes a esta cena. Es la clase de cosas que las buenas esposas hacen por sus maridos.

—Vale —accedió.

—Oye, tengo que irme. Estoy grabando una entrevista con el representante de la asociación de sindicatos. Pero llama a Glenda. Tienes que superar tu miedo a salir antes de que acabemos haciendo todavía más el ridículo.

Eso quería decir que había visto el *Daily Post*.

—No tengo miedo… —intentó decirle Poppy.

Pero Luke la interrumpió:

—Tengo que irme. Hasta luego. —Y le colgó.

6

El repartidor de periódicos de Dumberley, una localidad de Surrey, atravesó el camino empedrado que llevaba hasta la puerta de la casa de los Mackharven e introdujo su ejemplar del *Daily Post* a través de la ranura de bronce de la puerta.

—¡Papá, el periódico! —gritó Jan Mackharven, jadeando un poco por el esfuerzo que le suponía inclinarse hacia delante para recoger el periódico del felpudo.

Thea Mackharven, que estaba sentada en la cocina tomándose un café, hizo una mueca de disgusto. Adoraba a su madre, pero esa forma de dirigirse a su padrastro, Trevor, como «papá» la ponía de los nervios. Del mismo modo que la ponían de los nervios los CD de Phil Collins y de Level 42, el cuadro que ellos mismos habían pintado de un niño con la mano en la boca porque acababa de hacerse pis, el antiguo y ajado sofá naranja, y las estanterías atestadas de libros con encuadernación en rojo y dorado… los «clásicos» según el *Reader's Digest*.

Le encantaría poder remediarlo de alguna manera, pero tenía muy claro que era un poco esnob. Y culpaba de ello a sus genes paternos. Trevor Mackharven era un hombre bueno, aunque un poco bobo, que siempre la había tratado como si fuera su hija. Pero Thea nunca había podido olvidarse de que no lo era. De que sus orígenes eran mucho mejores.

Al igual que Poppy, Thea no había conocido a su padre. Eso sí, ahí acababa cualquier parecido entre ambas. Thea era doce años mayor que Poppy, para empezar, y su padre no había abandonado a Jan, sino que había muerto antes de que ella naciera. Poppy había sido un bebé precioso, Thea no. Las ancianas de dientes amarillentos que se inclinaban sobre su cochecito para hacerle carantoñas retrocedían espantadas al verla. Y para que nadie lo olvidara, Jan había colocado una foto enorme de su hija con pocos meses de edad en mitad de la repisa de la chimenea. Un bebé pelirrojo con la misma cara que un pug con lombrices.

Por suerte, las fotos que la rodeaban mostraban la lenta mejoría que había sufrido su aspecto. Thea con cuatro años en la boda de su madre con Trevor; seguía siendo una niña sosa, pero ya no era pelirroja, sino morena y de pelo encrespado. Thea con seis años en el bautizo de su primer hermano, Paul; más delgada de cara, pero con unas gafas enormes de montura rosa. Thea en el bautizo de los gemelos, Edward y Nicholas, con la cara arrasada por el acné, el martirio de su adolescencia.

Bebió otro sorbo de café y observó el resto de las fotos con sus horribles marcos de bronce. Allí estaba el día de su graduación, muerta de vergüenza con el birrete y la túnica, entre un Trevor vestido con un traje barato y una sonriente Jan con un vestido de poliéster lila. Para aquel entonces su aspecto había mejorado mucho. Ya no tenía pecas ni granos, y habían inventado la espuma para evitar el encrespamiento del pelo. Sin embargo, seguía teniendo los ojos rasgados y la boca demasiado grande, ya que no podía hacer nada al respecto. También estaba la foto de ella en la boda de Paul, con los ojos cerrados, pero con un precioso traje verde de Jasper Conran, prueba evidente de que ganaba un buen sueldo. Y también estaba la de ella con su maravilloso vestido de Stella McCartney mientras recogía el BAFTA a la mejor noticia del año. Eso había sido tres años antes, la última noche que Luke y ella pasaron juntos.

Para su irritación, sintió el escozor en la nariz que presagiaba la llegada de las lágrimas.

—¿Estás bien, cariño? —le preguntó su madre.

—Muy bien —contestó con brusquedad al tiempo que se levantaba y se alejaba hacia la puerta—. Voy a vestirme.

Cuando salió de la cocina, Trevor y Jan intercambiaron una mirada preocupada por encima de la mesa.

—¿Crees que está bien? —preguntó Jan en voz baja.

—Desde luego que lo está —la tranquilizó Trevor mientras cogía la tetera—. Llénala, ¿quieres, corazón? Seguro que es el desfase horario. Acuérdate de lo que te costó recuperarte a ti cuando fuiste a verla.

A Jan le gustó su respuesta.

—Tienes razón —dijo, convencida, y se alejó para enchufar la tetera—. Solo lleva aquí dos días. ¿Se habrá echado novio? A lo mejor es que lo echa de menos.

Trevor soltó un resoplido.

—¿Thea con novio? No me la imagino.

—¡No digas eso, Trev! —gritó Jan, espantada—. Tiene treinta y seis años. Y me preocupa, la verdad. No dejo de leer en todas partes casos de mujeres que no pueden tener niños porque lo han dejado correr demasiado tiempo. No quiero que le pase eso a Thea.

—Paul tiene niños —le recordó Trevor, aunque no tuviera nada que ver con el tema—. Y Thea siempre ha dicho que no quiere tener hijos. Recuerda que tiene un trabajo estupendo.

—Lo sé —replicó ella.

Jan guardó silencio un instante mientras reflexionaba acerca de lo distinta que era su hija de ella. Thea siempre había jurado, tras haberla visto a ella bregar con sus cuatro hijos y un sueldo muy ajustado, que iba a dedicarse por completo a su carrera. Y esa devoción había dado sus frutos, pensó Jan con orgullo. Su hija era la productora del *Informativo de las Siete y Media*, y antes de eso había pasado dos años en Nueva York. Sin embargo, el director de informativos de la cadena había cambiado y el nuevo le había pedido que regresara a Londres para ocupar ese puesto: el de productora. Era impresionante. Ninguna de sus amigas acababa de creerse que Thea tratara todos los días con gente como Luke Norton, Emma Waters y, sobre todo, con el guapísimo Marco Jensen.

Sin embargo… El rostro arrugado de Jan volvió a descomponerse.

—Toda mujer quiere ser madre, Trev.

—Calla —dijo él en voz baja—. Ya viene.

Ambos clavaron la vista en sus respectivos cuencos de cereales mientras la protagonista de la conversación regresaba a la cocina vestida con unos vaqueros ajustados y un grueso jersey de punto beis. Trevor se levantó.

—Me voy a trabajar, cariño. ¿Estarás aquí cuando vuelva?

—No, me voy dentro de un minuto.

Trevor se despidió de ella con un tímido abrazo.

—En ese caso, adiós, corazón. Espero verte pronto.

—Mmm… —se limitó a murmurar ella.

Aunque fuera algo irracional, le molestaba muchísimo que Trevor la llamara «corazón», y eso que tenía todo el derecho a hacerlo. La mayoría de la gente ni siquiera sospechaba que no era su verdadero padre. Al fin y al cabo, le dio su apellido cuando se casó con su madre. Su verdadero padre, Leo Fry, trabajaba como oficinista durante el día y por la noche era el cantante de un grupo de rock. Su madre lo conoció cuando tenía veintiún años, la misma edad que él, y se casaron ese mismo año. Murió semanas antes de que ella naciera, en un accidente de moto. De modo que se había pasado la infancia imaginando lo distinta que sería su vida si la rueda trasera de su moto no hubiera pisado la mancha de aceite. En esa vida paralela, Thea se veía crecer como hija única, mimada por su padre, la estrella del rock, con quien recorría el mundo.

Sin embargo, Leo había muerto, de modo que su destino había sido el de crecer en una casa destartalada en las afueras de una localidad industrial que siempre estaba llena de coches, camiones, palas y aviones de plástico, pertenecientes a sus tres bulliciosos hermanos pequeños. Fue una infancia solitaria. Su madre la quería, pero las exigencias de sus otros tres hijos limitaban el tiempo que podía dedicarle a ella. Thea se pasaba las horas encerrada en su dormitorio, escuchando los discos de Bob Dylan que había heredado de su padre.

La única persona que de verdad la escuchaba era la madre de Leo, que vivía en Guildorf, un pueblo situado a un corto trayecto en autobús. Thea iba a verla todos los domingos sin excepción. Su madre se limitaba a asentir de forma distraída con la cabeza mientras decía: «Eso está muy bien, cariño», cada vez que llegaba a casa con buenas notas. Su abuela, en cambio, se ponía las gafas, lo leía todo con atención y recalcaba con placer que Thea había sacado un sobresaliente en lengua francesa o fruncía el ceño enfadada cuando leía que había prestado poca atención en biología.

«Thea, tienes que esforzarte todo lo que puedas —le decía—. Hoy en día las chicas tienen muchísimas oportunidades. Oportunidades por las que yo habría matado en mi época. Puedes marcharte de Dumberley y hacer algo con tu vida. No me decepciones, corazón.»

«No lo haré, abuela», le prometió Thea. Y lo cumplió.

—Voy a prepararte unos bocadillos de atún para el viaje a Londres —siguió hablando Jan mientras la puerta principal se cerraba con un portazo—. Son tus preferidos, ¿no? O lo eran, al menos. A lo mejor ahora te gusta algún bocadillo americano. Si me dices lo que lleva, te lo preparo.

—No creo que haya salmón ahumado y pastrami en Dumberley —murmuró ella.

—¿Cómo dices?

—Nada, nada.

Thea se sintió culpable, como siempre. Su madre solo estaba intentando cuidarla. El problema era que siempre estaba intentando cuidar de todo el mundo, de modo que al final había acabado por descuidarse a sí misma. Ni siquiera en esos momentos, con los chicos ya independizados, parecía tener tiempo para ella, ya que se pasaba el día cocinando para Trevor, lavando la ropa interior sucia o limpiando el lavabo después de que Trevor se afeitara, mientras que él estaba tan tranquilo en el pub, tomándose una pinta con el equipo de dardos y viendo lo que pusieran en el Sky Sports.

—Toma otra tostada —dijo Jan, colocándole la tostada debajo de las narices.

Thea sonrió, como penitencia por el desagradable comentario que había hecho antes.

—Gracias —dijo, aunque no logró morderse la lengua mientras hojeaba el ejemplar del *Daily Post*—. Es increíble que sigáis suscritos a este periódico tan rastrero. Están obsesionados con la princesa Diana y con el temor de que Inglaterra se llene de malvados inmigrantes.

—A papá le gustan los artículos de fútbol —protestó su madre débilmente—, y a mí me gustan los horóscopos. Supongo que podríamos comprar otro periódico…

Sin embargo, Thea no la escuchó. Acababa de abrir un correo electrónico que le había llegado a la Blackberry. Era de Rachel, una de sus amigas. «Has vuelto», decía el asunto.

> Hola, guapa, me alegro muchísimo de que estés en casa. Quedamos el martes para cenar. Pero nada de alcohol porque estoy preñada. Estoy deseando que nos pongamos al día.

Thea frunció el ceño y lo borró. La cosa comenzaba a cansarla. Después de haber cumplido su sueño dorado de vivir en Manhattan, la llamada de Roxanne Fox pidiéndole que regresara a casa le había sabido a gloria.

«Tu talento es justo lo que nos hace falta en la redacción —le había dicho Roxanne—. Dean y yo te queremos en el meollo de las cosas, dando vidilla al programa.»

Había tardado solo cuarenta y ocho horas en hacer el equipaje y coger un vuelo del JFK a Heathrow. Sentada en el asiento trasero de un taxi que parecía conducido por un kamikaze, envió un sinfín de correos electrónicos y mensajes de texto para anunciar su regreso. Después de haber padecido una infancia solitaria, se había convertido en una mujer extremadamente sociable, de las que creían que una noche en casa era un desperdicio. Podía pasarse semanas sin cocinar y sin coger el mando a distancia del televisor.

Las cosas se habían ralentizado un poco en Manhattan. Tenía unos cuantos amigos, casi todos gays, a los que había conocido a través de otras personas o a gracias al trabajo, pero había acabado por descubrir que todo era más difícil a los treinta y que todo ese rollo de las citas acababa por amargar a cualquiera. Al final de esos dos años en Manhattan estaba deseando volver a casa. Tres días antes había desembarcado en Heathrow, esperando una avalancha de mensajes de bienvenida de sus amistades. Sin embargo, la bienvenida había sido más bien fría. Sí, siempre estaba el correo o el sms que decía «Spero vert pronto», pero no había ningún plan en concreto con nadie.

La gente con la que había hablado le había dicho que se alegraba mucho de tenerla de vuelta, pero nadie había querido comprometerse. «Me encantaría, pero tengo a la familia política pasando unos días en Londres.» «La nueva niñera solo lleva unos días con nosotros y no me fío de dejarla sola.» «Ya no vivo en Londres, ¿no lo sabías? Nos mudamos a Escocia.» Ese era el tipo de respuesta que había recibido.

Capullos. ¿Qué coño le había pasado a la peña? La misma Rachel, que siempre se había reído de las mujeres que se acariciaban la barriga y decían cosas como «Estamos embarazados», seguro que estaba escuchando a Mozart y leyendo a Tolstoi en versión original para incrementar la inteligencia del feto y mejorar así sus posibilidades de lograr plaza en una de las mejores guarderías.

—Y ahora que has vuelto a Londres, ¿cómo llevas lo de la comida en el trabajo? —le preguntó Jan.

—¿A qué te refieres?

—En fin, pues a lo que haces para comer. ¿Te llevas un bocadillo y un termo?

Thea gruñó para sus adentros. ¡Qué manía tenía su madre con la comida!

—No, mamá. Suelo comer en la cafetería o, si tengo tiempo, me voy a otro sitio.

—¿A otro sitio? —Su madre parecía escandalizada.

—Sí. A algún restaurante.

—Eso debe de ser caro. ¿No sería mejor que te llevaras un par de bocadillos?

Thea pasó de ella.

—Si quieres te hago unos cuantos. Para el lunes.

—No, mamá, gracias.

—¿Estás segura? No me importa. ¿Qué hacías en Nueva York?

—No hace falta que hagas nada. Nadie se lleva bocadillos.

—¿¡Cómo!? ¿Todos coméis en restaurantes todos los días?

—Normalmente comemos en la cafetería. Nos pagan las dietas.

—Pero de todas formas debe de salir por un pico.

—Podemos permitírnoslo —replicó Thea, dando gracias a Dios por el hecho de tener que volver a Londres para llevar a cabo las entrevistas que tenía concertadas y para asistir el viernes a la cena en casa de Dean Cutler.

Siguió hojeando el periódico, dejando atrás artículos sobre la inutilidad del gobierno, el modelito que había llevado Victoria Beckham a alguna fiesta, la última solución para la celulitis, y de repente ¡zas!

—¡Madre mía! —exclamó Jan, que estaba mirando el periódico por encima de su hombro—. Es Luke.

—Sí —dijo ella. El corazón le latía con tanta fuerza que ni siquiera se oyó a sí misma.

—Es muy guapo, ¿verdad? Aunque, bueno —siguió su madre, que se inclinó un poco más para ver mejor otra foto más pequeña—, la tal Hannah también es mona. ¿La conoces?

—Mmm. No mucho.

—Confieso que me gusta su columna. Es graciosa. Aunque a veces se me escapa alguna lagrimilla. Es que Luke ha hecho algo horrible al dejar a su familia por una chica más joven. Por muy guapa que sea. Claro que Hannah parece haber caído de pie. Está causando sensación. El otro día estuvo en un programa de televisión y me reí muchísimo con algunos de sus comentarios.

—No los llames por sus nombres como si los conocieras de toda la vida.

—Lo siento —se disculpó Jan, contrita—. Tienes razón. No los conozco. Pero es como si los conociera. Al fin y al cabo, veo a Luke casi todas las noches y tú estuviste trabajando tantos años con él que…

—Pero no lo conoces.

—Tienes razón. No lo conozco. Será mejor que te haga los bocadillos. Vaya, el teléfono. ¿Diga? Sí, Dumberley 69027. ¡Hola, Faye! Sí, Thea ha vuelto. Genial, sí. Desde luego, sí, Emma Waters no debería ponerse esos cuellos de bebé. Lo sé, le sientan fatal…

Mientras su madre parloteaba, Thea analizó las fotografías. Allí estaba Luke. Evidentemente, en Nueva York lo había visto casi todos los días en la televisión, así que tampoco se había llevado una impresión, pero no pudo evitar fijarse bien en sus elegantes pómulos, en sus labios de rictus serio, en esos hombros tan anchos…

Y Hannah… ¿qué? La última vez que la vio le pareció una mujer guapa con aspecto cansado, pelo normalito y cara redonda con expresión agotada. Sin embargo, la mujer que le sonreía desde la foto parecía una fresca con ese corte de pelo escalado que enfatizaba sus pómulos y con el brillo picarón de su mirada. Sí, y eso que aquella última vez le confesó que si Luke la dejaba algún día, se moriría de dolor. Si había muerto, saltaba a la vista que había resucitado al poco tiempo en forma de loba.

Devoró el artículo con avidez, como si estuviera a dieta y acabaran de dejarla sola con un cuenco enorme de Lacasitos. «Joder, Hannah», pensó. Era un ataque en toda regla a Poppy y a las mujeres como ella. Por primera vez desde que se levantó esa mañana, esbozó una sonrisa de oreja a oreja.

—¿Vas a ir a visitar a tu abuela? —le preguntó Jan cuando colgó.

—Dentro de poco.

La madre de Leo estaba internada en un geriátrico que Thea pagaba, ya que padecía alzheimer. Los remordimientos por no verla todo lo que le gustaría eran precisamente una de las razones por las que había vuelto a casa.

—Eres una buena chica —dijo Jan, inclinándose de nuevo sobre su hombro—. ¿Qué estás leyendo? Ah, sigues con el artículo de Hannah. ¿Qué toca esta semana? «La defunción de la esposa florero.» Seguro que será divertido. Escribe de una forma muy graciosa, aunque a veces me parece un poco injusta con esa chica cuando la llama «zorra» o «pendón». En fin, sé que ella ha tenido que ver con el hecho de que Luke la abandonara, pero el malo de la película es él, ¿verdad? A fin de cuentas fue él quien abandonó a su familia. La zorra no le puso una pistola en la cabeza.

—Claro, tú sabes perfectamente lo que pasó, ¿no, mamá? —Otro bofetón.

—Bueno, no, claro. Pero…

—Por lo que veo, Hannah lleva un tiempo escribiendo este tipo de artículos en el *Daily Post*.

Aliviada al ver que su hija ya había abandonado el ataque, Jan sonrió.

—Sí. Tiene una columna semanal. Se llama «Historia de una ruptura», pero también escribe sobre otras cosas. Ya te he dicho que se ha hecho un hueco y es muy conocida. Me sorprende que no lo supieras.

—No leo el *Daily Post*. Estaba en Nueva York, ¿recuerdas?

—Podrías haberlo leído online.

Thea miró a su madre, tan sorprendida como si Jan le hubiera dicho que Trevor y ella formaban parte de la sociedad satánica de Dumberley.

—¿¡Online!? ¿Tú lees los periódicos online?

—Pues claro que sí. Ya sabes que utilizo el ordenador de papá. ¿Cómo crees que te mandaba los correos electrónicos? —«Que tú no contestabas, por cierto», pensó Jan.

—Sí, pero leer periódicos… Da igual. Supongo que podría haber leído la columna de Hannah online, pero no sabía que escribía para el *Daily Post*. —«¿Por qué no me lo habrá dicho Rachel?», pensó, y tuvo que hacer un gran esfuerzo para controlarse—. De todas formas, tampoco me interesa mucho, la verdad. La vida privada de Luke Norton no me interesa. —Y después de soltar semejante mentira, se puso en pie—. Bueno, mamá, tengo que volver a Londres.

—Ojalá pudieras quedarte un poco más.

—A mí también me gustaría —volvió a mentir—. Pero son cuestiones de trabajo, ya sabes. —Esa era la excusa que siempre tenía a mano para librarse de cualquier cosa en cualquier momento. ¿Qué sería de su vida sin ella?

7

Pasaban las seis de la tarde del viernes. Poppy estaba en su dormitorio, repasando el ejemplar del *Daily Post* que había comprado a principios de semana y releyendo por enésima vez el artículo de Hannah sobre las mujeres florero. Había jurado romperlo, pero al igual que le encantaba arrancarse las costras de las heridas cuando era pequeña hasta que volvían a sangrar, en esos momentos era incapaz de resistirse a repasar una y otra vez las palabras de Hannah.

«Sanguijuela.» «Chupóptera.» Cada frase la atravesaba como una contracción. Porque no había sido así. Se había casado con Luke por amor, no por dinero. Por eso él siempre le decía que la quería. Aunque eso era antes, se corrigió con tristeza al darse cuenta de que Luke llevaba un tiempo sin decírselo. Vale, tal vez no trabajara veinte horas al día en el distrito financiero, ni fuera una cocinera y una anfitriona maravillosas, pero estaba muy ocupada (demasiado) con la crianza de Clara. En sus artículos Hannah nunca mencionaba que su papel de supermujer fue mucho más fácil por la cantidad de *au pairs* que había contratado o que, después del divorcio, disfrutaba de todo el tiempo del mundo para cuidar del jardín y relanzar su brillante carrera porque había enviado a sus hijos a un par de internados.

Por millonésima vez desde que comenzaron a publicarse los artículos, se fijó en las fotos de Hannah. Meena insistía en que las habían retocado, pero incluso así no cabía la menor duda de que era una mujer muy atractiva. Tal vez no tan guapa como ella, pero desde luego que nada parecido al adefesio que se imaginó por las raras descripciones que Luke le había dado a regañadientes de su ex. Por mucho que le doliera, era imposible no sentir respeto por Hannah. Le repateaba que siguiera atacándola desde su columna y —cada vez más— desde un programa de televisión, pero sabía que los ataques estaban justificados. Antes de casarse con Luke y, sobre todo, antes de tener a Clara, no entendía hasta qué punto una esposa necesitaba a su marido, hasta qué punto un niño necesitaba a su padre. Había arrancado a Luke de los brazos de Hannah con la misma tranquilidad con la que apuraba el champú de Meena, y comenzaba a entender el acto tan abominable y egoísta que había cometido.

Además, creía en el karma. Así que, aunque los ataques de Hannah eran humillantes, los aceptaba con resignación porque, al menos, estaba recibiendo un castigo muy leve por su maldad.

—¡Clara! ¡Suelta eso!

Clara siguió pintándose toda la cara con su barra de labios de Shiseido preferida.

—Clara, eso es de mamá, dámelo.

—No.

Poppy se esforzó por recordar las técnicas que enseñaban en todos los programas de educación infantil que había visto mientras Luke estaba fuera por asuntos de trabajo.

—Pues entonces mamá va a tener que quitártelo —la amenazó.

Una expresión ladina apareció en la preciosa carita de Clara mientras retrocedía hacia la pared.

—No.

Poppy miró a su alrededor sin saber qué hacer, como si esperase que la Supernanny estuviera escondida en el armario, lista para salir y ayudarla a domar a su feroz hija.

—¿Por favor? —le pidió con voz dulce.

Clara se volvió y comenzó a pintar en la pared.

—No, cariño, no hagas eso. ¡No!

Luke cogería un buen mosqueo. Poppy atravesó corriendo la habitación y le quitó el pintalabios. De inmediato, Clara hizo un mohín y comenzó a gritar como si la estuvieran matando.

—¡Noooo! ¡Noooo! ¡Noooo! Dame, mami. ¡Dame!

Luke asomó la cabeza por la puerta.

—¡Por el amor de Dios! ¿A qué viene este escándalo?

—No pasa nada —respondió Poppy, colocándose delante del grafiti. Estaba segura de que las marcas se borrarían con un poco de agua y jabón—. Es que Clara está cansada. ¿A que sí, preciosa?

—No, mami.

—¿Has tenido un buen día? —preguntó Poppy.

Como era el día libre de Luke, tenía la esperanza de que lo pasara con ellas, pero había ido a la ciudad para comer con un contacto.

—Sí, no ha estado mal —respondió él sin prestarle atención—. ¿Va a llegar Glenda pronto? Deberías empezar a arreglarte.

—Le dije que a las siete y media.

—Ya son las siete y media —señaló Luke, que se dejó caer en la cama.

A Poppy se le encogió el corazón. Si descubría el ejemplar del *Daily Post* que estaba bajo la colcha, se metería en un buen lío. Por suerte, Clara lo distrajo al intentar subirse en su pecho.

—Claclá, le acabo de decir a mamá que ya es hora de ponerte el pijama.

—No creo que esté lista —comentó Poppy mientras arreglaba la colcha para ocultar mejor el periódico—. Ha dormido una buena siesta esta tarde.

—Pero si has dicho que estaba cansada... —Luke suspi-

83

ró—. Dejas que duerma demasiado por las tardes. Hannah tenía una rutina con los niños: solo los dejaba dormir un poco durante el día para que siempre se acostaran a las siete y se levantaran también a las siete. Así tienes las noches para ti.

—Mmm —murmuró Poppy mientras intentaba mover el espejo de pie con disimulo para tapar las pintadas rojas de la pared. Eso era lo que siempre decía cada vez que Luke elogiaba a su ex. Asquerosa maniática del control. «¿Para qué narices quieres despertar a tus hijos a las siete de la mañana todos los días?», se preguntó. Tampoco quería que Clara se acostase a las siete en punto todas las tardes. Bueno, en ocasiones sería agradable, pero Luke se pasaba tantas tardes fuera que solo contaba con su hija para hacerle compañía.

Sonó el timbre.

—Ah, seguro que es Glenda. Voy a abrir. El taxi llegará a menos cuarto. ¿Crees que estarás lista para entonces?

Poppy reconocía una pulla nada más escucharla. Siempre hacía todo lo posible para retrasar esas salidas con la vana esperanza de que Luke decidiera de repente que prefería pasar una noche tranquila con ella a salir con los compañeros. Se miró en el espejo del tocador. No estaba mal, decidió al ver el vaporoso blusón azul que había comprado en Portobello y los pantalones grises de raya diplomática que había encontrado en un mercadillo un día que Clara y ella paseaban por el East End. Nunca había sido una fanática de la ropa, de modo que había acogido con los brazos abiertos el uniforme de flamante madre, consistente en pantalones de chándal y camisetas manchadas, contenta por no tener que volver a ponerse unos tacones en la vida. Sin embargo, sabía que tenía que esforzarse con su aspecto cuando salía con Luke. Le había costado un poco perder el sobrepeso del embarazo una vez que dio a luz a Clara y todavía no estaba tan delgada como en sus tiempos de modelo, pero creía que tener un niño saludable era mucho más importante que la lucha por conseguir la talla treinta y dos.

—¡Hola, cariño!

Glenda entró en tromba en la habitación. Tenía cuarenta y cinco años y cuatro hijos en Filipinas, a los que visitaba una vez al año durante dos semanas. En comparación, Poppy sabía que sus problemas eran insignificantes. Sin embargo, la pérdida de la familia Alonto había sido la ganancia de Poppy. Sin las visitas semanales de Glenda, estaba segura de que se habría vuelto un poco majara ya que no contaba con otra madre con la que compartir sus preocupaciones.

—¡Hola! ¿Qué tal? —Sonrió.

—Bien, cariño. ¿Y tú? —Se fijó en Clara—. Hola, preciosa. ¿Cómo estás? ¡Cómo te he echado de menos, angelito mío!

—¡*Guenda*!

—¿Por qué no tienes el pijama puesto? Ven conmigo y la tía Glenda te pondrá cómoda.

Clara la obedeció y se fue con ella. Poppy las miró sin dar crédito. ¿Por qué su hija nunca hacía eso con ella? ¿No habría nada en lo que no fuera un completo desastre? El timbre volvió a sonar.

—¡Poppy, es el taxista! —gritó Luke desde la planta baja.

—Un segundo. —Corrió a la habitación de Clara y la vio con un aspecto angelical con su pijama de flores. Se arrodilló—. Buenas noches, cariño. ¿Le das un abrazo a mamá?

—No.

—Te leeré un cuento. —Poppy siempre intentaba ese truco en las raras ocasiones en las que Luke llevaba a un amigo a casa, aunque sabía muy bien que debería estar manteniendo una conversación ingeniosa en el salón. Podía pasarse horas acurrucada con Clara, evitando a los «mayores», como no podía evitar llamarlos, con la excusa inapelable de introducir a su hija en el maravilloso mundo de la palabra escrita.

Sin embargo, y como era habitual, Clara se percató de la treta de su mamá.

—No cuento.

Luke se asomó por la puerta.

—¡Poppy! ¡El taxi está esperando!

—Pero Clara quiere un cuento.

—No cuento —repitió Clara.

Y al mismo tiempo Luke dijo:

—Pues que Glenda se lo lea.

Derrotada, Poppy se inclinó hacia su hija y le dio un beso.

—Te veré por la mañana. Sé buena con Glenda.

—Conmigo siempre es buena —replicó Glenda con satisfacción.

Ya en el asiento trasero del taxi, Luke se recostó contra el respaldo burdeos y suspiró.

—Por fin vamos a salir juntos.

—Me moría de ganas de hacerlo —mintió Poppy—. Cuéntame más cosas. Dean Cutler es tu nuevo director.

—Sí, así que ya puedes ser amable con él, porque se rumorea que se la tiene jurada a todos los mayores de cuarenta años que trabajan en el programa. Es decir, yo.

—¿Me estás diciendo que podrían despedirte?

—Pues sí. —Luke clavó la vista en Marylebone Road—. ¿Cuántos años tiene Clara? —preguntó de repente—. Casi dos, ¿no?

—Veintitrés meses. —Siempre le sorprendía que Luke fuera incapaz de recordar detalles que ella llevaba grabados a fuego en el corazón.

—Eso quiere decir que pronto podrá ir a la guardería.

—Supongo —contestó Poppy sin comprometerse.

A pesar de que todo el mundo insistía en que llevara a Clara a la guardería, desde el dueño de la tintorería hasta el médico, pasando por Louise y Meena, ella se resistía a hacerlo; una muestra de lo mucho que la aterraba enviar a su pequeña a ese mundo exterior tan malvado.

—Así que podrás volver al trabajo pronto.

—Mmm.

Luke extendió el brazo para cogerle la mano.

—Poppy, he estado pensando. Sería lo mejor para ti. Salir de casa. Ganar tu propio dinero. Ser capaz de hablar con la gente de algo más que de pañales y de los *Teletubbies*.

Había estado leyendo a la puñetera Hannah.

—Mmm —repitió y, acto seguido, decidió que bien valía la pena intentarlo una vez más. Le dio un apretón en la mano—. Pero yo he estado pensando que a lo mejor podríamos tener otro bebé.

Como siempre que el tema salía a colación, Luke soltó un suspiro cansado.

—Sabes lo que opino al respecto. Ya tengo cuatro hijos. No puedo permitirme un quinto. —Se pasó los dedos por el pelo—. Mira, cariño, tú piénsate lo del trabajo. No puedes quedarte en casa toda la vida sin hacer nada.

—¡No estoy sin hacer nada! —protestó ella, pero el taxi estaba llegando a la entrada de la casa de Dean Cutler en West Hampstead.

8

Una hora antes más o menos, Thea Mackharven estaba mirándose en el espejo de su apartamento de Stockwell mientras Bob Dylan cantaba «Black Diamond Bay», uno de los temas de su álbum favorito del artista: *Desire*. «No estoy mal», pensó al verse con el traje pantalón verde oscuro y con el pelo recogido en un moño despeinado, un estilo que esperaba que le sentara bien en vez de dar la impresión de que era una pordiosera.

Sabía muy bien que no era una belleza natural. Al igual que en todos los aspectos de su vida, había tenido que partir de las piedras en bruto que la naturaleza le había otorgado y trabajarlas con muchísimo esfuerzo hasta alcanzar el éxito (también como en todo lo demás). Nadie podía decir que era espectacular, pero sí que era muy atractiva, comentario que seguía cosechando con mucho mérito a pesar de haber dejado atrás los treinta y cinco. No obstante, llevaba unos meses encontrándose en el espejo con la imagen de una mujer cansada, con unas patas de gallo asomando en los ojos y algunas arruguitas en las comisuras de los labios que no desaparecerían por muchos kilos de baba de caracol y pentapéptidos que utilizara.

Esa noche, sin embargo, la imagen que veía era muy distinta. Sonrió encantadísima y echó un vistazo a la habitación. Era consciente de que el apartamento tenía un aire un poco impersonal. Hacía casi nueve años que lo compró, pero salvo darle una mano de pintura nada más estrenarlo, había hecho bien poco para convertirlo en un verdadero hogar. La decoración de interiores le interesaba tanto como la vida sexual del armadillo. Su apartamento solo era un lugar donde dormir un rato después de haber pasado casi toda la noche en el Soho House, no un nidito. Le gustaba porque estaba muy cerca de una parada del metro y tenía una tienda abierta las veinticuatro horas justo debajo. Vale, era muy soso, pero ya le daría otro aire cuando abriera las cajas que se había llevado de Nueva York, aunque en realidad solo eran dos. Siempre había presumido de su capacidad de viajar con poco equipaje y de estar preparada para salir pitando en cuestión de horas. Las posesiones ralentizaban ese proceso.

Era un poco desconcertante pensar que un mes antes ese espacio estaba atestado con todos los trastos de Parveen. Parveen trabajaba como asistente de un contable en el West End. Por suerte, la habían transferido a la oficina de Leeds antes de que a ella le notificaran su traslado a Londres y antes de que encontrara un nuevo inquilino, de ahí que hubiera podido mudarse sin pérdida de tiempo. ¿Con quién habría compartido Parveen el dormitorio?, se preguntó, y tragó saliva al recordar la última vez que había estado desnuda con un hombre en ese mismo sitio.

—Vamos —se dijo de mala manera mientras le echaba la llave a la puerta y comenzaba a bajar la escalera.

Caminó por la calle hasta llegar a la avenida, inhalando el olor típico del sur de Londres: comida rápida y gasolina. Pasó con rapidez y con la cabeza alta por delante de un grupo de adolescentes con capuchas que estaban sentados en un muro, pero parecían más interesados en sus móviles que en ella. Sintió una punzada de añoranza por los viejos tiempos, cuando los grupos de tíos significaban silbidos y piropos, y no posibles navajazos.

Los enormes cambios que había sufrido Londres en su corta ausencia la habían dejado pasmada. Algunas partes de la ciudad habían cambiado a mejor y los residentes iban de un lado para otro recién salidos de la peluquería y con las cejas depiladas —y eso en lo referente solo a los hombres— como si estuvieran en Rodeo Drive. Sin embargo, otras zonas —como Stockwell— parecían haber ido a peor, con las desagradables consecuencias que eso acarreaba, como el aumento de la violencia en las calles. Le encantaría mudarse a otro sitio, pero con lo que le costaba mantener a su abuela en el geriátrico, no podía permitírselo.

De todas formas, pensó con un repentino cambio de humor, era maravilloso estar de vuelta. A pesar de la suciedad, del ruido, de la multitud, del gris perenne, de la lluvia, de los gastos... adoraba Londres. Le gustaba muchísimo más que Nueva York —para sorpresa de todos—, ya que la ciudad de los rascacielos le parecía excesivamente esterilizada y superpoblada por imitadoras de Gwyneth Paltrow teñidas de rubio y con dientes perfectos que solo sabían decir «¡Qué gracioso!» a cualquier broma que ella les hiciera, con la misma entonación que si acabara de informarles de que padecían un cáncer en fase terminal. Sí, Londres era mucho mejor. Le encantaban las infinitas posibilidades que encerraba. El hecho de que todo estuviera a mano: hojaldres portugueses, instructores de yoga, burkas con incrustaciones de Swarovski. Le encantaba que un polaco fuera vecino de un brasileño, que a su vez lo era de un nigeriano, de un bengalí y de un canadiense. Le encantaba que en la ciudad se hablaran trescientos idiomas distintos. Que fuera tan grande y ruidosa que podía vivir sin temor a que el silencio la obligara a cuestionarse si había elegido el camino correcto.

Había deseado vivir en Londres desde que la pisó por primera vez en un viaje del colegio para asistir a una función de *Annie* en el London Palladium cuando tenía doce años. En su mente adolescente, la frase «comer sashimi en el Soho» le parecía superglamourosa, y por fin podía comer sashimi donde le apeteciera. A veces tenía que pellizcarse porque no acababa de creerse que esa era su vida de verdad. Vale, los sueldos de la televisión no eran como los que se obtenían trabajando en algunos bancos o en algunos bufetes de abogados, pero vivía con holgura y podía viajar por el mundo y tener aventuras que cualquier persona de Dumberley ni siquiera podía soñar.

Sí, la vida de Thea era perfecta se mirara por donde se mirase. Hubo una época en la que pensaba que necesitaba una cosa más para que todo fuera redondo, pero ya lo había superado.

Pasó por delante de los variados grupos de borrachos, camellos y perdedores que esperaban en la entrada del metro y corrió para llegar al quiosco donde vendían chucherías y tabaco. Tan avergonzada como si estuviera comprando una dosis de crack, cogió una bolsa de Lacasitos y la pagó.

Le encantaba imaginarse como el tipo de mujer que en los momentos de ansiedad se tomaba una tila o algún remedio homeopático; pero, la verdad fuera dicha, en los momentos de ansiedad lo único que la tranquilizaba era una bolsa de Lacasitos, llenos de aditivos, que solía comerse por estricto orden cromático. Primero los amarillos y después los naranja, los verdes, los rojos, para acabar con los morados, que siempre reservaba para el final porque eran los que más le gustaban.

Una vez que hizo la compra, utilizó la tarjeta para acceder al metro y se apresuró a bajar las escaleras mecánicas. Era demasiado impaciente para permanecer quieta en el escalón y dejarse llevar. Mientras esperaba a que llegara el metro, ocho dichosos minutos según anunciaba el letrero electrónico, se puso los auriculares y analizó la velada que tenía por delante escuchando la voz de Bob Dylan que le aconsejaba que no se lo pensara dos veces.

Iba a ver a Luke otra vez. Que tampoco era nada del otro jueves. Ya lo había superado. Sin embargo, no podía evitar estar un pelín nerviosa.

Al igual que le sucedía a Poppy, Thea siempre había sentido debilidad por los hombres mayores que ella y, también como a Poppy, no le resultaba difícil entenderlo. Cuando era una adolescente plana y con granos, los chicos del colegio pasaban por completo de ella. Puesto que era orgullosa, fingía que no le interesaban en lo más mínimo. «Los adolescentes son unos brutos», decidió en aquel entonces. Prefería los hombres maduros, mucho más listos. Hombres que sabían conducir. Hombres que leían periódicos y novelas de escritores rusos de otros siglos. Hombres que comían ancas de rana y jugaban al ajedrez. Que escuchaban a Bob Dylan en vez de a Wham! Con esas preferencias en mente, Thea sufrió su primer enamoramiento con el profesor de historia, el señor Lyons, de modo que pasaba horas preparando sus trabajos y se sentaba en primera fila para atender sin pestañear, aunque lo único que logró fue un «Thea es una buena estudiante» en sus notas. Al final acabó descubriendo que estaba liado con la señorita Jones, la profesora de francés.

El esquema se repitió en la universidad. Aunque en aquella época sus compañeros masculinos de estudio sí le prestaban atención, no correspondía a su interés. Perdió la virginidad con un profesor de barba canosa, que después le dijo que su mujer esperaba gemelos y que la cosa no podía ir a más. A eso le siguió otra aventura con un catedrático que duró dos años, hasta que se mudó a Bath con su familia.

Se enamoró de Luke antes de conocerlo siquiera, simplemente viéndolo en la BBC. No le cabía la menor duda de que era el hombre perfecto: valiente, listo y guapísimo con su pelo negro, su cara alargada y su perfil patricio. Él fue una de las razones por las que solicitó un empleo de redactora en la cadena, aunque durante el tiempo que pasó trabajando allí ni siquiera lo vio. Sin embargo, cuando el *Informativo de las Siete y Media* comenzó su andadura, dio el salto y entró a formar parte del equipo de producción. La primera vez que tuvo que hablar con él para darle el resumen de una de las noticias, lo hizo tartamudeando y sin poder controlar los temblores de las manos mientras le pasaba los folios.

Al principio, Luke no pareció reparar en ella y se limitó a coger los papeles mientras le daba las gracias con brusquedad. Sin embargo, con el paso de los meses y los años, acabaron viajando juntos por todo el mundo. Ella era la encargada de producir sus especiales sobre los Oscar, sobre las tomas de posesión presidenciales, las elecciones en algún país sudamericano o las catástrofes en Extremo Oriente. Como era de esperar, acabaron haciéndose amigos después de pasar tanto tiempo juntos. Al final del día, allí donde estuvieran, hablaban de libros, de películas, de temas de actualidad y de lo insoportable que era la gente de la redacción. Una vez, mientras estaban en Sudán, compartieron una asquerosa habitación de hotel plagada de cucarachas. Al final las pasó canutas por culpa del estreñimiento, ya que se negaba a hacer nada por si él la oía. Además, dormía sin desmaquillarse para que siempre la viera estupenda por la mañana.

Como era de esperar, acabaron liados. La primera vez fue en Pakistán, después de sufrir un accidente de coche en una carretera de montaña del que milagrosamente escaparon solo con unos cuantos golpes y arañazos. Esa noche se emborracharon con alcohol de contrabando y acabaron en la cama. A la mañana siguiente Thea estaba loca de alegría, pero la cara de Luke puso de manifiesto que no estaba por la labor de llevar la cosa más allá. Así que lo dejó estar sin decir nada y siguió adelante como si esa noche no hubiera pasado nada. Al final, gracias a su forma de enfocar el asunto, repitieron la experiencia cuatro meses después en Malawi. Y así siguieron durante los siguientes cuatro años, con el polvo ocasional y sin mirarse a la cara al día siguiente hasta que recuperaban el ritmo habitual de trabajo.

Thea estaba locamente enamorada de él. Lo consideraba su igual desde el punto de vista intelectual, su alma gemela. Y buscaba puntos en común en todas las conversaciones que mantenían. Le encantaba la salsa Marmite, ¡como a ella! Odiaba el jazz. Lo mismo que ella. Su ídolo era el corresponsal de guerra polaco Ryszard Kapuscinski. ¡Como ella! Aborrecía el sushi... En fin, sería muy aburrido tenerlo todo en común. Estaba segura de que si se hubieran conocido en otra época, habrían acabado juntos. Sin embargo, en ningún momento le demostró el amor que le profesaba. Había sido testigo de la obsesión de sus otras amantes, que se pasaban el día mandándole mensajes o dejándole barras de labios en los bolsillos con la esperanza de que Hannah las descubriera. Nunca duraban mucho. Luke no soportaba que lo presionaran de ninguna de las maneras. Para conseguir atraparlo, Thea sabía que el único modo era trazar un plan a largo plazo, no hacerle exigencias; solo tenía que estar en el lugar adecuado y en el momento oportuno.

Entretanto, no vivió como una monja ni mucho menos. Aunque no tuvo novios serios. Los viajes que su trabajo exigía no le permitían establecer relaciones duraderas, tal como mostraban las estadísticas de divorcio en el caso de los periodistas. Además, siempre que tenía tiempo libre prefería ponerse al día con los amigos, no pasear de la mano por el mercado discutiendo el menú para la siguiente cena con invitados. Cuando tenía necesidades, no le resultaba difícil encontrar a un hombre que las satisficiera.

Nunca hablaba de su vida privada con Luke, y si alguno de sus rollos pasajeros la llamaba cuando estaban juntos, les soltaba de mala manera: «Estoy ocupada, ya te llamo luego». En cuanto a Luke, no solía mencionar a su familia, salvo para quejarse: por la pasta que se dejaba en ellos y por lo mucho que le cabreaba que Hannah continuara diciendo que estaba muy ocupada para volver a trabajar a pesar de que los niños ya iban todos al colegio. Cuando hablaba con su mujer, siempre acababa discutiendo: porque iba a perderse el partido que jugaba Jonty o porque era el fin de curso de Tilly o el mercadillo de la parroquia. Thea lo escuchaba todo sin dar crédito.

Estaba claro que Hannah no le entendía si insistía en agobiarlo con todas esas tonterías domésticas a cada cual más absurda. Porque ella no comprendía por qué la gente acababa echándose a la espalda todas esas responsabilidades tan aburridas. Si fuera la mujer de Luke, él sería su prioridad y nada se interpondría en su camino.

Bajó del metro en Green Park. Mientras Bob le cantaba su oda a Corrina, siguió las flechas que indicaban qué ruta tomar para coger la línea de Jubilee y comenzó a refunfuñar cuando de repente se vio entorpecida por una pareja mayor que caminaba delante de ella a paso de tortuga. Turistas, claro. Los londinenses no iban pisando huevos en el metro, ni en ningún otro sitio, sino que se abrían paso con rapidez, a codazos, y se colaban en el interior del vagón siempre que podían. Con un enorme suspiro, Thea pasó entre ellos. Iba corriendo escalera abajo cuando oyó que el tren arrancaba. Dos minutos más tarde, la pareja de paletos se sentó a su lado en el banco. Los miró echando chispas por los ojos. Por su culpa se veía obligada a esperar. Sin embargo —se recordó—, tampoco quería llegar demasiado pronto a la cena. Claro que tampoco deseaba llegar tarde, o la mujer de Dean se cabrearía porque se había enfriado la sopa.

Mientras chupaba un Lacasito y saboreaba la cobertura roja antes de morderlo, echó la vista atrás, hacia la última noche que vio a Luke. La noche de los BAFTA. El *Informativo de las Siete y Media* estaba nominado en una de las categorías de programas de actualidad (que ya había desaparecido, así de corta era la inteligencia de la que hacía gala el país de un tiempo a esa parte), por un reportaje sobre la colocación por parte del Al Qaeda de una bomba en un tren en Italia.

Sus expectativas para la noche en cuestión no habían sido muy altas, ya que sabía que Luke iría acompañado de Hannah, que aparecería en plan elegante pero aburrido. Sin embargo, Hannah no apareció porque Isabelle le había contagiado la gripe y Luke llegó solo. Thea se sentó a su lado durante la

95

cena, y cuando anunciaron que eran ellos los ganadores, subieron juntos al escenario, agradecieron el premio con chispa y elegancia y, a partir de ese momento, el equipo al completo comenzó a beber hasta que todos estuvieron muy borrachos y acabaron en el Soho House, prácticamente pegados el uno al otro en un sofá de cuero. Notó que había algo distinto en Luke esa noche. Estaba más tenso que de costumbre, y su intranquilidad parecía extraña en un hombre que acababa de ganar un premio. Sin embargo, acabaron en su apartamento y para Thea fue el mejor polvo de su vida. Cuando todo acabó, permanecieron en silencio, asombrados.

—Mierda.

Thea decidió tomárselo como un cumplido.

—Sí, ha estado genial —murmuró.

—¡Joder! —exclamó él.

Luke se había decidido por la elocuencia, sí. Ella esperó.

—Thea, por Dios, no sé qué hacer —acabó explotando él—. Tal vez Hannah y yo tengamos que… No sé. Es posible que tenga que dejarla. Que tenga que dejarlos…

Y se quedó dormido. Ella, sin embargo, se sentía tan llena de energía como un cepillo de dientes eléctrico que hubiera pasado todo el día en el cargador. Siguió acostada a su lado con el corazón acelerado, asimilando el inesperado triunfo. Luke iba a darle la patada a Hannah. Por fin se había dado cuenta.

Ella era la ganadora. Con razón había estado tan tenso durante toda la noche. Estaba rumiando esa decisión tan trascendental.

—Has hecho lo correcto, Luke —susurró—. Juntos seremos muy felices.

Cuando Luke se despertó, ella ya estaba levantada y vestida con una bata de seda. Se había retocado el maquillaje, había vuelto a echarse perfume y se había desordenado el pelo de un modo muy favorecedor. Cuando le vio abrir los ojos, le sonrió de forma seductora y susurró:

—Buenos días.

Luke se sentó de golpe.

—¡Mierda! ¿Qué hora es?

—Son casi las nueve —contestó ella con voz ronca.

—¡Maldita sea! —gritó Luke—. ¿Qué estará pensando Hannah? Tengo que irme.

Antes de que Thea pudiera abrir la boca, ya estaba fuera de la cama, poniéndose la ropa.

—¡Madre mía! Va a matarme —dijo él mientras se sacaba el móvil del bolsillo de la chaqueta y lo miraba con expresión desesperada—. No tiene batería. ¡Socorro! Tengo que hablar con Gerry para buscar una coartada.

Thea era incapaz de hablar.

—¿Cuál es el número de la compañía de taxis? No, no te molestes. ¿Dónde puedo coger el metro? Será más rápido.

—Cuando salgas, dobla a la derecha, luego a la izquierda y sigue recto. Está a unos diez minutos de aquí.

—Vale. —Se detuvo un momento y la miró de arriba abajo, reparando por fin en lo guapa que estaba con la bata blanca de satén. Esbozó una sonrisa torcida—. Ha estado genial. Gracias. —Se inclinó hacia ella para darle un beso fugaz en los labios—. Cuídate.

Thea lo miró, confundida. Unas cuantas horas antes estaba dispuesto a dejar a Hannah. ¿Qué coño había cambiado? Eso sí, antes muerta que preguntarlo.

—Lo mismo digo. —Y sonrió con valentía.

—Eres un encanto —dijo él antes de salir corriendo.

Mientras esperaba a que llegara el metro, rodeada por la bulliciosa multitud típica de un sábado por la noche tan distinta de los agotados pasajeros de diario, Thea sintió que todavía le ardían las mejillas al recordar lo que pasó después. Aquel lunes no tenía que ir a trabajar. Luke no apareció ni el martes ni el miércoles. Ella esperó en vano una llamada, un mensaje, un correo electrónico… Cuando por fin lo vio el jueves en una conferencia, Luke evitó su mirada. Al final, se las arregló para pillarlo a solas mientras bebía agua y vio que le regalaba una sonrisa nerviosa, la típica sonrisa forzada.

—Hola —lo saludó.

—Ah, hola.

—¿Fue todo bien con Hannah?

—Sí, sí, genial. Oye, no me puedo parar, Chris me está esperando. —Y se largó.

Thea tuvo la impresión de que acababa de darle un bofetón. No era la primera vez que echaban un polvo, así que ¿por qué la trataba como si lo estuviera acosando? De vuelta en su escritorio, le resultó imposible concentrarse en la entrevista que tenían planeado hacer al ministro de Agricultura porque sentía la cabeza a punto de estallarle. Luke estaba sentado a su mesa, en el otro extremo de la redacción. Estaba muy pálido y parecía agotado, estresado. ¿Lo habría descubierto Hannah? Thea reconoció que en parte deseaba que lo hubiera hecho, y en parte no. Lo vio mirar ceñudo su monitor y al instante se echó hacia atrás en la silla, tras lo cual se levantó y se fue al baño.

Aunque sabía que no debía hacerlo, el impulso fue irresistible.

Después de echar un vistazo a su alrededor para comprobar que nadie estuviera mirando, cerró su cuenta de correo y tecleó: «luke.norton@sevenoclock.com». Tras años de trabajar codo con codo conocía su contraseña (Matilda) y de vez en cuando se colaba en su bandeja de entrada para leer sus correos y enterarse así de con quién tonteaba, aunque él tenía la irritante costumbre de borrarlo todo nada más leerlo, de modo que casi nunca encontraba nada interesante.

Cuando entró en la bandeja de entrada, echó un vistazo en busca de algún correo furioso de Hannah, pero no encontró nada. Un montón de correos solicitando una entrevista. Uno de Gerry, con el asunto: «Vamos a tomarnos una cerveza». Y justo debajo, uno de una tal Poppy Price. Sin asunto. Con el corazón a punto de salírsele por la boca, lo abrió.

Querido Luke:

Te mando un correo xq no me devuelves las llamadas ni los mensajes y estoy desesperada. Siento mucho haberte asustado con lo del bebé, pero tenemos q hablar. Pienso tenerlo digas lo q digas y entenderé q quieras lavarte las manos, pero te pido q vengas otra vez para hablarlo con más tranquilidad. Te quiero, te quiero muchísimo y creía q tú también me querías. Llámame x favor, x favor, x favor.

Te quiero con toda mi alma.

Poppy xxxxOOOOO

El metro la dejó en West Hampstead. Mientras salía por las puertas, recordó la furia asesina que la invadió mientras lo leía. Y recordó cómo Thea Mackharven, que presumía de su forma práctica y sensata de ver la vida, le dio a la opción de reenviar y tecleó rápidamente «Ha» en el campo destinado al destinatario. La dirección de Hannah (HannahNorton@Norton.com) apareció al instante. Una calma gélida se apoderó de ella mientras lo enviaba. «Su correo ha sido enviado.»

Salió de la cuenta de Luke rápidamente. Al cabo de unos segundos lo vio volver a su escritorio.

Si lo analizaba, no estaba segura de lo que había pretendido al reenviar el correo. Lo pensó mientras salía de la estación. Había otras formas más sencillas de vengarse, como, por ejemplo, concertar un envío mensual de Viagra a su domicilio conyugal. Eso fue lo que hizo cuando se enteró de que Luke había dejado a Hannah y se había ido a vivir con Poppy Price. Aunque resultó muy poco satisfactorio después de todo el follón que había organizado.

Al enterarse de que Luke iba a casarse con Poppy, Thea fue a hablar con Chris y le pidió pasar unos cuantos meses en la redacción de Nueva York, reemplazando al productor, David Bright, que acababa de anunciar que su mujer esperaba gemelos y quería volver a Inglaterra para pasar el resto del embarazo con ella y estar presente durante el parto.

—¿En serio? —le preguntó Chris sin dar crédito—. Pero Thea, aquí haces un gran trabajo.

—Necesito un desafío —adujo ella.

Chris meneó las cejas de una forma que le resultó bastante incómoda porque le dio a entender que sabía lo que estaba pasando y dijo:

—En fin, tratándose de ti, estoy seguro de que podemos arreglarlo. Porque hay una cosa clara: no queremos perderte.

Quince días después, Thea había empaquetado su vida e iba camino de Nueva York en un avión. Los Bright decidieron no regresar a Estados Unidos después del nacimiento de los niños y ella anunció estar preparada para encargarse del puesto de forma permanente. Aparte de algún comentario esporádico por cuestiones de trabajo, no había vuelto a hablar con Luke. Y para su mortificación, él no le había dirigido la palabra.

En esos momentos enfiló el camino empedrado que llevaba hasta la casa de ladrillo rojo de Dean Cutler con la certeza de que iba a volver a verlo en cuestión de minutos.

Sacó un Lacasito morado de la bolsa y lo mordió con fuerza antes de respirar hondo y llamar al timbre.

9

Un hombre delgaducho vestido con vaqueros y una camisa a cuadros abrió la puerta.

—¿Qué tal? —le preguntó—. ¡Tienes que ser Thea! Por fin nos conocemos. Me alegro de ponerle una cara a tu voz.

—Hola Dean.

Esbozó su sonrisa más deslumbrante y extendió la mano, pero él ya le estaba besando las dos mejillas de tal manera que a Chris Stevens le habría resultado imposible.

—Es un placer conocerte. —Examinó la botella de sauvignon blanco que le ofrecía—. ¡Genial, Cloudy Bay! Eres de las mías. Pasa, pasa.

Thea lo siguió a un salón con parquet de haya y paredes grises decoradas con enormes fotografías en blanco y negro de bebés feúchos. La voz de Bebel Gilberto se oía procedente de algunos altavoces escondidos. Un grupo, en el que estaban el capullo de Marco Jensen y Roxanne Fox con uno de sus aburridos trajes de chaqueta (marca de la casa), charlaba junto a la ventana, y había otro junto a la chimenea. Ni rastro de Luke. Una rubia con unos pantalones negros de cuero y un top gris medio transparente se acercó a ellos.

—Thea, te presento a mi mujer, Farrah. Farrah, ¿te acuerdas de Thea? Ya te he hablado de ella. Es una de las mejores productoras de la cadena y he conseguido que deje Nueva York para que forme parte de mi equipo de ganadores.

—Ah, sí, por supuesto que me acuerdo. —Farrah sonrió—. Dean está contentísimo por haber conseguido que vuelvas.

—Gracias —dijo Thea en voz baja, justo cuando sonaba el timbre.

—¡Ya voy yo! —exclamó Dean al tiempo que salía al recibidor, dejándolas solas.

A Thea se le cayó el alma a los pies. Odiaba a las esposas. Sin embargo, una de las cosas por las que era tan buena en su trabajo era la certeza de saber que tenía que ganarse su confianza. De modo que esbozó su sonrisa más amable.

—¿A qué te dedicas, Farrah?

—Una pregunta muy interesante. Soy madre casi a jornada completa, claro, pero como los niños ya van al colegio, me estoy formando como terapeuta especializada en cromoterapia. Es increíble. Cuando consigues dar con el color adecuado para una persona, puedes cambiarle la vida.

—Vaya. —Thea asintió con la cabeza.

—No sabes la cantidad de energía que pierde la gente por una elección desastrosa de los colores. Algunas personas son frías y otras cálidas, y no deberían mezclar nunca los colores. Te daría un pasmo si supieras la cantidad de gente que lo hace. Es impresionante.

—Desde luego, sí, tiene que serlo —consiguió decir Thea, al tiempo que oía risas y voces masculinas en la entrada. La de Luke. Le daba igual, se dijo. Era agua pasada. Lo había superado hacía siglos.

—Hace poco vi a una cliente que iba de la cabeza a los pies vestida de marrones y naranja y le dije: «Querida, te lo digo por tu bien: con esa piel tan blanca deberías llevar colores primaverales». A lo que ella me respondió: «Pero tengo que llevar justo lo contrario a mi color de piel, ¿no?». Te juro que me dejó muerta. Totalmente muerta.

—Me lo imagino.

—Pero tú, Freya, estarías estupenda de naranja. Ese verde no le va bien a tu color de piel ni a tu pelo.

—Ah, vaya por Dios. —Thea sonrió mientras se preguntaba si debía señalarle que no se llamaba Freya.

—Estaré encantada de aconsejarte, Freya. A precio especial, por supuesto. Que no se me olvide darte una de mis tarjetas. —Miró a Thea de arriba abajo—. Eres géminis, ¿verdad? —Antes que Thea pudiera responderle con un «No, pero tú eres imbécil», la mujer continuó—: Esa mujer sí que sabe qué colores le convienen.

Thea se volvió y tuvo la sensación de que le daban un puñetazo en el estómago. En la puerta estaba Luke, rebosando más carisma del que recordaba. Sintió una descarga de energía, como si se hubiera tomado un café doble.

Y colgada de su brazo había una chica, porque nadie la llamaría «mujer», con aspecto de estar totalmente petrificada. «¡Joder!», pensó. Con esa melena rubia y sus zapatos dorados estaba increíble. Los celos se apoderaron de ella con fuerza, como pequeños demonios de ojos verdes, a medida que todas las inseguridades sobre su aspecto regresaban en tropel a su mente: era demasiado morena, demasiado plana, necesitaba una buena capa de chapa y pintura para estar medio presentable… Se le nubló la vista como si estuviera a punto de desmayarse. Consiguió sonreír con un esfuerzo sobrehumano.

—Luke.

—Thea.

Beso. Beso. Piel muy suave, mejilla recién afeitada. Olor a jabón Imperial Leather. En cuanto descubrió que esa era la marca de jabón que usaba —a Luke no le gustaba la loción para el afeitado—, había salido a comprar uno y lo había metido debajo de su almohada.

—Es un placer tenerte de vuelta —dijo él con cariño—. Mmm, creo que no conoces a Poppy. Mi mujer.

«Bueno, Poppy, dime qué has hecho en tu increíblemente corta vida. ¿Cómo has pasado el tiempo en los diez segundos desde que dejaste de ser una niña? ¿Quieres ver el tatuaje que tengo en la espalda de cuando estuve en Laos? ¿Quieres que te diga cuántos premios he ganado? ¿Quieres saber todas las veces que me he follado a tu marido? ¿O que te casaste con él por culpa de un correo electrónico que fui lo bastante gilipollas para mandar?», eso era lo que ella quería decir. Sin embargo, al abrir la boca solo salió:

—Encantada de conocerte. Me llamo Thea. Solía trabajar con Luke como productora. Pero he estado en Estados Unidos estos dos últimos años. Acabo de volver.

Esperó a ver si su nombre le provocaba alguna reacción, pero Poppy se limitó a esbozar una sonrisa educada.

—¿En qué lugar de Estados Unidos? —Su voz era tan fina que tuvo que aguzar el oído para escucharla.

—¡Hola, Thea! ¿Cómo estás? —preguntó Emma Waters, una de las reporteras y la copresentadora que solía acompañar a Luke. Emma rondaba los cuarenta y tenía un rostro bonito aunque un poco arrugado. Tenía tres hijos de los que nunca hablaba y era muy buena amiga de Hannah Norton.

—¡Hola, Emma! ¿Qué tal? ¡Estás fantástica!

—Gracias —respondió Emma, pero con menos entusiasmo. Thea recordó demasiado tarde que Emma se tomaba muy mal los elogios a su aspecto y que prefería que alabaran sus cualidades como periodista. Señaló a Poppy con la cabeza—. Hola, tú debes de ser Poppy.

—Sí —afirmó la aludida—. Hola.

Emma pasó de la mano que le tendía. Se produjo un silencio incómodo y entonces Poppy preguntó a Thea:

—¿Has estado en algún sitio interesante últimamente?

—Hace poco estuve en Cuba.

—¿De verdad? Yo hice un trabajo allí. En Varadero. La playa era preciosa. ¿Nadaste con los delfines?

Thea sabía que Poppy estaba intentando entablar conversación, pero fue incapaz de reprimir la vena cruel que latía en su interior.

—Pues no —contestó al tiempo que captaba la mirada de Emma, con la cual le decía que ellas eran mujeres del mundo y Poppy no—. Estuve investigando los efectos que ha tenido la revolución en el sistema sanitario cubano, así que me pasé casi todo el tiempo en pueblecitos del interior dejados de la mano de Dios, no en los complejos turísticos.

—¡Ah! —dijo Poppy.

—Pero ahora no trabajas de modelo, ¿verdad, Poppy? —preguntó Emma. Era imposible pasar por alto el deje burlón de su voz.

—Yo... No, la verdad es que no. Mi hija todavía es muy pequeña, así que...

Luke intervino en ese momento.

—Hemos pensado en buscar una *au pair* o una niñera o algo para que Poppy pueda salir un poco más.

—Ah, eso sería estupendo —señaló Emma con sorna—. Así tendrás más tiempo para ir de compras y al gimnasio.

Poppy se encogió como si le hubieran pegado. Para su sorpresa, Thea sintió una punzada de lástima por la jovencísima esposa de Luke. Pero fue muy pasajera.

—Está muy de moda quedarse en casa para cuidar de los niños —continuó Emma—. Tendríais que ir a mi supermercado. Es imposible dar una vuelta sin encontrarte con todas esas madres de revista con sus cochecitos de marca. Las cosas eran muy distintas cuando yo tuve a mis hijos. En aquella época se daba por sentado que volverías al trabajo para no decepcionar a tu compañero.

—¿Estás buscando niñera, Poppy? —preguntó Farrah, que había estado revoloteando alrededor del grupo.

—Bueno, todavía no he...

—Porque la mía está buscando trabajo —siguió la mujer—. Ahora que mi pequeño está en el cole, ya no la necesitamos. Y es increíble. Deberías contratarla ahora que estás a tiempo. ¿Quieres que te dé su número?

—Es genial —dijo Luke—. Deberías hacer caso a Farrah, Poppy. El boca a boca es el mejor modo de encontrar niñera. —Regaló a Farrah su mejor sonrisa.

Al verla, a Thea se le encogió el corazón como si alguien se lo apretara con el puño. Creía que ya había superado lo de Luke, pero solo lo había relegado al fondo de su cabeza. Y en ese preciso momento, con una sonrisa, volvía a tenerlo muy presente.

—¿Tienes niños, Thea? —le preguntó Farrah.

—No. —Y tras una breve pausa—: Y no quiero tenerlos.

Se hizo el silencio con la misma contundencia con la que caía el telón sobre el escenario. La gente siempre reaccionaba de esa manera cuando les decía que no quería tener niños. ¡Ni que les hubiera dicho que le gustaban las hamburguesas de cachorrito! Le cabreaba mucho que todo el mundo diera por sentado que era una zorra despiadada o, peor todavía, que estaba desesperada por tener críos pero que le ponía buena cara al mal tiempo. La verdad era tan tajante como el resultado de $E = mc^2$, como el hecho de que todos los ríos iban a parar al mar o como la certeza de que un novio jamás contaría los detalles del beso que le dio a la mejor amiga de su chica en una fiesta a los quince años. Thea tenía tantas ganas de tener hijos como las de descender el Everest esquiando y disfrazada de pollo.

Farrah se echó a reír.

—Muy lista, en mi opinión. Si algún día eres tan tonta para cambiar de idea, siempre puedes adoptar a los míos.

—Así es nuestra Thea —añadió Luke—. Es una profesional de la cabeza a los pies. Está demasiado ocupada con el trabajo para querer una familia.

—Pues yo lo he conseguido —intervino Emma con brusquedad. Se volvió hacia Roxanne Fox, que estaba cerca—. Y tú también, ¿verdad, Roxanne?

—¿El qué he conseguido? —Para ser una mujer a quien le gustaba despedir a seis personas antes del desayuno, tenía una voz muy infantil y una carita angelical que desentonaban con su carácter. Y también tenía algo que a Thea le daba grima.

—Tener hijos y una profesión.

—Claro, claro. —A Roxanne no parecía hacerle gracia la conversación.

Thea sonrió. Por la oficina corría el rumor de que Roxanne llamó un día a su casa y dijo: «Hola, cariño, soy yo». Tras una breve pausa, la oyeron mascullar: «¡Tu madre, cariño!».

Sin embargo, contuvo una sonrisa porque Roxanne se acercó a ella.

—¿Cómo estás, Thea? Me alegro de que estés de vuelta.

—Yo también me alegro de haber vuelto —respondió ella por enésima vez justo cuando Farrah se cogía de su brazo.

—Siento interrumpirlas, señoras, pero es hora de la cena. —Se volvió hacia Emma—. Hola, Emma, no nos han presentado. Soy Farrah, la mujer de Dean. Solo quería decirte que el collar que llevabas anoche en el programa era precioso. ¿Dónde lo has comprado?

10

Poppy estaba sentada entre Marco Jensen y un hombre de mediana edad llamado Bill.

—¿Trabajas para el *Informativo de las Siete y Media*? —le preguntó mientras se sentaban.

—¡No, por Dios! Yo tengo un trabajo de verdad.

—¡Ah! —Poppy asintió con la cabeza y sonrió a Dean, que se colocó en ese momento tras ella con dos botellas de vino—. Tinto, por favor. —Otra copita la ayudaría a pasar mejor una noche que había comenzado fatal, pensó.

—Soy escritor —siguió Bill— y, en mi opinión, estoy algo más ocupado que mi señora, que está aquí —dijo, haciendo un gesto con la cabeza para señalar a Emma Waters.

Poppy lo entendió al instante.

—¡Eres Bill Waters, el marido de Emma!

—No, en realidad soy Bill Pearce —la corrigió el hombre con tirantez—. Emma conserva su apellido de soltera. No como tú.

—¿Y tú cómo sabes eso?

Bill se echó a reír.

—Todo el mundo te conoce. Eres «la zorra».

Luke, que estaba muy ocupado congraciándose con Farrah Cutler, lo miró con irritación.

—No sé cómo lo soportas —añadió Bill—. Debe de ser muy humillante.

—Bueno, no me importa —le aseguró Poppy con la misma sinceridad que mostraba el duque de Edimburgo cuando le preguntaba al obrero de una fábrica si le gustaba su trabajo—. Sus artículos son de usar y tirar. ¿Qué escribes exactamente?

—Bill es un funcionario —terció Emma con voz gélida.

—Eso no es verdad, querida. Y mi obra de teatro, ¿qué?

—Ah, sí, la obra… —dijo Emma como si se estuviera refiriendo a una enorme caca de perro que acabara de encontrarse en mitad del jardín, tras lo cual volvió la cabeza para reanudar la animada conversación con Dean.

—¿De qué va la obra? —se sintió obligada a preguntar Poppy.

—Es un proyecto en el que llevo trabajando un tiempo. Siguiendo la estela de Anouilh. ¿Vas mucho al teatro?

—Pues no, la verdad. Tengo una niña pequeña, así que…

Sin embargo, Bill volvió la cabeza de repente, le dio la espalda y comenzó a charlar alegremente con la novia de Marco, Stephanie, que trabajaba en el centro financiero —según le había dicho Luke— y que ganaba unos cinco millones de libras cada segundo.

—Claro que me encanta Jean Genet —la oyó decir con énfasis.

Bill asintió con la cabeza y sonrió. Poppy hizo una mueca, bebió un buen sorbo de vino y se llevó a la boca un poco de ensalada de tofu y granada mientras se preguntaba cómo narices iba a aguantar a aquella gente toda la noche. Todas esas mujeres tan seguras de sí mismas, tan locuaces, la intimidaban. Thea, por ejemplo, estaba riéndose a carcajadas por un comentario que Dean acababa de hacer. ¿Por qué se había puesto tan desagradable con ella con lo de Cuba? Solo había pretendido ser amable.

Poppy volvió a mirarla. Había algo en Thea que le provocaba una sensación extraña, como si despertara en su interior una bestia aletargada. Recordó de pronto que era la mujer perfecta que se sentó con Luke en la cafetería la mañana en que lo conoció. Ese era el tipo de mujer con el que debería estar su marido, pensó con tristeza. Una mujer capaz de hablar de los nominados al premio Booker y de las posibles soluciones al calentamiento global, no como ella, cuyo único tema de conversación era que su hija todavía seguía con el pañal aunque tenía pensado enseñarle a usar el orinal dentro de poco. Una mujer que conocía a Hannah y que había demostrado una admirable lealtad hacia ella al tratar con desdén a su sucesora.

—¿Qué tal la Navidad? —le preguntó a Marco, volviéndose hacia el otro lado.

—¿Cómo dices?

—Te preguntaba por la Navidad. ¿La has pasado fuera?

—Esto… sí. Steph y yo alquilamos una casa en Verbier —contestó sin buscar el contacto visual, ya que estaba pendiente de Dean, sentado unas sillas más allá y en ese momento enzarzado en una conversación con Emma.

Poppy volvió a mirar a su marido, que no paraba de reírse de todo lo que Farrah decía y que en ese momento era:

—Estuve mirando en Highgate, pero es demasiado rígido y… no sé, me da la impresión de que mis hijos son más creativos. Lo de los internados es muy complicado. ¿Dónde están matriculados tus hijos?

—¿Se te da bien esquiar? —intentó Poppy de nuevo.

—¿Cómo dices? —preguntó Marco a su vez, mirándola en esa ocasión—. Eh… sí. Muy bien. ¿Y a ti? —Hablaba como si acabara de salir de una anestesia general.

—No, qué va. Siempre he querido aprender, pero mi madre nunca me dejaba ir a las excursiones del colegio. Decía que no podíamos permitírnoslo. Además, soy bastante patosa, así que…

—¡Perdona, Dean! —gritó Marco—. ¿He oído bien? ¿Has dicho que van a acortar el programa?

Los murmullos se extendieron por la mesa.

—Exacto —contestó Dean—. El mes que viene. La cadena recorta quince minutos, así que acabará a las ocho y cuarto en vez de seguir haciéndolo a las ocho y media.

«Genial», pensó Poppy. Luke llegaría a casa un cuarto de hora antes.

Sin embargo, sus alegres pensamientos quedaron ahogados por los gritos de protesta.

—¡Esto es indignante!

—¿Cómo es posible que lo permitan?

—Pero ¿¡qué dices!?

—¡Chicos, chicos! No matéis al mensajero, ¿vale? —dijo Dean al tiempo que alzaba las manos—. Yo me limito a deciros lo que la cadena ha decidido. No es que esté muy contento con la decisión, pero ¿qué vamos a hacer? Tener un programa de noticias que acaba a las ocho y media no es bueno para la programación general. Por desgracia, abusamos de la franja de las ocho, la más importante del día. Cuando la gente pone la tele después de cenar algún plato precocinado, quiere encontrarse una película de George Clooney y, si no, un programa de cotilleo. Lo que no quieren es ver a Luke entrevistando al primer ministro de Japón.

—¡Venga ya! ¿Estás diciendo que Luke no está tan cañón como Clooney? —preguntó Emma con tono sarcástico.

—Por supuesto que lo está. Y tú, querida, eres la doble británica de Nicole Kidman. Todos lo sabemos. En cuanto a Marco…

—Creo que se parece un poco a Val Kilmer cuando era joven —dijo una soñadora Farrah.

—¡Por el amor de Dios! —exclamó Luke, que había llegado en parte a donde estaba precisamente porque su voz era capaz de hacerse oír en cualquier sitio y de llamar la atención de todo el mundo—. ¿Es que no os habéis dado cuenta de que la conversación ya está degenerando? Quiero que quede bien claro que esto es un ultraje. El *Informativo de las Siete y Media* es el último bastión del periodismo decente en televisión y tú vas y nos dices que los accionistas nos quitan un cuarto de hora para contentar a las masas con películas tontas.

Dean y Roxanne intercambiaron una mirada.

—En resumen, sí —admitió Dean.

Roxanne se apresuró a intervenir.

—A ver, chicos, sé que esto os parece un poco drástico, pero creo que la situación requiere medidas drásticas. Ya sabéis lo mucho que han caído las cifras de audiencia, y no estoy hablando solo del *Informativo*, sino de la cadena en general. Tenemos que hacer algo para solucionarlo de inmediato.

—Mirad el lado positivo —añadió Dean—. Quince minutos menos de trabajo que tendréis todos.

—Sin recorte salarial para nadie —señaló Roxanne.

—Creo que puede funcionar —se apresuró a terciar Marco—. Tal vez así le demos un aire más rápido, más incisivo, al informativo.

—Gracias, Marco —dijo un sonriente Dean.

La mirada de Luke habría bastado para matar a Marco allí mismo. Habría bastado para destriparlo, descuartizarlo y asarlo a fuego lento.

—¿Y qué pasa con los contenidos? —masculló—. ¿También vamos a reducir la calidad además del tiempo?

—Yo no lo llamaría una reducción de calidad… —contestó Roxanne.

—Pero queremos más énfasis en la farándula —la interrumpió Dean.

—Y en temas sociales.

—Menos noticias internacionales.

—Las encuestas nos aseguran que a la gente no le interesa lo que sucede fuera del país.

—A menos que se hable de algún lugar donde brille el sol y el alcohol y el tabaco sean más baratos —apostilló Dean entre carcajadas.

Roxanne puso los ojos en blanco. Farrah se levantó y comenzó a recoger la mesa. Poppy se puso en pie de un brinco.

—¿Te ayudo?

—Gracias, Poppy.

Nadie la miró mientras recogía los cubiertos, ya que estaban todos horrorizados.

—Van a recortar el presupuesto en un quince por ciento, así que se reducen los gastos para viajar al extranjero —estaba diciendo Roxanne.

Poppy siguió a Farrah hasta una reluciente cocina, donde una mujer de cara avinagrada aderezaba un asado de cordero.

—¿Queda mucho, Elisa?

—Ya casi está, señora.

—Hola, soy Poppy.

Elisa pareció sorprendida. Igual que Farrah.

—Ah, sí. Esta es Elisa, nuestra ama de llaves. Elisa, Poppy está buscando una niñera. Le he dicho que debería hablar con Brigita.

—Sí, claro, es una buena idea —convino la mujer mecánicamente.

Las voces de la discusión que seguía manteniéndose en el comedor se colaban por la puerta entreabierta.

—Mierda, Dean ha abierto la caja de los truenos, ¿verdad?

—Él no tiene la culpa —respondió Poppy—. En realidad, está obedeciendo órdenes, ¿no?

—Como las SS, sí —contestó Farrah riéndose entre dientes—. Eres un encanto, Poppy. Me parece que te critican sin razón. ¿Tienes alguna foto de tu peque para que la vea?

Poppy sacó el móvil y pasó diez minutos con Farrah babeando mientras se enseñaban las fotos de sus respectivos hijos.

—Será mejor que volvamos —susurró Farrah, como si fueran un par de colegialas traviesas que hubieran estado fumando a escondidas detrás del gimnasio—. No sé tú, pero a mí me parecen un coñazo estas cenas de empresa. No entiendo la mitad de las cosas de las que hablan y nadie quiere charlar conmigo porque solo soy una madre.

Poppy esbozó una sonrisa nerviosa. Necesitaba otra copa de vino.

—No parecen entender que el nuestro es el trabajo más difícil del mundo. A ver, ¿te imaginas a Dean o a Luke soportando más de una mañana limpiando culos o jugando con los Lego? Hazme caso —siguió antes de que Poppy pudiera decirle que entendía a la perfección que a nadie le interesase una conversación que girara en torno a Farrah y los Lego—, necesitas un descanso o acabarás majara. Yo no sabría qué hacer si me quitaran el tiempo que paso en el gimnasio. Por eso debes llamar a Brigita, Poppy. Te sorprenderá ver lo bien que te sientes con un par de manos que te ayuden.

—Mmm —murmuró ella de forma evasiva.

Aborrecía la idea de la niñera. Le traía muchos recuerdos de su triste infancia. Aunque las cosas entre Luke y ella no marcharan del todo bien, al menos Clara estaba contenta en casa con su madre.

—Así tendrás tiempo para arreglarte en condiciones —siguió Farrah, guiñándole un ojo—. Me entiendes, ¿verdad?

—¿Cómo dices?

—Debería habértelo dicho antes, pero no quería avergonzarte en público… Es que te has puesto el blusón del revés. Elisa, creo que la carne ha reposado bastante. Vamos a llevarla. Poppy, si nos ayudas a llevar la salsa, te lo agradeceré en el alma.

11

Había pasado una semana. A Luke Norton le latía el corazón muy deprisa, más rápido que cuando estuvo bajo el fuego de los talibanes en Afganistán e incluso más rápido que cuando Hannah discutió con él por Poppy. Había terminado el programa hacía media hora y estaba sentado en el asiento trasero de un taxi, recorriendo medicolandia —las calles que separaban Regent's Park y Oxford Street—. Al otro lado de las anónimas fachadas de estilo georgiano, un sinfín de educadísimos médicos recetaba Valium a ejecutivos estresados, mientras que una legión de bellezas despampanantes sacaban las tarjetas de crédito para perder las estrías. Todos los problemas tenían solución en ese sitio, siempre y cuando se tuviera dinero contante y sonante, y se supiera la dirección adecuada. O eso esperaba Luke.

—¿A qué número de Harley Street? —preguntó el taxista.

—Al cincuenta y nueve.

—Pues ya hemos llegado. —El taxi se detuvo delante de una discreta puerta verde.

Luke bajó y pagó la carrera.

—¿Me da el recibo, por favor? —Lo declararía como gastos laborales, todo el mundo lo hacía.

—¿No lo conozco de algo? —preguntó el taxista.

Por regla general, a Luke le encantaba esa pregunta. Pero esa noche no.

—No creo.

—Me suena mucho su cara.

—Me parece que no, jefe.

Mientras el taxi se alejaba, Luke estudió las placas que había al lado de cada timbre. «Clínica de medicina alternativa.» «Oculoplastia.» «Medicina fetal.» Pulsó el timbre del doctor Mazza.

—¿Sí? —dijo una voz por el interfono.

Luke miró por encima del hombro.

—Esto... Hola, tengo una cita. —Bajó la voz y susurró al micrófono—. Luke Norton.

—¿Disculpe?

—Luke Norton —repitió justo cuando pasaba un enorme tráiler.

—No le oigo, con todo ese ruido. Va a tener que hablar más alto.

—¡Luke Norton para ver al doctor Mazza!

—¡Ah! Señor Norton. Disculpe. Pase, por favor. Ya sabe dónde estamos. Segundo piso.

La puerta se abrió. Tras meses de discreta investigación y llamadas telefónicas, en la víspera de su cincuenta y dos cumpleaños Luke se encontró subiendo una escalera enmoquetada, abriendo una pesada puerta y pasando a un luminoso recibidor lleno de orquídeas. La rubia platino que había detrás del escritorio le sonrió.

—Señor Norton. Bienvenido. Soy Dahlia, la ayudante del doctor Mazza.

Luke experimentó un ramalazo de pánico. Saltaba a la vista que el doctor Mazza la había utilizado como conejillo de indias y los resultados no eran tan impresionantes como cabría esperar. Tenía una sonrisa perpetua congelada en la cara y daba la impresión de que tenía dos pelotas de ping pong por mejillas. Sin embargo, antes de que pudiera salir corriendo, Dahlia siguió hablando:

—Ah, hola, señora Lyons. ¿Cómo se encuentra?

Luke dio media vuelta. Kelly Lyons estaba detrás de él con la tarjeta de crédito en la mano. «¡Joder, joder, joder!», exclamó para sus adentros. De toda la gente del mundo tenía que encontrarse con una de las mejores amigas de Hannah, de sus tiempos del instituto. Se miraron a los ojos. Para su inmenso alivio y, aunque el rostro de Kelly estaba paralizado, el pánico la había hecho abrir los ojos de par en par.

—Chitón —dijo ella al tiempo que se llevaba un dedo a sus voluptuosos labios—. No diré nada si tú tampoco lo haces.

—Vale. —Luke tragó saliva.

Vaya, vaya. Kelly. Cuyos rasgos siempre habían sido la envidia de Hannah. «¿Por qué duermen sus hijos toda la noche?», recordó que solía refunfuñar Hannah después de verla como siempre en Navidad, porque Kelly parecía estar especialmente guapa teniendo en cuenta que acababa de comprar y de envolver treinta y siete regalos, además de enviar doscientas tres felicitaciones. Bueno, parecía que en realidad los esfuerzos le habían pasado factura, pero el doctor Mazza la había ayudado a ocultar las pruebas. Estuvo a punto de sucumbir a la tentación de mandar un mensaje a su ex para contarle las noticias.

Kelly sonrió a la recepcionista.

—Gracias, Dahlia. Nos vemos dentro de tres meses.

—Ha sido un placer, señora Lyons. Cuídese.

—Lo mismo digo. —Se volvió hacia Luke—. Recuerda: ni una sola palabra. ¿De acuerdo?

—Ni pío —contestó Luke con tanta seriedad como si fueran dos miembros de la resistencia francesa que planeaban ayudar a los soldados británicos a llegar a la costa.

Mientras Kelly desaparecía por la puerta, Dahlia lo miró con una sonrisa de disculpa.

—Lo siento mucho, señor Norton. Es muy raro que nuestros clientes coincidan. Como sabrá, esta es la hora que el doctor Mazza reserva para sus clientes preferidos... Le hizo un hueco a la señora Lyons en el último momento porque su hermana se casa la semana que viene y es una cliente asidua. Pero no se preocupe, voy a llevarlo a la sala de espera VIP, donde no se encontrará con nadie más.

—Genial —dijo Luke, encantado de que se hubiera reconocido su estatus.

—Gianluca va un poco retrasado —siguió la chica mientras lo hacía pasar a una pequeña estancia decorada con paisajes de lagos escoceses—. ¿Le apetece una copa de champán mientras espera?

—¿Por qué no? —respondió al tiempo que cogía un ejemplar de *The Economist* del montón de revistas que tenía delante.

Sin embargo, no pudo concentrarse. No acababa de creerse que él, Luke, el intrépido corresponsal de guerra, se viera reducido a concertar citas clandestinas con un médico que inyectaba Botox. Empezó a pensar en Kelly Lyons. ¡Caray! Siempre le había gustado esa mujer y en una ocasión, durante una fiesta de Navidad, se dieron un beso algo más largo de la cuenta bajo el muérdago, pero se alegraba de no habérsela tirado. Saber que se inyectaba Botox acababa de rebajar la opinión que tenía de ella, aunque no se paró a pensar en lo que ella opinaría de él.

La actitud de Luke hacia las mujeres era esquizofrénica, por decirlo con suavidad. Era hijo único, aunque su madre había sido una figura fría y distante que le dejó muy claro desde el principio que estaba muy por debajo de su marido en lo que a su cariño se refería. Luke era incapaz de descartar la idea de que lo habría querido más si no hubiera estado como el muñequito de Michelín. Evidentemente, su gordura no lo ayudó a encontrar novia. Sus años adolescentes fueron una sucesión de chicas muertas de risa cuando las invitaba a bailar y de solitarias noches de sábado masturbándose en su dormitorio.

Sin embargo, mientras viajaba por la India después de acabar el bachillerato con matrícula de honor, sufrió una intoxicación alimenticia severa que lo dejó en los huesos. Cuando entró la universidad, el patito feo se había convertido en todo un cisne. Al principio se quedó de piedra cuando las chicas comenzaron a prestarle atención, pero no tardó en acostumbrarse.

De modo que entró en una fase de monogamia en serie. Siempre tenía una novia formal y un repuesto a mano. Le gustaba la seguridad que confería una pareja, pero también le encantaba la emoción de la caza, así que en cuanto superaba el desafío de la conquista, pasaba a la siguiente. Entre los dieciocho y los veintiocho, cambió de mujer con la misma facilidad con la que algunos de sus amigos cambiaban de sábanas.

Adoraba esa nueva versión de su persona que lo había convertido en un Casanova. Saber que tenía éxito con las mujeres le confirió mucha confianza en los demás aspectos de su vida. Siempre quiso ser periodista, así que cuando se licenció, consiguió un puesto de becario en la BBC. Gracias en parte a su atractivo, aunque sobre todo a su talento, en cuestión de unos pocos años ya era corresponsal en el extranjero y trabajaba por todo el mundo. Pronto descubrió que por mucho que le gustara la emoción que le reportaban sus conquistas sexuales, le subía mucho más la adrenalina cuando trabajaba en zonas de riesgo. Empezó a labrarse su reputación en Chernobyl y después hizo unos trabajos muy buenos en Israel y en los territorios ocupados. Fue durante ese período cuando vio por primera vez a Hannah Creighton, bailando en una mesa del bar de un hotel de Jerusalén, adonde se había desplazado la prensa internacional para cubrir un nuevo tratado de paz.

Se sintió atraído por la vivaracha pelirroja del *Daily Post* al instante, en parte porque no parecía ni remotamente interesada en él. En el bar del hotel la vio tontear con reporteros japoneses, alemanes, franceses e italianos, pero a sus compatriotas no les hizo ni caso. Cuando la invitó a una copa, ella le dio las gracias, se la bebió de un solo trago y le dio la espalda para seguir hablando con Ulrich, el enviado de un canal sueco.

Como era de esperar, a Luke le hirvió la sangre. Se olvidó de llamar a Annie, la novia que tenía en casa, y se pasó los días acosando a Hannah, invitándola a más copas, llevándola a recónditos lugares de Jerusalén que solo conocían los lugareños y diciéndole que era la mujer más guapa que había visto en su vida hasta que por fin, cinco días más tarde, se acostaron.

Sin embargo, ella se escabulló de su habitación a la mañana siguiente antes de que él se despertase, lo evitó durante todo el día y regresó a Londres sin decírselo. Una vez en casa la bombardeó con llamadas, pero ella se resistió, diciéndole que estaba ocupada. Cuando por fin se cruzó con ella en una fiesta, Hannah lo ignoró toda la noche. Tardó otros seis meses en volver a meterse en su cama y durante los seis siguientes ella se limitó a devolverle alguna que otra llamada, y solía cancelar las citas en el último momento. Intrigado, y loco de deseo, Luke le pidió que se casara con él. Ella le dijo que no, pero tres meses después aceptó. Planearon casarse justo un año después de ese día, y Hannah se mudó al piso que Luke tenía en Willesden.

Y de repente todo comenzó a cambiar. Hannah empezó a cocinar para él. Empezó a llevar sus trajes al tinte. Empezó a enfadarse con él cuando trasnochaba con los amigos. Ya no quería salir los sábados por la noche hasta que saliera el sol, sino que se quedasen en casa acurrucaditos delante de la tele. No dejaba de hablar de marquesinas y tipos de letras para las invitaciones. En resumidas cuentas, la mujer con la que se casó no era la mujer alocada y despreocupada a la que le había propuesto matrimonio.

En cuestión de nada nació Tilly, y el piso alquilado se llenó de pañales sucios y ropa de bebé mojada. Luke adoraba a su pequeña y estaba impresionado por lo bien que se había adaptado su mujer al papel de madre, tan bien que, de hecho, había decidido no volver al trabajo. No obstante, regresar a casa por la tarde para encontrarse a Hannah preparando purés mientras le contaba lo que había pasado en el jardín de infancia era tan sexy como un biberón. Luke amaba a su mujer, pero ya no estaba enamorado de ella.

Tampoco fue un problema demasiado serio. Él se pasaba la vida fuera, en algún lugar lleno de tentaciones y donde satisfacer dichas tentaciones parecía lo más normal para los corresponsales de guerra. Después de pasar doce horas esquivando balas, una mujer apasionada en la cama era una prueba maravillosa de que se había logrado sobrevivir un día más. Por regla general, las aventuras tan solo duraban un par de noches, aunque algunas veces duraban más. Cuando estuvo en Sarajevo, disfrutó de una relación de cuatro meses con Anne-Marie Gleen, de un canal irlandés. Sin embargo, tenía unas reglas muy firmes: en cuanto volvía al maravilloso hogar que había creado Hannah en Hampstead, regresaba como si nada a su papel de devoto hombre de familia, aunque de vez en cuando quedara con Anne-Marie para «tomar una copa» cuando pasaba por Londres.

A Tilly le siguió un año después Isabelle, y más tarde, cuando empezaron a ir a primaria, Hannah confesó que extrañaba a sus pequeñas y decidieron tener a Jonty. Más o menos durante esa época el Canal 6, que empezaría a emitir en primavera, se puso en contacto con él para proponerle el puesto de corresponsal jefe en el informativo nocturno, el buque insignia de la cadena; aceptó la oferta y siete años después lo ascendieron a presentador.

Luke no supo qué pensar sobre el cambio de trabajo. No estaba seguro de si sería capaz de pasar sin el chute de adrenalina que recibía cada vez que sonaba el teléfono para decirle que tenía que coger un avión con rumbo a Bosnia, Somalia o Timor Oriental. Claro que Hannah cada vez se enfurruñaba más por sus prolongadas ausencias, sobre todo porque los niños comenzaban a preguntarse por qué su padre insistía en ponerse en peligro. Sin embargo, la razón principal para aceptar el trabajo fue que a su ego le encantó la idea de que su rostro fuera la insignia de un programa.

Teniendo en cuenta los pros y los contras, había sido la decisión acertada. Echaba de menos la emoción de visitar las zonas de guerra, pero todavía aceptaba trabajos en el extranjero para matar el gusanillo. Como compensación a la falta de riesgo de su nuevo trabajo, la cuota de aventuras aumentó. Nada exagerado, por supuesto. A Luke siempre le gustaba que sus reglas quedaran muy claras: no iba a dejar a su mujer y no tenía tiempo para novias que intentaban truquitos como llamarlo a casa.

No las consideraba nada serio. A Poppy, tampoco. El papel que Poppy jugaba en su vida era, ni más ni menos, el de hacer más llevadero el hecho de que se le estuviera cayendo el pelo y que le estuviera creciendo la barriga. Le daba vergüenza admitirlo, incluso ante él mismo, pero le gustaba el hecho de que fuera modelo. Su facilidad para atraer a lo mejorcito era un modo de afirmar su estatus de macho alfa. Con todo, solo era una distracción divertidísima.

Hasta que se quedó embarazada.

Incluso entonces podría haber evitado el desastre. Podrían haberse librado del bebé (aunque, si echaba la vista atrás, le costaba mucho imaginarse la vida sin la pequeña Clara). Mientras se devanaba los sesos para encontrar una solución al problema, entró en una ligera depresión. Se emborrachó después de los premios BAFTA y acabó en la cama con Thea, cosa que pasaba de vez en cuando. Sin embargo y por suerte, Hannah se tragó su excusa de que había acabado en el sofá de Gerry. Se estaba felicitando por haber salido airoso cuando, dos noches más tarde, llegó a casa y se encontró con cuatro maletas en la entrada. Y una esposa echando humo que le decía que se fuera. Para siempre.

Hizo todo cuanto estuvo en su mano para que cambiara de opinión. Le suplicó. Había llorado. Le prometió la luna. Pero Hannah se mantuvo en sus trece. Se enteró en ese momento de que siempre había estado al tanto de sus aventuras, pero lo de Poppy fue la gota que colmó el vaso.

Luke se fue a casa de sus amigos, Grahame y Fenella, para pasar la noche, pero Hannah los llamó por teléfono para exigirles que lo echaran, y vaya si lo hicieron. Al volver la vista atrás, comprendió que debería haberse ido a un hotel, pero, herido y necesitado como estaba, decidió vengarse de Hannah y se fue derecho al espantoso apartamento de estudiante de Poppy. Él era un hombre orgulloso. Era incapaz de admitir que estaba allí porque no le quedaba alternativa, de modo que le dijo que había dejado a Hannah y que quería casarse con ella. Por supuesto, y a pesar de que Poppy lo había aceptado muy ilusionada, siguió negociando con su esposa, pero Hannah no hizo caso de sus súplicas para que lo perdonase. Después de recibir la sentencia de divorcio en un tiempo récord —tras acceder prácticamente a todas las exigencias de Hannah con la esperanza de que su generosidad le ablandara el corazón y lo perdonase—, decidió que la mejor manera de vengarse de su ex era casarse con Poppy lo antes posible.

Sin embargo, supo que había cometido un error garrafal en la triste comida que siguió a la boda, durante la cual se emborrachó a conciencia e intentó reírse con los absurdos chistes de Meena. Poppy era guapísima, se repetía una y otra vez, era una chica dulce y joven. Cualquier hombre lo envidiaría, a cualquiera se le pondrían los dientes largos al verlo, ya que podía estar con semejante bombón cuando a las esposas de los hombres de su edad se les había pasado ya el arroz.

Dos años después de aquel día, Luke seguía diciéndose lo mismo. El problema era que cada vez sonaba más petulante. Llevar del brazo a una mujer poco mayor que su propia hija no lo hacía sentirse como un semental, sino como un viejo verde.

Dio un respingo al recordar la cena en casa de Dean. Hannah habría animado la velada con sus sonoras carcajadas y sus sabrosos chismes. Poppy, en cambio, había contribuido tanto a la conversación como una de las tontas velas perfumadas que adornaban el dintel de la chimenea, ya que se pasó casi toda la noche escondida en la cocina. Vale que fue la mujer más despampanante de toda la fiesta, pero al igual que le pasó con Hannah, le costaba cada vez más sentirse atraído sexualmente por la madre de su hija. No sabía por qué, pero no le parecía bien.

Por eso, y aunque había jurado que jamás volvería a repetirlo, desde que nació Clara había tenido un montón de aventuras. Nada serio: una camarera a la que conoció en una cafetería de Dinamarca, donde hacía un reportaje sobre unas revueltas; una aventurilla con una documentalista estadounidense que conoció durante las elecciones primarias en Estados Unidos. Ninguna en casa, salvo por esa locura pasajera que tuvo con Foxy Roxy, con la que confirmó el dicho de que donde tengas la olla, no metas la... Eso mismo.

Thea estaba para comérsela esa noche, reconoció. Siempre había tenido un polvazo, pero nunca había sentido nada especial por ella: era demasiado morena, tenía las tetas muy pequeñas y, aunque era un placer trabajar con ella por su profesionalidad, esa misma profesionalidad resultaba muy poco femenina. Sabía que estaba enamorada de él, que si le pedía que saltase, ella le preguntaría a qué altura, y esa devoción le bajaba la libido. Claro que siempre había sabido cómo hacerlo reír, y a su vida le faltaban muchas risas en ese momento. Se preguntó si estaría saliendo con alguien. Tendrían que quedar para tomar algo. Para ponerse al día.

Dahlia asomó la cabeza por la puerta.

—Señor Norton, el doctor Mazza ya puede recibirlo.

El doctor Mazza era un italiano de bronceado perpetuo y cara de niño, ejemplo de que su aguja funcionaba, y que al mismo tiempo estaba moreno para no asustar a los machos de toda la vida como Luke. Volaba dos veces por semana desde Milán para hacer una jornada laboral de catorce horas en la que satisfacer la demanda. Examinó el rostro de Luke como un artista examinaría una obra maestra.

—Mmm. No está mal. He visto cosas peores. Pero el daño solar es terrible. Creo que no usa protección, señor Norton. ¡Y fuma! —Dijo eso último como si acabara de descubrir que mantenía relaciones sexuales con su hámster.

—Ya no. Lo dejé hace veinte años.

—Aun así, el daño ya está hecho. —El doctor Mazza suspiró—. Sí. Es una pena que no viniera a verme hace veinte años. Porque entonces podría haberlo ayudado de verdad. Ahora no es tan sencillo. Y además está muy por detrás de todos sus rivales. Todos vienen regularmente.

—¿Quién? ¿Jon Snow? ¿Huw Edwards?

—¡No, no! —El doctor Mazza lo señaló con un dedo—. Ya sabe que no puedo traicionar la confidencialidad entre médico y paciente. Solo digo que no es el primer presentador de televisión que viene a verme. Ni será el último. —Sacó un rotulador negro de un cajón y comenzó a trazar líneas por la frente de Luke. Lo dejó como si estuviera a punto de sufrir un rito de iniciación en Papúa Nueva Guinea—. Le prometo que no va a dolerle.

Dijo la verdad, no le dolió mucho. Cuando terminó, el doctor lo colocó delante del espejo. Tenía la cara llena de pinchacitos enrojecidos, como si le hubiera picado una avispa.

—No se preocupe —lo tranquilizó el doctor—. Desaparecerán dentro de unas horas. Un par de días a lo sumo. No tiene pensado salir este fin de semana, ¿verdad?

—No, voy a pasarlo con la familia.

Suspiró al pensar que saldría a comer con los niños al día siguiente. En los viejos tiempos sus cumpleaños habían sido un acontecimiento muy ruidoso, con una de las mejores tartas de Hannah y una fiesta para sus amistades, incluidos los Lyon. Sin embargo, en la actualidad consistían en gastarse una fortuna en el Royal China de Saint John's Wood mientras los niños mandaban mensajes a sus compañeros y hacían chistes sobre «la Niñata», como llamaban a su madrastra, antes de que los llevara de vuelta a sus respectivos internados, cerca de la M25. Después volvía deprimido a casa, para encontrarse con otra cena mal preparada por Poppy. La pobre intentaba con todas sus fuerzas hacerlo feliz, pero no tenía mano para la cocina.

No debía ser tan duro con ella, se dijo mientras pagaba a Dahlia. Poppy no tenía la culpa de que se hubiera casado con ella impulsado por el sentimiento de culpa y las ansias de venganza. Debería dejar de dar vueltas a su falta de habilidades culinarias y concentrarse en su buen corazón y en su forma de reírse con sus chistes, en su disposición para ver sus programas y hacerle un montón de preguntas después, aunque estuviera demasiado cansado o preocupado para contestarlas. Lo intentaba. Tenía que reconocérselo.

Las calles estaban desiertas, de modo que llegó a casa en un cuarto de hora. La luz del salón estaba encendida. Cuando metió la llave en la cerradura, oyó la televisión a todo volumen. Con la cara dolorida, abrió la puerta para encontrarse con la imagen de su esposa y su hija dormidas en el sofá. La miró y su exasperación se evaporó al ver las dos caritas angelicales. Nunca lo admitiría en voz alta, pero Clara era la más guapa de sus hijos, una maravillosa mezcla de la belleza de Poppy y la suya propia, y solo podía dar las gracias por su existencia.

Al oírlo, Poppy se despertó.

—¿Qué hora es?

—Las once. Siento llegar tan tarde.

—¿Estás bien? ¿Qué te ha pasado en la cara?

—He estado en el dentista. Me ha hecho un empaste.

Poppy se incorporó con una expresión preocupada en el rostro y el ceño fruncido de un modo que ningún paciente del doctor Mazza podría conseguir.

—¡Pobrecillo! No sabía que tenías dolor de muelas. ¿Por qué no me lo has dicho?

—Creía que sí te lo había dicho —contestó Luke, que sintió la habitual irritación por su preocupación. Cogió a Clara en brazos—. Vamos, señorita, es hora de acostarse.

—Es casi medianoche —dijo Poppy—, casi tu cumpleaños. Tengo una maravillosa sorpresa planeada para mañana.

¡Mierda! No le había dicho que iba a comer con los niños. Pero no estaba dispuesto a perder horas de sueño de las pocas con las que contaban explicándoselo en ese preciso momento. Ya la decepcionaría por la mañana, cuando hubiera recuperado la energía necesaria para lidiar con sus lágrimas.

DE CÓMO PERDÍ UN MARIDO
PERO REDESCUBRÍ MI VIDA SEXUAL

HANNAH CREIGHTON, de cuarenta y ocho años, es la ex del presentador del *Informativo de las Siete y Media*, Luke Norton. Madre de tres hijos, se quedó destrozada cuando Luke la dejó por una modelo de veintidós años. Aquí, en una columna hilarante y conmovedora que todas las mujeres comprenderán, refleja los pros y los contras de su nueva vida como divorciada.

Amanecía el domingo. Abrí los ojos. Algo no estaba bien. ¿Me había dejado la llave del gas abierta?, me pregunté adormilada. Y entonces me di cuenta: no había niños. Estaban con su padre ese fin de semana. Silencio. Tranquilidad. Nada de gritos. Ni exigencias de que los ayudara con los deberes. Nadie me pedía a gritos que nos metiéramos en el coche para ir a un centro comercial y comprar el último modelo de zapatillas deportivas. Nada de anuncios de que se habían convertido en vegetarianos y que tenía que tirar todo el queso de la casa para reemplazarlo por tofu.

El paraíso. Decidí levantarme y prepararme el desayuno. Sin embargo y por sorpresa, mientras apartaba el edredón, mi nuevo novio me cogió de la cintura y nos quedamos en la cama hasta la hora del almuerzo. ¡Ah, sí! Ahora recuerdo cómo solía pasar el tiempo AC (es decir, antes de los chicos). ¡Aleluya! Como con todo en esta vida, estar divorciada tiene sus cosas buenas y sus cosas malas. Las cosas buenas son muchas más de las que había esperado y las malas, por suerte, escasean. Y uno de los mayores pros es el sexo. Como cualquier pareja de mi entorno, después de dieciocho años juntos y tres hijos, Luke y yo no teníamos mucha marcha en la cama. Dos veces al mes era la media. Dormir era muchísimo más importante y —a decir verdad— solía gratificar los derechos conyugales de mi marido mientras recitaba mentalmente la lista de la compra. Pero ahora que tengo un novio nuevo, no me parece raro pasarme la mitad de la noche en vela, contorsionándome para hacer posturas del *Kamasutra*. En comparación, la semana pasada el cartero llamó a mi puerta con un paquete certificado. Lo abrí «por accidente» antes de darme cuenta y, ¡vaya!, era para mi ex. Tiene a una núbil mujercita, ¿para qué iba a querer comprar Viagra por internet? Uno de los misterios de la vida, como el barquito ese, el *Mary Celeste*, o ese calcetín que siempre aparece desparejado en el cesto de la ropa sucia.

Aunque os parezca cruel, tened en cuenta que mi nueva vida sigue teniendo muchos altibajos. Quería estar con Luke hasta que la muerte nos separase. Una aspiración de cualquier chica, al igual que la cajita de música con bailarina y el pelo de Jennifer Aniston. Hace muy poco conseguí por fin quitarme mi preciosa alianza y el anillo de compromiso. Los metí en un cajón… ¿para qué? Difícilmente voy a dárselos a mis hijas, porque están gafados. Eran el final de un sueño y me hicieron derramar lágrimas amargas.

Aunque lo más humillante de todo, a pesar de que Luke y yo llevamos mucho tiempo divorciados y de que tiene un montón de defectos, es que sigo echando de menos al imbécil, como si se tratara de tu rebeca preferida a la que hubieras tenido que renunciar porque está apolillada, deformada y pasadísima de moda.

Los niños y yo nos fuimos de vacaciones a Norfolk. Nada que ver con los lujos de los que disfrutábamos en Florida o en la Toscana, pero Luke tiene otra familia a la que llevar a lugares exóticos. Nos lo hemos pasado de maravilla, pero los chicos echaron de menos a su padre. Al final del verano, Luke llamó y dijo que él también me echaba de menos. Supongo que cualquier pareja que haya compartido tanto como nosotros recordará de vez en cuando que su vida en común no fue un completo desastre. Llamadme vengativa si queréis,

12

El humor de Luke había ido empeorando desde la cena en casa de los Cutler. Según él, por el estrés que suponían los cambios en el trabajo.

—Pero no vas a perder tu empleo, eres demasiado importante —le recordó Poppy en un intento por animarlo.

—¿Quieres que nos apostemos algo? —masculló él—. Marco tiene cada vez más tiempo en el programa de los sábados y Emma también ha ganado minutos. Estoy pasado de moda, como la campana en los ochenta.

—¿Qué?

—Madre mía, se me olvida que en aquella época tú tenías la edad que tiene ahora Clara. —Suspiró y apartó el plato de pasta a medio comer.

Sí, admitió Poppy, estaba un poco dura porque había querido hacerla *al dente*, pero a lo mejor la había apartado demasiado pronto...

—De todas formas, aunque supongamos que voy a seguir en mi puesto, la pregunta es si yo quiero continuar ahora que hablamos sobre estrellas del pop y ancianitas de Torquay que se quedan encerradas una semana en un lavabo.

—¡No! ¿Eso es verdad? Pobre mujer, qué horrible.

—Estaba exagerando —refunfuñó Luke mientras se ponía en pie—. Voy a darme un baño. Para relajarme.

—Hay otras formas de relajarse —le recordó Poppy con

la que esperaba que fuese su voz más sexy, aunque le pareció que sonaba como si estuviera resfriada.

Luke se detuvo un segundo, pero dijo:

—No, me apetece darme un baño.

Mientras recogía los platos a medio comer, Poppy se preguntó qué podía hacer para que Luke se sintiera orgulloso de ella. ¿Y si se matriculaba en la universidad a distancia? Algo relacionado con la arquitectura o con la historia del arte, para saber más sobre todos esos maravillosos rincones de Londres que tanto le gustaban. Sin embargo, le costaría mucho dinero y ya estaba cansada de ser un gasto más en la larga lista de Luke. Tal vez lo mejor fuera buscarse un trabajo. Claro que, en ese caso, ¿qué hacía con Clara? Farrah Cutler le había mandado los datos de Brigita en un mensaje de texto, pero la idea de dejar a su hija en manos de otra mujer seguía resultándole muy inquietante.

—No sé —le dijo a Glenda al día siguiente, mientras la seguía a ella y a su bote de Pronto por todo el piso—. A ver, no creo que las cosas entre Luke y yo vayan tan bien como deberían. A veces me pregunto si tendrá alguna aventura, porque siempre llega tarde, pero no creo que sea eso.

—Estoy segura de que no lo es —la consoló Glenda, que en el fondo estaba segurísima de que eso era precisamente lo que pasaba—. Y mucho menos cuando está casado con una mujer tan guapa como tú, Poppy.

—Apenas nos vemos. Tenemos que pasar más tiempo juntos. El sábado es su cumpleaños, así que se me ha ocurrido invitarlo a comer fuera. Pasar un poco de tiempo a solas, conociéndonos mejor el uno al otro. —De repente, se le ocurrió que tal vez deberían haberlo hecho antes de casarse, pero decidió descartar la idea sin pérdida de tiempo—. No estarás libre para cuidar a Clara el sábado, ¿verdad?

—Ay, cariño, ojalá me lo hubieras dicho antes. Ya he quedado con los Bristow para cuidar a sus hijos.

—¡Oh!

—Díselo a tu madre. Eso es lo que yo haría.

—No creo que tu madre se parezca a la mía —le aseguró Poppy con voz apagada mientras comparaba a Ana María, la madre de Glenda, que se encargaba de criar a sus nietos, con Louise, que no paraba de decir que siempre había deseado librarse de cuidar niños.

—Poppy, ese es el verdadero problema, en mi opinión. No tienes a nadie que te ayude con Clara. Sería bueno que descansaras de vez en cuando. Llevas dos años sin pasar una noche libre de preocupaciones. Es demasiado para cualquier mujer.

«¿Tú también?», se preguntó. El problema era que en cierto modo estaba de acuerdo con Glenda, aunque en el fondo odiaba admitirlo por temor a parecerse a su madre.

—Sabes que me encanta quedarme en casa con Clara —replicó a la defensiva.

—Necesitas un respiro de vez en cuando. Poppy, has sido toda una heroína. ¡Clara, no! Eso no se coge. Tiene caca. No, hazle caso a la tía Glenda. ¡No, eso no se bebe!

—¡Qué voy a ser una heroína! —la contradijo Poppy, haciéndose oír por encima de los chillidos de Clara, ya que Glenda acababa de colocar el bote del limpiador en la estantería más alta del cuarto de baño—. Entonces ¿tú qué eres? Tus hijos están en tu país y tú, aquí… —«Limpiando mi cuarto de baño», concluyó para sus adentros.

—Sí, pero cuando eran pequeños, yo lo tuve mucho más fácil que tú. Porque siempre estaban mi madre, mis tías y mis primas para echarme una mano. Tú no tienes a nadie.

—No tendría el menor problema en dejarte a Clara un par de días a la semana —le dejó caer como si tal cosa, pero Glenda soltó un suspiro pesaroso.

—Ya lo hemos hablado antes, Poppy. No tengo permiso de trabajo. A Luke ya le preocupa que me pillen limpiando la casa y meterse en problemas por dar trabajo a una inmigrante ilegal. —Al ver la expresión desencantada de Poppy, añadió—: Deberías buscar a otra persona. No puedes pasarte la vida pensando solo en la felicidad de Clara, ¿sabes? También tienes que pensar en ti. Poppy, ahora mismo no eres feliz porque las cosas con Luke no van muy bien.

—Pero ya te lo he dicho, voy a solucionarlo. Si mi madre quiere cuidar a Clara, lo invitaré a comer fuera.

Y, para sorpresa de Poppy, Louise aceptó quedarse con la niña.

Poppy se despertó alrededor de las seis de la mañana del sábado, hecha un manojo de nervios.

«Voy a sorprender a Luke llevándolo a comer al Orrery, que es donde comimos el día de nuestra boda —le dijo a su entrevistadora imaginaria—. Creo que es muy importante darse sorpresas y caprichos de vez en cuando, ¿verdad?»

Y nada mejor que empezar cuanto antes. Se dio la vuelta y dio un besito a Luke en la mejilla.

—Buenos días —susurró.

—¿Eh? ¿Qué?

—Felicidades. —Metió la mano bajo el edredón y después por debajo del elástico de los pantalones del pijama. Todavía estaba fláccido. No importaba. Se puso manos a la obra.

—Mmm —murmuró Luke.

—Un regalo de cumpleaños madrugador. —Sonrió.

—¡Mamiiiiiiiii! —se oyó al otro lado de la puerta.

—¡Uf, no! —exclamaron los dos a la vez.

—No le hagas caso —suplicó Luke.

—¡Mamiiiiiiiii!

—Vamos, sigue.

—¡No! No puedo.

Luke volvió a gemir.

—Tienes que dejar de salir corriendo cada vez que la niña te llame —dijo él, pero Poppy ya había cruzado el pasillo y estaba en el dormitorio de Clara.

—Hola, preciosa —le dijo a la niña, que estaba de pie en la cuna, con una sonrisa de oreja a oreja—. Ven a la cama con nosotros. Es el cumpleaños de papá. ¿Quieres felicitar a papi?

—Felicidades —dijo la niña cuando Poppy la dejó caer en la cama, junto a un padre un poco malhumorado.

—Muy bien. —Poppy le dio un beso a su hija—. Y ahora voy a decirle a papá lo que vamos a hacer hoy. La abuela Louise va a venir a cuidarte para que mamá pueda llevar a papá a comer fuera. —En ese momento comprendió con cierta inquietud que la costumbre de comunicarse con Luke a través de la niña era cada vez más frecuente.

—¿Ah, sí? —preguntó él, que no parecía muy contento.

—Sí, he reservado en el Orrery. —Lo miró—. ¿Te parece bien?

—Es que… —Luke suspiró—. Lo siento, cariño, debería habértelo dicho. Pero ya he quedado.

Poppy tuvo la sensación de que acababa de darle un puñetazo.

—¿Cómo?

—Lo siento muchísimo. Iba a decírtelo, pero se me olvidó. He quedado con los niños para comer. Así que… —Se devanó los sesos en busca de algo que decir—. Así que es genial que Louise venga a cuidar a Clara, porque tú podrás aprovechar el día para salir. ¿Verdad? Para quedar con tus amigas o lo que sea.

—Me hacía mucha ilusión que comiéramos juntos —replicó Poppy con un hilo de voz.

—Podemos salir a cenar.

A Luke se le cayó el alma a los pies al pensar en dos comidas copiosas el mismo día. Se llevó una mano a la cintura. Se pellizcó y descubrió que tenía un buen michelín. El fantasma de su regordeta infancia apareció de repente. Se miró en el espejo y vio que todavía tenía rojeces en la cara. Ojalá el doctor Mazza le hubiera dicho la verdad cuando le aseguró que las secuelas desaparecerían a lo largo del fin de semana.

—No creo que podamos encontrar niñera —dijo Poppy—. Glenda no puede venir este fin de semana. Por eso se lo dije a mi madre. ¡Ay, Clara! ¡Deja de tirarle a mamá del pelo!

—Bueno, pues ya saldremos en algún momento, a lo largo de la semana. —Luke salió de la cama y se metió en el baño.

Poppy siguió en la cama intentando hacerle mimos a Clara, que pasaba totalmente de ella, ya que prefería arrancar las páginas de un catálogo de juguetes. Poppy notó el escozor de las lágrimas en los ojos. Estaba muy ilusionada con la idea de disfrutar de un almuerzo romántico con Luke y de volver a una casa —con suerte— vacía donde harían el amor y después, tal vez, hablarían sobre la posibilidad de tener otro hijo. Pero, como de costumbre, la otra familia de Luke tenía prioridad. Y, como de costumbre, no podía quejarse ya que había sido ella quien los separó.

Luke salió de la ducha.

—A ver, ¿qué te parece si bajo a Clara y le doy el desayuno mientras tú duermes un poco más?

—¡Pero es tu cumpleaños!

Luke sonrió con tristeza. Poppy todavía estaba en la edad en la que los cumpleaños eran un motivo de celebración en vez de un acontecimiento espantoso.

—Por eso quiero disfrutar con mi hija. Vamos, Claclá, ¿quieres que desayunemos juntos?

—¡Cruasán!

—He comprado cruasanes para celebrar tu cumpleaños desayunando todos juntos —dijo Poppy—. Y tu regalo está encima del frigorífico. —Lo miró de reojo—. ¡Uf! Tienes la cara fatal. ¿Estás seguro de que era un dentista? A mí me parece más bien un carnicero.

—Pinta peor de lo que es —le aseguró Luke con brusquedad antes de darle un beso en la frente—. Vuelve a dormirte.

Poppy sabía que no podría seguir durmiendo. Se quedó en la cama, rumiando su decepción, mientras oía a Clara jugar con las tapaderas de las ollas y a Luke, que no paraba de abrir y cerrar armarios. Sin embargo, pensó, Luke tenía razón, podía hacer algo con ese inesperado tiempo libre del que iba a disfrutar. Pero ¿qué? Hizo una lista con las actividades que no podía realizar con Clara. ¿El cine, quizá? Claro que ir al cine sin pareja era deprimente. ¿Algún museo? Normalmente iba con Clara, pero tal vez sería una buena idea ir a algún sitio como el Museo John Soane de Holborn, un sitio tan atestado de cosas que había sido una pesadilla pasear entre las vitrinas con el cochecito de la niña. Si iba sola, podría disfrutar examinándolo todo a fondo.

Motivada por la idea, acabó durmiéndose y se despertó un par de horas más tarde cuando sonó el timbre y oyó que alguien hablaba en el vestíbulo. ¡Claro! Su madre le había dicho que llegaría sobre las once. Salió de la cama y corrió hacia el vestíbulo. Sí, era su madre quien hablaba con Luke.

—Felicidades, Luke. Son cincuenta y dos, ¿no? ¡Por Dios! ¿Qué se siente? Con lo malos que son ya los cuarenta y cinco… Eso sí, que conste que los llevas estupendamente. ¿Tienes un sarpullido en la cara por el afeitado? Tienes la piel enrojecida.

—¡Abuelita!

—Ni hablar, Clara. Sabes que no me gusta que me llames así. Soy Louise. Louise, que te ha traído un vestido preciosísimo. Estaba de rebajas en Moschino. Espero que no lo manches con esos deditos tan sucios que tienes. —Se arrodilló junto a la niña y comenzó a dar palmadas, para que sus discretas joyas de plata sonaran al chocar.

Clara rió, encantada, y Poppy sintió un rayo de esperanza. Sí, Louise no había sido la mejor de las madres, pero a lo mejor no era demasiado tarde para que se redimiera.

—Hola, mamá —dijo mientras bajaba la escalera, momento en el que reconoció el perfume de toda la vida de su madre: Obsession.

Como era habitual en ella, su aspecto era más apropiado para ir de compras que para pasar el día tirada en el suelo con su nieta. Su pequeña figura, conservada tal cual gracias a una estricta dieta y a una rutina de ejercicios semanales que incluía dos sesiones de steps, otra de yoga y abdominales diarios, estaba cubierta por una falda vaquera ajustada que le llegaba a las rodillas, una chaqueta de cuero negro y una blusa de seda color crema que decía a voz en grito: «Lavado en seco». Su pelo negro brillaba, su maquillaje era discreto pero perfecto. Como siempre, Poppy se preguntó cómo era posible que dos personas de físico tan diferente pudieran tener el parentesco que había entre ellas. Suponía que su apariencia vikinga procedía de su familia paterna, pero nunca lo había sabido con seguridad.

—Hola, cariño —dijo Louise, observando su bata manchada como si fuera algo contagioso—. ¿Cómo estás?

—Bien. Pero…

—Yo tengo un dolor de cabeza horroroso —la interrumpió su madre—. Y la alergia ha hecho acto de presencia, como siempre.

—Ay, pobrecita.

—Sí, en fin… Ese es el precio que hay que pagar por pasarse el día trabajando para que el negocio no se venga abajo.

—Ha sido un detalle que vengas a cuidar a la niña —le dijo Poppy con humildad. Se sabía el guión perfectamente.

Louise se miró las botas altas de color beis.

—Mmm. En realidad… Hay un problemilla con eso, cariño.

Una gran decepción que ya conocía de su vida pasada se apoderó del corazón de Poppy.

—Vale —dijo con cautela.

—Resulta que ha llamado mi quiropráctica y me ha dicho que puede hacerme un hueco a la una y media, cosa que me viene fenomenal, porque el cuello me está matando. Así que me temo que no voy a poder cuidar a Clara durante el mediodía.

—¡Mamá!

—Si quieres, puedo quedarme una hora. No veo qué problema hay, la verdad. Podéis llevaros a Clara a comer fuera, ¿no?

—Es que… —dijo Poppy.

Y Luke la interrumpió:

—En fin, es una pena, Louise. Pero no te preocupes, lo entiendo. Y por suerte no te necesitamos, porque da la casualidad de que había quedado para comer con mis otros hijos. Así que bien está lo que bien acaba.

Louise miró a Poppy, cabreadísima.

—¿¡Cómo!? ¿Quieres decir que me has pedido que venga a cuidar a la niña para nada?

—De todas formas no podrías quedarte, ¡podrías haber avisado!

—No, ¡tú eras quien tenía que avisarme!

—Luke me lo ha dicho hace un rato —replicó Poppy al tiempo que se apartaba el pelo de los ojos y agarraba a Luke del brazo—. ¿Has abierto tu regalo? —le preguntó en voz baja.

—Ah, sí. Gracias. —La besó en la mejilla—. Es genial. Voy a vestirme.

Poppy se quedó hecha polvo. Había pasado una mañana espantosa de tienda en tienda, con una Clara especialmente gritona, solo para buscar un jersey de cachemira que fuera exactamente del mismo azul que los ojos de Luke. Le había costado un riñón… Bueno, le había costado un riñón a él, claro, pero de todas formas… Y así se lo agradecía. Se sintió como un par de calcetines viejos que nadie se molestaba en recoger del fondo de la cesta de la ropa.

Louise carraspeó.

—¿Sería mucho pedir una infusión?

La cocina estaba hecha un desastre, como siempre, llena de cuencos de cereales sucios y con todos los juguetes desperdigados por el suelo. Poppy se desesperaba a veces porque se pasaba el día recogiendo solo para que Clara volviera a desordenarlo todo al rato. Louise sorteó los obstáculos con la nariz fruncida.

—Poppy, esto parece un vertedero. Es increíble que estés pagando a una chica para que te limpie.

—Solo viene una vez a la semana.

—¿Y a qué te dedicas tú los otros seis días? ¡Por Dios! Deberías dar las gracias por lo que posees. Cuando tenías la edad de Clara, yo no podía permitirme el lujo de pagar a alguien para que me ayudara.

—Tú siempre tenías una *au pair* a mano —le recordó en voz baja.

—¿Cómo dices? —Sin embargo, Louise nunca prestaba atención a lo que decían los demás—. ¿No tienes infusiones? El té y el café son malísimos para la piel, ¿sabes, corazón? Por la cafeína y la teína. Te hacen envejecer antes de tiempo. Los niños tienen el mismo efecto.

—Bueno, cuéntame algo, mamá —dijo Poppy, decidida a no morder el anzuelo—. ¿Cómo está Gary?

Gary era el acompañante esporádico de su madre, un viudo calvo con un corazón que no le cabía en el pecho. Pero Louise se negaba a dignificarlo con el término «novio». El día en que Poppy le preguntó por qué, su madre le contestó: «Porque trabaja para una compañía de seguros y lleva un audífono». Gary era un magnífico acompañante para ir al cine y a las funciones del club de tenis, pero siempre acababa relegado al olvido cuando aparecía alguien más interesante.

Como siempre, la mención de Gary hizo que Louise hiciera un mohín como si acabara de oler uno de los pañales usados de Clara.

—Está bien. Ha hecho reservas para irnos unos días al Distrito de los Lagos.

—¡Qué bonito!

Poppy ansiaba irse unos días de vacaciones, pero aunque Luke disfrutaba de seis semanas libres al año, tres de ellas las pasaba con sus hijos, y las otras tres, escribiendo su libro. «Ya haremos algo», le decía cada vez que ella sacaba el tema, pero nunca hacían nada.

—Mmm. El hotel tiene solo cuatro estrellas, pero cuenta con un spa. Como te podrás imaginar, compartimos habitación, pero no creo que eso sea un problema gracias a las pastillas para dormir que acabo de conseguir.

—¡Mamá!

—Una en su copa de vino durante la cena y otra en la mía, y nada de toqueteos —concluyó su madre.

—¿No habría sido más fácil decirle que reservara dos habitaciones?

—Se habría molestado, y no lo aguanto cuando se enfurruña. Te mira con ojos de cordero degollado y… ¡Clara! Apártate de Louise. Vas a hacerme una carrera en las medias.

Poppy extendió los brazos.

—Ven con mami. —Abrazó a su hija con fuerza e inhaló su aroma dulzón mientras disfrutaba de la suavidad de su piel y de su pelo.

—Vaya por Dios, pensaba que tendrías té en hojas —dijo al tiempo que sacaba la bolsita de la taza para mirarla con odio—. ¿Te he comentado que Christine y yo nos vamos la semana que viene a un spa en Málaga? Va a ser genial. De momento ya he reservado un tratamiento facial, una exfoliación completa y un masaje Thai para la cabeza. —Miró a su hija de arriba abajo—. En fin, que ya está bien de hablar de mí. Cuéntame, ¿has pensado ya en volver al trabajo?

«¡¿Tú también!? ¡No, por favor!», pensó Poppy, que de repente tomó una decisión.

—Pues sí —contestó—. Estoy a punto de contratar a una niñera.

Louise soltó la taza, sorprendida.

—¿De verdad?

—Sí. Acaba de dejar su empleo en casa de un compañero de trabajo de Luke. Dicen que es maravillosa.

—¿Es polaca? Ojalá lo sea. Son las mejores hoy por hoy, cariñosas y muy bien preparadas para limpiar la casa, así que no encontrarás nada fuera de su sitio. Y baratas. Ojalá hubiera habido más cuando tú eras pequeña.

—No sé de dónde es. Se llama Brigita.

—Polaca, definitivamente. Hagas lo que hagas, que no se te ocurra contratar a una australiana. Lo único que hacen es contraer enfermedades venéreas y emborracharse en horas de trabajo. De todas formas, es la mejor noticia que me has dado en años. Por fin vas a salir de casa. A lo mejor se cumple lo de «de tal palo, tal astilla» —añadió su madre sin mucha convicción. Bebió un sorbo de té—. ¡Puaj! Esto sabe a barro.

—Las bolsitas llevan ahí un siglo —admitió Poppy, que recordaba vagamente haberlas comprado durante el embarazo, cuando se preocupaba por su alimentación.

Luke volvió en ese momento, vestido con unos chinos y con una camisa de rayas. La imagen de Ralph Lauren de la cabeza a los pies.

—Bueno, me voy —dijo con timidez.

—Y será mejor que yo también me vaya —saltó Louise al tiempo que soltaba la taza—. De todas formas, no puedo tragarme esto. —Se agachó para besar a Clara en la nariz—. Pórtate bien con mamá, ¿sí? —dijo antes de darle un beso a Poppy en la mejilla—. Y tú piensa en lo que te he dicho. —Sacó un ejemplar del *Daily Prophet* del bolso y lo arrojó a la mesa—. Quédatelo.

Luke besó a Clara y después a su mujer.

—Lo siento, de verdad. Deberías haberme dicho que tenías planes. Le diremos a Glenda que venga esta semana para cuidar a Clara y así podremos celebrar mi cumpleaños de forma especial. El miércoles es mi día libre.

Poppy se sintió más desolada que nunca mientras observaba cómo su marido y su madre se alejaban juntos. Todo el mundo salía, todo el mundo tenía una vida mientras que ella estaba atrapada en casa, cuidando a una niña a la que adoraba, sí, pero —ni siquiera era capaz de decirlo en voz alta— que comenzaba a amargarla. Odiaba admitirlo, pero aunque Louise la sacaba de quicio, empezaba a entender por qué había tomado ciertas decisiones.

—¿Y papá? —le preguntó Clara.

—Ha salido —contestó Poppy mientras regresaba a la cocina.

Cogió el periódico que había dejado su madre y lo hojeó, disfrutando de las fotos robadas que los *paparazzi* habían tomado de su modelo preferida, que estaba mirando a la cámara con cara de cabreo mientras salía de un restaurante. También había un artículo de un famoso al que habían readmitido en una clínica de rehabilitación. Volvió otra página y…

LE DIJE ADIÓS A MI MARIDO
Y HOLA AL MEJOR SEXO DE MI VIDA

Con un grito de furia, Poppy tiró el periódico al otro lado de la cocina. ¡Menuda zorra! Hannah la atacaba también en el dichoso *Daily Prophet*. ¿Ya no había ningún periódico seguro o qué? Lo recogió del suelo para leerlo, cabreada. Todas esas tonterías sobre el tiempo que pasaban los niños con su padre, lejos de ella, cuando en realidad los tres estaban en internados. Era muy injusto.

De pronto, decidió que esa era la gota que colmaba el vaso. La repentina decisión que había tomado antes cristalizó hasta convertirse en una voluntad de hierro, igual que Sarah Connor en *Terminator*, decidida a salvar el planeta. Cogió el teléfono, ojeó los mensajes hasta dar con el que buscaba y marcó un número.

—Hola, ¿Brigita? Sí, hola, me llamo Poppy. Me han dicho que estás buscando trabajo de niñera…

13

Si el sábado de Poppy no fue para tirar cohetes, el de Thea estaba siendo tan agradable como una colonoscopia. Superada la locura de las primeras semanas en la oficina de Londres, había llegado el momento de visitar a su abuela. Y, dado que Thea había vendido su coche al mudarse a Estados Unidos y no había comprado uno nuevo, la visita requería un viaje en tren hasta Guildford y luego un trayecto en taxi hasta el pueblo donde se encontraba el geriátrico.

Se le hacía un nudo en la garganta. Odiaba esas visitas, aunque nunca dejaba de hacerlas. Cuando vivía en Londres, intentaba ir dos veces al mes, pero su estancia en Nueva York había puesto fin a las visitas. «La abuela tampoco sabrá si he ido a verla o no —se decía—. Se pasa el día sentada en su silla, hablando sola y viendo películas antiguas en su televisor gigante.» Pero eso no aliviaba la sensación de culpa. Aunque fuera verdad, sabía que era la familia la que debía estar con ella, al menos a ratos, no una enfermera que no prestaba atención a sus divagaciones.

Era muy difícil aceptar el cambio que había sufrido la vida de Toni Fry en cuestión de un par de años. A Thea siempre le había encantado la alegría de su abuela, el interés que demostraba por todo. Cuando se independizó y se marchó de casa de su madre y de Trevor, iba a verlos unas cuatro veces al año; pero pasara lo que pasase en su vida, siempre visitaba a Toni como mínimo una vez al mes para contarle sus logros y su próximo destino. La abuela adoraba las historias de sus viajes a Irak y Afganistán.

—Las chicas de hoy en día tenéis mucha suerte por poder correr estas aventuras —le decía con anhelo—. Aprovéchalo todo al máximo por mí. Estoy viviéndolo a través de ti.

Sin embargo, cuatro años antes, llegó un domingo a su casa y se encontró con la puerta abierta. Entró corriendo, llamando a gritos a su abuela, pero no recibió respuesta. Buscó por toda la casa. Toni no estaba por ninguna parte; tampoco había señales de un allanamiento. Estaba a punto de llamar a la policía cuando la puerta volvió a abrirse y su abuela apareció en bata y zapatillas.

—¿Dónde estabas?

Su abuela se quedó de piedra.

—¿Yo? He ido a dar un paseo.

A partir de ese momento los episodios se sucedieron con creciente frecuencia. Rememoró un encuentro con Rosa, una de las amigas más íntimas de su abuela, en la calle. Las tres charlaron un buen rato. Cuando Rosa se despidió y se alejó, Toni se volvió hacia ella y le preguntó:

—Cariño, ¿quién era?

Su abuela era una lectora compulsiva. Siempre había adorado los libros, los había atesorado y cuidado con mimo. Para ayudarla a recuperar su memoria, Thea empezó a enviarle paquetes de Amazon con regularidad. Sin embargo, cuando regresó de un viaje a Sudán, la descubrió sentada en un sillón haciendo trizas los libros.

Ya no podía seguir evitando la verdad. Estaba pasando algo espantoso. Increíblemente aterrador. Quería muchísimo a Toni, la conocía muy bien, pero tenía la sensación de que se estaba transformando en otra persona. Le aterrorizaba pensar lo que podía encontrarse en su siguiente visita. Cada vez que iba, se topaba con cambios sutiles. Tras una vida entera siendo imbatible al Scrabble, Toni anunció una noche, después de que Thea volviera a ganarle una partida (podría haberle dado una paliza, pero se contuvo a propósito), que no pensaba volver a jugar. Se hacía un lío con las facturas y comenzaron a llegar avisos de que le cortarían el gas por impago.

Thea intentó tranquilizarla con bromas y se inventó historias para demostrar que ella también tenía muy mala memoria, por lo que debía de ser cosa de familia. Ojalá se hubiera tomado aquello más en serio y la hubiera llevado al médico. Eso podría haberles dado unos cuantos meses más. O tal vez no. En el geriátrico había conocido a una mujer que le contó que el médico de su madre se había echado a reír cuando la anciana le dijo que estaba perdiendo la memoria porque, según él, eran «cosas de la edad».

Qué bien sonaba esa frase, nada que ver con la cruda realidad a la que Toni se enfrentaba. Llegó un punto en que la situación comenzó a ser peligrosa. Confundía el horno con el frigorífico. Durante una visita Thea descubrió que se había quemado las cejas. Había preparado un asado en el horno, pero se le olvidó quitar el envoltorio de plástico a la carne. También se tropezó con un escalón cuya existencia había olvidado, aunque por suerte el episodio solo le dejó unos cuantos arañazos y moratones.

Había llegado la hora de la verdad. Thea no lo soportaba más, pero tampoco soportaba la idea de renunciar a su carrera para cuidarla a jornada completa. Rachel y otras amigas le aseguraron que no estaba siendo egoísta, solo realista, pero eso no disminuyó el sentimiento de culpa. Llegó a probar con unos cuantos cuidadores en distintos horarios, pero al final decidió que la única manera de dar a su abuela los cuidados que requería era internándola en el mejor geriátrico que pudiera encontrar, aunque le supusiera un esfuerzo pagarlo a pesar de su generoso sueldo.

Ese día vería a su abuela por primera vez después de cuatro meses. Para no comerse la cabeza durante el trayecto en tren, había comprado una bolsa extragrande de Lacasitos y todos los periódicos, que extendió con gesto agresivo en dos asientos para que nadie pudiera invadir su espacio. Conforme iban dejando atrás Londres, fue hojeando los periódicos en busca de noticias que pudieran interesar a Dean. La nueva versión, más corta y ligera, del *Informativo de las Siete y Media* no le hacía mucha gracia, por no mencionar que los viajes al extranjero, precisamente lo que a ella le suponía un aliciente, se iban a reducir drásticamente. Desde que anunciaron los recortes, había albergado serias dudas sobre su permanencia en el programa. Pero ¿adónde iría? La situación de las demás cadenas era igual de mala y no podía liarse la manta la cabeza y largarse por ahí si quería pagar la factura del geriátrico.

Ya se preocuparía por eso más adelante, pensó al ver un artículo en el *Daily Mail* sobre una rusa que acababa de dar a luz a quintillizos. Rebuscó en el bolso su rotulador rojo y marcó el titular como merecedor de hacer un seguimiento a la noticia. «De cómo los Marks & Spencer pasaron de ser horteras a ser lo más.» Otro círculo rojo. ¡Anda, también podían entrevistar a Hannah Creighton!, pensó al tiempo que se metía un lacasito naranja en la boca. Hannah se ponía pesadísima cuando hablaba de lo maravillosa que era la línea Autograph de Marks & Spencer.

Thea cogió el *Press* y empezó a leer lo que había escrito sobre el escándalo del ídolo americano. Dios, y ella creyendo que había dejado todo eso en Nueva York. Siguió buscando noticias.

De cómo perdí un marido pero recuperé mi vida sexual

Thea se quedó escandalizada por el hecho de que Hannah pudiera ser tan cruda y, al mismo tiempo, le hizo gracia el artículo. Sintió una punzada de culpabilidad por lo de la Viagra. Desde la cena en casa de Dean, no había hablado con Luke. Parecía vivir permanentemente en el estudio en esos momentos, mientras que ella se pasaba el día a la caza de una noticia. No conseguía llegar a una clara conclusión sobre lo que sentía por él. Cada vez que lo veía a lo lejos tenía la sensación de que le estaban centrifugando el estómago. Después recordaba a la niñata con la que se había casado y la invadía el desdén y la furia por haber malgastado tanto tiempo en ese lamentable proyecto de hombre.

El tren se detuvo en la estación de Godalming. Había veinte minutos en taxi hasta Greenways. Mientras el coche ascendía por el camino de gravilla, Thea pensó, como siempre, que por lo menos había encontrado un lugar precioso para que su abuela pasase sus últimos años de vida. Era un pueblecito de fachadas encaladas y estilo eduardiano. La habitación de Toni estaba en la planta baja y tenía acceso directo a los bonitos jardines a través de unas puertas francesas.

Claro que ella no sabía ni siquiera dónde estaba.

Apretó los dientes, pagó al taxista y llamó al timbre. Una sonriente enfermera —de veintipocos años, polaca, como la mayoría— le abrió la puerta, dejando escapar un olor a puré de verduras y papilla, un olor que ocultaba algo mucho más desagradable que rara vez llegaba a las fosas nasales de los visitantes.

—Buenos días.

—Buenos días. Mi abuela, la señora Fry, está en la habitación veintisiete.

—Por supuesto, la señora Fry. Le he llevado el desayuno esta mañana.

—¿Ah, sí? —La idea la animó—. ¿Le ha gustado?

La enfermera hizo un mohín.

—Creo que no le gusta mucho desayunar.

Thea oyó las primeras campanas de alarma en la cabeza. A la abuela siempre le había encantado el desayuno.

—¿Solo hoy o siempre?

—Siempre, creo. La señora Fry… no come mucho. —La muchacha sonrió y se alejó—. Que tenga una agradable visita.

Preocupada, Thea se apresuró a recorrer el pasillo con sus pasamanos de plástico. El ambiente rebosaba tranquilidad, desde la gruesa moqueta verde hasta las flores del papel pintado de las paredes. Abrió una puerta cortafuegos y otra más. Y después escuchó los gritos:

—¡No, Dios mío, no! ¡Quiere matarme!

Una mujer menuda, vestida con un camisón rosa, estaba en el vano de una puerta llorando histérica en los brazos de un chico de cabello oscuro y cejas pobladas.

—Que se vaya, que se vaya, ¡ha venido a matarme!

—Mamá, no pasa nada. Mamá, soy yo, Jake. Tu hijo.

Thea apresuró el paso al llegar a su altura e intentó no mirar, pero fue incapaz de pasar por alto el detalle del pelo de la mujer lleno de comida. Volvió la cara. La facilidad con la que se enfrentaba a las víctimas de bombardeos, hambrunas y guerras resultaba curiosa cuando la comparaba con el terror que le producían los inquilinos de Greenways, incluso los que seguían lúcidos a pesar de su fragilidad física. En parte se debía al hecho de que su abuela fuera uno de esos inquilinos y en parte a que cada visita era un desagradable recordatorio de que seguramente ella también acabaría así.

No iba a sentir lástima por sí misma, se dijo con ferocidad al tiempo que llamaba a la puerta de la habitación veintisiete, en la que había una placa con el nombre de su abuela. No obtuvo respuesta, aunque eso tampoco era raro, de modo que abrió la puerta con el corazón en un puño por lo que pudiera encontrarse.

¡Menudo alivio! Su abuela estaba sentada en un sillón junto a las puertas francesas, con la mirada perdida. Llevaba una falda de poliéster verde y una camisa blanca, nada que ver con los vaqueros y las sudaderas que antes tanto le gustaban (la dirección le había pedido que le comprara ropa fácil de lavar y sencilla de poner para facilitar la labor de los cuidadores). Tenía casi el mismo aspecto que la última vez, pero estaba más delgada, mucho más delgada. ¿No comía?

Su abuela no se volvió hacia la puerta.

—Hola, abuela. Soy yo, Thea.

Silencio.

La besó.

—Hola, abuela. Soy Thea. Te he traído flores.

Su abuela parpadeó.

—Flores. ¡Qué bonitas! —Enterró la cara en el ramo—. Preciosas. Lirios, mis preferidas.

Aunque eran rosas, la alegría le inundó el corazón. Todo iba a salir bien. La visita iría sobre ruedas, verían fotos antiguas y tal vez darían un paseo por los jardines.

—Son bonitas, ¿verdad, abuela?

—Preciosas. Gracias. —Le sonrió a Thea—. ¿Qué tal te ha ido, cariño?

—Estupendamente. Volví de Estados Unidos hace un par de semanas. Siento no haber venido antes a verte, pero he estado ocupada.

Su abuela hizo un gesto comprensivo.

—Siempre ocupada. ¿Trabajando?

—Sí, trabajando. Acaban de ascenderme a productora. —Se volvió un poco para ver la fotografía en blanco y negro de un muchacho delgaducho y sonriente—. Ojalá mi padre estuviera aquí para decírselo. Seguro que a ti también te gustaría.

—¿Cómo le va a ese Luke?

A Thea le dio un vuelco el corazón. Además de a Rachel, solo había confiado la historia a su abuela porque estaba segura de que no lo recordaría. Parecía que se había equivocado del todo.

—Luke está bien. Se ha casado con esa modelo tan joven que te conté. Tienen una hija. Es muy raro. Creí que ya lo había superado, pero en cuanto lo vi en una cena… me di cuenta de que no —admitió a la postre—. Aún lo quiero. No puedo evitarlo. Sé que es patético estar tan obsesionada por un hombre casado y también sé que no me va a llevar a ninguna parte, pero es que es guapísimo, y listo, y valiente…

De repente, a Toni le cambió la cara.

—Le he pedido a mi madre que venga. ¿Quién eres? «¡Mierda!»

—Soy Thea. Tu nieta. Me conoces —dijo en voz baja y dulce.

—No, no. No eres mi nieta. No tengo ninguna nieta.

—Sí, claro que tienes una. Algunas veces te olvidas de mí, pero soy tu nieta.

Su abuela meneó la cabeza con violencia.

—¿Dónde está mi madre? ¿Y María? Quiero verlas. ¿Van a venir?

María era la hermana de Toni.

—Tu madre lleva muerta treinta años y María vive en España. Pero te hará una visita la próxima vez que venga.

Toni se echó a llorar, no de forma histérica, sino en silencio. Lo que era igual de malo.

—Vete. No sé quién eres. Vete.

—Pero abuela…

—¿Va todo bien? —Era Corinne, la gerente del geriátrico.

—Estamos bien —contestó Thea.

—Dile que se vaya. Quiero ver a mi madre. ¡Quiero ver a mi madre!

Corinne abrió la puerta con su habitual cara de mala leche.

—No pasa nada, Toni —la tranquilizó—. No te preocupes, cariño, es tu nieta.

—¡No tengo ninguna nieta! Dile a esta mujer que se vaya.

Corinne guiñó un ojo a Thea.

—Hoy está un poco revoltosa —susurró la mujer—. En su lugar, yo me iría ahora. Le habrá encantado verla.

—¿De verdad lo cree? —preguntó Thea, ansiosa por que se lo confirmara, al tiempo que se ponía en pie.

—Claro que sí. Estoy convencida de que en el fondo la pobrecilla sabe que está aquí. —Se acercó al sillón y dio unas palmaditas a Toni en el hombro—. No te preocupes, querida, tu nieta ya se va. Pero volverá pronto, ¿a que sí?

—Claro —respondió Thea con una alegría que no sentía en lo más mínimo. La abuela siguió llorando en silencio—. No puedo dejarla así —dijo, presa del pánico.

—No se preocupe, le diré a una de las chicas que le eche una ojeada —le aseguró Corinne—. Por cierto, me alegro de verla. Me gustaría que me acompañara a mi despacho un momento porque tengo que hablarle de la factura mensual. Me temo que no me queda más remedio que volver a subirla y quería avisarla con suficiente antelación.

14

Fue una conversación muy deprimente. Necesitaba pagar cien libras más al mes. Cuando acabó, Thea llamó a un taxi. Estaba lloviznando, pero lo esperó tiritando en la acera mientras hacía cálculos mentales. Podía permitírselo, aunque a duras penas. Se abrochó la chaqueta y rebuscó en el bolso en busca de su iPod. Bob Dylan la alegraría.

—Perdona —dijo un hombre a su espalda.

Se volvió y descubrió al chico moreno que había visto consolando a su madre en el pasillo. Era bajo, le llegaba al hombro como mucho. ¿Veintisiete? ¿Veintiocho? Tenía las orejas puntiagudas y llevaba patillas. En conjunto, parecía un personaje de *El señor de los anillos*, aunque vestido con una camiseta de los Stone Roses y una cazadora vaquera.

—¿Estás esperando un taxi para ir a la estación? —le preguntó. Su acento era de los alrededores de Londres, pero no de la capital propiamente dicha—. ¿Te importa si lo compartimos?

Pues sí le importaba, la verdad. Quería estar sola con sus pensamientos y con su bolsa de Lacasitos. No quería compartir los morados, y mucho menos con un desconocido. Aunque no se le ocurría ninguna excusa para negarse.

—Claro —contestó de forma desagradable justo cuando un Mondeo negro paraba frente a ellos.

—¿Vuelves a Londres? —le preguntó el chico cuando estuvieron dentro del coche, al cabo de unos cuantos minutos de silencio.

—Ajá. ¿Y tú?

—Sí. ¿Algún familiar en el geriátrico?

—Sí —contestó con brusquedad, aunque luego suavizó su voz un poco—. Mi abuela. ¿Y tú?

—Mi madre.

Thea no sabía muy bien qué decir.

—Debía de ser muy joven cuando… enfermó.

—Sesenta —dijo el chico, encogiéndose de hombros—. Es duro, ¿verdad? Me siento culpable por no venir a verla con más frecuencia, pero mi trabajo me obliga a viajar mucho al extranjero y…

—De todas formas, la mayoría de las veces ni siquiera sabe que has venido —concluyó por él.

—Exacto.

Thea lo miró. No parecía un hombre de negocios que viajara por todo el mundo con esa mochila de cuero desgastada que llevaba al hombro. La curiosidad pudo con ella.

—¿A qué te dedicas?

—Trabajo para una ONG con proyectos en Guatemala. La mayor parte del tiempo estoy aquí, pero tengo que ir a Guatemala con frecuencia.

—Ah, vale. —Su respuesta hizo que se sintiera algo más interesada. Porque, en cualquier caso, la ayudaba a olvidarse un poco del tema de su abuela—. ¿Qué tipo de ONG?

—Trabajamos con niños de la calle. Yo soy el jefe de prensa.

—Yo trabajo en el *Informativo de las Siete y Media*. Soy la productora.

Estaba alardeando y el castigo fue inmediato.

—¿En serio? Es mi noticiario favorito. El único que sigue siendo serio. Me encantaría que algún día hablarais del trabajo que realizamos.

—Mmm —murmuró mientras el taxi se detenía delante de

la estación. Vaya, seguro que la bombardeaba con aburridos comunicados de prensa—. ¡Mira! El tren de las doce y dieciocho ya ha llegado. ¡Rápido!

Salieron del taxi a la carrera, sacaron los billetes como pudieron para pasar por la barrera y corrieron por el andén. El chico aguantó la puerta para que ella pudiera subir.

—Gracias —le dijo Thea con una sonrisa educada.

—De nada.

Había un compartimiento de cuatro asientos vacíos esperándolos. «Mierda», pensó. Lo que quería era leer y escuchar música tranquilamente, en vez de pasarse el viaje hablando con un niñato sobre su página en MySpace y su politono preferido. Sin embargo, no podía huir al otro extremo del tren. Así que acabaron sentándose juntos.

—¿Quieres el periódico? —le preguntó al tiempo que se lo ofrecía. Seguro que eso lo mantenía calladito.

—Sí, gracias —respondió, cogiendo el *Guardian*.

«El típico voluntario social», pensó ella con sorna.

—Mmm. ¿Te importa si escucho música? Necesito despejarme la cabeza un poco.

—Claro.

Aliviada, Thea se puso los auriculares y, como no le apetecía escuchar a Bob Dylan, cosa rara, se decidió por Joni Mitchell. Se dejó llevar por la música un rato. Pero una mano agitándose frente a su nariz la devolvió de golpe a la realidad. Alzó la vista. Un hombre con uniforme. Se quitó los auriculares.

—Te acabo de pedir el billete, guapa.

—¡Perdón!

Rebuscó en el bolso en busca del billete mientras el revisor mascullaba:

—Puñeteros iPods...

Cuando levantó la cabeza, el jefe de prensa la miró con una sonrisa. Tenía una pinta de chulito que la ponía nerviosa. Cuando el revisor le pasó el billete sellado, el chico le devolvió el periódico.

—Aquí tienes. Gracias.

—Quédatelo. Ya lo he leído.

—Ah, vale, gracias. —Una pausa—. Es bonito. Me refiero a Greenways, ¿verdad?

—Es precioso —contestó—. Pero no dejo de preguntarme si eso sirve de algo.

—Yo me consuelo repitiéndome que mi madre está en un sitio bonito, pero luego me pregunto si no estaría mejor en casa conmigo.

—Eso sería una carga tremenda —replicó ella.

—Lo sé. Pero no dejo de pensar que sería lo justo.

—A mí me pasa igual.

Sus miradas se encontraron. Thea se percató algo avergonzada de que se le llenaban los ojos de lágrimas. Casi nunca hablaba de su abuela con nadie. Su madre odiaba cualquier mención de la madre de su difunto marido porque —por muy ridículo que sonara después de treinta y tres años— creía que podría incomodar a Trevor. En cuanto a sus propias amigas, a ninguna le interesaba una anciana para la que no había futuro. Ni esperanzas.

—Me llamo Jake, por cierto —dijo el chico.

—Thea.

El tren atravesaba en esos momentos las empapadas calles grises del sur de Londres y estaba a punto de entrar en la estación de Waterloo. Le sorprendió lo corto que le había parecido el viaje.

—En fin, ya hemos llegado —dijo Jake, poniéndose en pie con una sonrisa—. Ha sido agradable hablar contigo, Thea. No tendrás una tarjeta, ¿verdad? Nunca se sabe, a lo mejor salta alguna historia en la que podamos trabajar juntos.

—No las he cogido —mintió.

—Bueno, en fin, da igual. Aquí tienes una mía. Tal vez podamos quedar algún día para tomarnos algo, ¿te parece? O, bueno, no sé, almorzar ahora si no estás ocupada.

Thea lo miró asombrada. «Le gusto», pensó, medio halagada y medio asqueada por el hecho de que un chico tan joven, tan bajo y con un trabajo tan mediocre creyera tener alguna posibilidad con ella.

—Bueno… es que ahora mismo no puedo. He quedado con unos amigos. Lo siento.

Él se encogió de hombros.

—Qué lástima. A lo mejor otro día.

—Sí, a lo mejor.

Se puso en pie y esperó para ver si ella lo seguía, pero Thea siguió sentada.

—Vale —dijo—, pues ya nos veremos.

—De acuerdo.

Lo observó alejarse deprisa por el andén en dirección al metro. Miró la tarjeta. «Jake Kaplan, Niños de Guatemala.» Una dirección y varios números de teléfono. La guardó en el bolso, donde sabía que descansaría durante años entre los Tampax, las llaves, las barras de labios y el bono de transporte hasta que decidiera hacer limpieza. Porque el bolso de Thea estaba lleno de tarjetas de visita baratas idénticas a la de Jake, que le habían dado un sinfín de jefes de prensa con la esperanza de conseguir relevancia para su causa. Por duro que sonara, la mayoría seguían sumidas en el olvido. Estaba convencida de que la organización de Jake hacía una labor importante, pero solo era una más entre miles que intentaban cambiar las cosas. No vio ninguna razón para darle un trato de favor.

15

A la noche siguiente Thea estaba en la puerta del dúplex de Rachel en Islington, con una enorme bandeja de sushi en una mano y una botella de sake en la otra. El corazón le latía a toda velocidad mientras esperaba a que su mejor amiga abriese la puerta. Era una tontería haber tardado casi tres semanas para verse. Habían cancelado dos cenas porque Rachel estaba casi siempre cansada para salir debido al embarazo y otra más porque habían llamado a Thea por la noche para que fuera a Newcastle, donde un niño al que creían ahogado se había reencontrado con su familia. Sin embargo, esa noche por fin iban a verse tras haber decidido que lo mejor era quedar en casa de Rachel, donde la pobre podría tumbarse en el sofá en cuanto se sintiera cansada.

Para ayudarla a conservar las fuerzas, Thea había prometido llevar la comida. Estaba encantada con la elección: el sushi siempre había sido la comida preferida de las dos, y ese en concreto era de Ikkyu, la marisquería que había junto a la iglesia de la Cienciología de Tottenham Court Road, un establecimiento donde habían pasado la vida entre los veinte y los treinta, atiborrándose del sushi que iba pasando por la cinta giratoria mientras analizaban al detalle los mensajes de dos palabras que Luke le mandaba.

—¡Tachán! —exclamó al abrirse la puerta, agitando la bandeja y la botella por encima de la cabeza como una animadora.

—¡Ay! —dijo Rachel.

—Ya sé que no puedes beber sake, ya lo sé —dijo Thea—. Es para mí. Pero puedes atiborrarte de sushi. —Intentó no clavar la mirada en el todavía pequeño, aunque muy notable, abultamiento de su vientre, que se veía bajo el jersey de cachemira verde de su amiga. Habían pasado cinco meses desde la última vez que vio a Rachel. Fue en Manhattan y había estado toda una semana diciéndole que su novio, Dunc, no quería tener hijos hasta que consiguiera financiar su primera película, y que ella apoyaba esa decisión. Un par de semanas después de volver a Inglaterra, su DIU había fallado «por accidente».

—Pero ya no puedo comer sushi —se quejó Rachel—. ¡Es pescado crudo!

Thea ya lo había visto en un sinfín de ocasiones: mujeres que antes eran verdaderas amazonas se convertían en criaturas pusilánimes que se echaban a temblar al ver mantequilla de cacahuete y se pasaban horas pensando en si teñirse el pelo o no. Pero como había decidido enfrentarse con valentía al embarazo de Rachel, esbozó una sonrisa paciente.

—¿Qué comen las japonesas cuando están embarazadas?

—No lo sé. Creo que hacen otro tipo de sushi. —Rachel parecía apenada—. De verdad que lo siento, Thea. Has tenido una idea genial. No te preocupes. Sacaré algo del congelador. A Dunc le encantará acabar con lo que tú no te comas.

—¿Dunc está aquí? —Aunque intentó ocultar la decepción que sentía, no lo consiguió.

Siguió a Rachel hasta una reluciente cocina. Pese a su trabajo como abogada de altos vuelos, a Rachel siempre se le habían dado muy bien las labores domésticas. Se preocupaba de tener el frigorífico lleno y los muebles tan limpios como la patena, no como ella, a la que le importaba un pimiento.

—No, ha ido al pub con su amigo Stan. Creo que ponen un partido de fútbol o algo así. —Rachel rebuscó en el congelador—. Ah, aquí tengo lasaña, así que yo me comeré esto mientras tú te atiborras de sushi, so asquerosa. —Soltó un suspiro exagerado—. Pero que sepas que en cuanto pasen estos cincos meses, en cuanto este bebé haya salido, pienso comprar el queso más grande que encuentre y comérmelo de una sentada.

—¿Cómo te encuentras? —Thea estaba decidida a apoyar a su amiga.

Rachel sonrió mientras pinchaba el plástico de la bandeja de lasaña con un tenedor.

—Muy cansada. Muy mal. No vomito, pero tengo náuseas todo el tiempo. Y me duelen las tetas una barbaridad. Se supone que la cosa mejora a partir del tercer mes, pero creo que es uno de esos cuentos de viejas, como lo de que el parto no duele tanto, para asegurarse la continuación de la especie. —Abrió el microondas y metió la bandeja—. Da igual, es un tema aburrido. Bueno, ¿qué tal te va en el trabajo? ¿Y con Luke? Dios, leí el artículo sobre las mujeres florero.

Thea se echó a reír.

—Y luego dicen que los periodistas se inventan las cosas. Todo era verdad.

—¿La conoces? ¿¡A la zorra!?

Thea descubrió que no podía mirar a su amiga a los ojos. Cogió la botella de sake y se puso a leer la etiqueta.

—Sí. La conocí en una cena.

—¿Y?

—Hannah ha sido muy benévola con ella. Casi es retrasada.

En el fondo de su corazón Thea sabía que estaba siendo injusta. No podía juzgar la inteligencia de Poppy porque la pobre no había tenido la oportunidad de abrir la boca en toda la noche, con toda la conversación que había a su alrededor. Además, el tema había girado en torno a las compras de varias cadenas de televisión y de su personal, de modo que nadie fuera del mundillo podría haberlo entendido. Thea la había escuchado intentando entablar conversación con Marco, pero él estaba tan ocupado lamiéndole el culo a Dean que no le había hecho ni caso.

Y en el fondo también sabía que las mujeres no habían sido amables con Poppy porque *a)* era muy guapa, *b)* era muy joven y *c)* era un ama de casa, y seguro que había despertado las inseguridades de Emma y de Roxanne. El hecho de que le hubiera quitado el marido a la mejor amiga de Emma tampoco había ayudado mucho. Se estremeció al pensar en la reacción de Emma si algún día llegaba a descubrir lo suyo con Luke. Pero ¿cómo iba a hacerlo?

—Cuéntame más cosas —la instó Rachel—. ¿Era como la clienta con la que tuve que lidiar el otro día que no sabía que los pájaros ponían huevos? Cuando se lo expliqué, me dijo: «Vaya, ¡no te acostarás sin saber nada nuevo!».

—Más o menos del estilo —respondió.

—¡Joder! ¿¡Y Luke!? Menudo capullo. ¿Por qué tienen que ser los hombres tan transparentes? ¿Le has visto? Me refiero a que si le has visto a solas.

—Casi no he hablado con él. Se ha acabado todo. Ya lo sabes.

—Sí. —Rachel asintió con la cabeza—. Ya sabes que siempre he pensado que eras demasiado buena para él. Cualquier tío que le pone los cuernos a su mujer seguro que repite.

—Nunca me lo habías dicho.

Rachel siempre la había animado en su relación con Luke, diciéndole que no era culpa suya que estuviera casado con la mujer equivocada y asegurándole que algún día él vería la luz y acabarían juntos.

—¿Ah, no? Estoy segura de que sí. —El microondas pitó—. Ah, música para mis oídos. Vamos a comer. Me paso el día muerta de hambre, por eso me estoy poniendo como una vaca.

—De eso nada, recuerda que llevas a un bebé dentro —la contradijo Thea como era de esperar. —Cogió un trozo de ventresca y lo mojó en la salsa wasabi—. ¿Cómo lo lleva Dunc? ¿Está emocionado?

—Mucho más de lo que me esperaba. —Rachel bebió un poco de zumo de manzana—. Tengo mucha suerte, Thea. Cuando me falló el DIU, podría haberme dejado o presionarme para que abortara, pero en cambio me ha apoyado en todo.

—Mmm —murmuró Thea. El fallo del DIU le resultaba tan creíble como la existencia del ratoncito Pérez.

Antes de que pudiera pensar algo que decir, se oyó un portazo.

—Seguro que es él. —Rachel miró el reloj del microondas—. Ha vuelto mucho antes de lo que pensaba.

—¿Va todo bien? —Dunc sonrió al entrar en la cocina—. Me alegro de verte, Thea.

—Lo mismo digo.

Thea sonrió, aunque se sentía como una rueda de bicicleta que acabara de pisar una botella rota. Por muy feliz que pareciera Rachel, era imposible no deprimirse ante la idea de que su amiga, una mujer guapa, alegre y graciosa, capaz de hacerle un nudo con los dientes al rabo de una cereza, estaría unida para siempre a un tío que —aunque guapísimo— presumía de saberse palabra por palabra los diálogos de la edición especial en DVD de *The Office*. Un tío que parecía contentarse con vivir del generoso sueldo de Rachel —cosa que era mucho peor que lo anterior— mientras intentaba poner en marcha varios proyectos; por no mencionar su negativa a casarse con ella porque, como él decía sin más, la idea le resultaba «demasiado deprimente».

—Mmm, ¡qué pinta más buena tiene el sushi! —exclamó Dunc al tiempo que cogía la única porción de sashimi de rabirrubia, al que Thea le había echado el ojo.

—Bueno, ¿qué tal te va, Dunc? ¿En qué andas metido?

—En un proyecto muy emocionante. Stan y yo estamos montando una nueva empresa online de comida para llevar.

—¿Como Hungryhouse? —preguntó Thea en voz baja.

—¿Cómo dices?

—Hungryhouse. Yo soy clienta habitual. Metes el código

postal y te ponen una lista de todos restaurantes con reparto a domicilio de la zona.

—Ah, vale. —Dunc se rascó la cabeza con cierto nerviosismo—. Voy a tener que echarle un vistazo.

—Sería lo mejor —le aconsejó. No miró a Rachel a la cara.

El timbre sonó.

—Seguro que es Stan. Hemos quedado para hablar.

—¿Un domingo por la noche? —Aunque Rachel parecía tranquila, Thea sabía que estaba enfadada.

—No te molestaremos, nena, podrás acostarte temprano. —Dunc salió de la cocina y regresó con un hombre regordete de frente inquietantemente estrecha—. Stan, te presento a Thea. Thea, este es Stan.

—Encantada de conocerte.

—Lo mismo digo. Joder, qué cantidad de sushi.

—Sírvete tú mismo —dijo Dunc, muy generoso.

Durante la siguiente hora Dunc y Stan se comieron los mejores trozos de sushi como si no tuvieran la menor intención de largarse a discutir sus negocios, ya que prefirieron mantener una acalorada discusión sobre qué red social era mejor, Facebook o MySpace, una discusión aderezada con numerosas y detalladas anécdotas de amigos. Thea bostezó discretamente y bebió todo el sake que pudo. Rachel se acarició el vientre como si fuera una perezosa siamesa.

—¿A qué te dedicas, Thea? —le preguntó Stan después de finalizar una prolongada discusión sobre lo mala que era la banda ancha de TalkTalk, ya que Dunc había salido disparado hacia su despacho para hacer algunas comprobaciones.

—Soy periodista.

Stan se santiguó.

—Vaya, tendré que medir mis palabras. No quiero que me cites mal.

¿Por qué los imbéciles siempre decían eso?, se preguntó Thea, esbozando una sonrisa tensa.

—Thea no es de esa clase de periodistas —adujo Rachel

para defenderla—. Es productora del *Informativo de las Siete y Media*.

—¿En serio? Nunca veo los telediarios. Me entero de todo por internet. Oye, ¿conoces a Ricky Gervais?

—No, pero me han dicho que es un capullo integral. —No era del todo cierto, pero había valido la pena decirlo porque Stan tenía toda la pinta de un crío de tres años a quien acababan de decirle que no existía Papá Noel.

—No me lo creo.

—Tú mismo. —Thea sonrió a medida que la mentira comenzaba a tomar forma—. Pero fue la única estrella que se negó a contribuir con nuestra campaña humanitaria de verano. Dijo que la caridad debía empezar por su casa.

—¡Stan! —gritó Dunc desde la otra habitación—, ven a ver esto. Demuestra que yo llevaba razón.

—Discúlpenme, señoritas. —Stan se levantó.

En cuanto se fue, Rachel sonrió.

—Es muy agradable, ¿verdad?

Thea miró a su amiga sin dar crédito. Lo mismo podría haberle dicho que Pol Pot era un trozo de pan.

—Y bastante guapo, ¿a que sí? —insistió Rachel.

—Está bien. Vamos, que no tiene la boca torcida ni está desfigurado.

—Hace poco que rompió con su novia.

—¿De verdad? —Bostezó.

—Bueno, ¿qué te parece?

Thea se llenó el vaso de sake mientras intentaba contener la irritación.

—¡Rachel, déjalo ya!

—¿Que deje qué? —preguntó Rachel con fingida inocencia.

—Que dejes de hacer de celestina. No quiero entrar en el club de satisfechas parejas casadas.

—Tampoco queremos hacerlo Dunc y yo —replicó Rachel con bastante brusquedad.

—Vale —dijo Thea. Al igual que Rachel sabía perfectamente lo que ella sentía por Luke, Thea no necesitaba que nadie le dijera que el desdén de Rachel por el matrimonio solo era una pose, más falsa que un billete de seis euros. Y añadió—: Rachel, entiéndeme, no me gusta Stan. Lo siento. En este momento no me gusta nadie. Estoy segura de que en el futuro me interesará alguien, pero no quiero hijos, así que no veo a qué vienen tantas prisas.

Rachel se cubrió el vientre con las manos, como si esas palabras pudieran causarle algún daño a su hijo nonato.

Al verlo, Thea se apresuró a explicarse:

—Mira, estoy emocionada con tu embarazo. Voy a ser la madrina malvada y todo eso, y voy a comprarle un montón de dulces y de maquillaje si es una niña, y un montón de videojuegos violentos si es un niño. Y sea lo que sea voy a quererlo con lo locura. Pero no quiero tener hijos. Ya lo sabes.

—Pero ¿por qué?

Porque los bebés no bebían alcohol, no mantenían conversaciones interesantes, se acostaban demasiado temprano… Te cortaban la libertad, acababan con la pasión y la espontaneidad, y te convertían en una esclava, como le había pasado a su madre. Los bebés hacían que una mujer se conformara con un trozo de carne con ojos como Dunc porque a los treinta y seis años era el último tren. Claro que no pensaba decirlo en voz alta. Así que se limitó a dar las gracias en silencio a quien fuese responsable de haberla ayudado a nacer sin el deseo de reproducirse, debido a lo cual podría librarse de mantener unos compromisos tan espantosos.

—¿Y por qué no? —replicó, y se encogió de hombros.

—No sé —respondió Rachel con voz insegura—. Es que creí que te negabas al matrimonio y a los hijos por culpa de Luke. Ya sabes, porque ya tenía hijos y creías que no querría más. Pero como ya lo has superado… ¿O no lo has superado del todo?

—Está más que muerto y enterrado. Ya te lo he dicho. Me

ha costado lo mío, pero he visto la luz. Ser su amante es un topicazo. Es como los campesinos de las películas, que siempre tienen el pelo guarro pero los dientes perfectos.

Rachel se echó a reír.

—O como que las mujeres se dejen puesto el sujetador pero no las bragas cuando se lo montan con alguien.

—O como que vuelvan de la tienda con la barra de pan asomando por el borde de la bolsa.

—O como que el malo de la película deje el temporizador de la bomba con más de una hora para que el héroe pueda desactivarla y rescatar a la chica con tiempo de sobra.

Estaban muertas de risa cuando los hombres regresaron. De repente, Thea se quedó helada y miró el reloj.

—Oye, tengo que levantarme temprano. Será mejor que me vaya.

—Podrías llevar a Stan a su casa —dijo Dunc con voz esperanzada.

—Iba a coger el metro —mintió ella.

En realidad tenía toda la intención de meterse en un taxi. Las taxis eran su gran indulgencia, porque podía cargarlos a la cuenta de gastos, aunque corría el rumor de que Foxy Roxy quería cortar de raíz esa práctica. Bueno, más motivos para disfrutar mientras pudiera.

—Puedo acompañarte hasta la parada —se apresuró a decir Stan.

Thea miró de nuevo su reloj.

—Vaya, es más tarde de lo que pensaba. Creo que tendré que coger un taxi. —Miró sin muchas ganas a Stan—. ¿Dónde vives?

—En Acton.

—Pues eso está en la otra punta. Yo vivo en Stockwell. Si quieres, puedo dejarte en la parada del metro —se ofreció con la misma voz que un médico utilizaría para preguntar a un paciente si quería que le amputase el brazo o la pierna. Stan captó la indirecta.

—No, no te preocupes. Daré un paseo. El aire fresco me sentará bien.

Rachel se levantó y la abrazó.

—Me ha encantado verte. Tenemos que repetirlo pronto. —Bajó la voz y añadió—: Pero la próxima vez solo estaremos las dos.

Thea sintió un nudo en la garganta. Por un segundo había creído que había perdido a Rachel. Pero tal vez aún hubiera esperanza. De cualquier modo y mientras su taxi volaba por una Upper Street desierta el domingo por la noche, sintió un extraño vacío en su interior al darse cuenta de que, durante su ausencia, la vida que antes tenía en Londres había cambiado para siempre. Debería encontrar un proyecto en el extranjero para quitarse de en medio. Lo mejor de vivir a salto de mata era esa especie de burbuja en la que se habitaba al margen de la existencia cotidiana. Al día siguiente empezaría a ojear la sección internacional de los periódicos en busca de algo que pudiera alejarla de esa nueva e insignificante existencia.

16

Como ya había decidido que al menos le daría una oportunidad a Brigita, la niñera de Farrah, Poppy se sorprendió por lo
fácil que fue organizarlo. Después de llamarla, Brigita se presentó en su casa al día siguiente, con una enorme sonrisa y un
elefante de peluche para Clara.

—¡Aquí estoy! —gritó desde la puerta—. Buenos días,
mami. Encantada de conocerte. —Tenía un acento muy peculiar que delataba su origen eslavo. Se inclinó para dar una palmadita a Clara en la mejilla—. Y a ti también, princesita.

—Nooooo —gritó Clara, enterrando la cara en la entrepierna de su madre.

Poppy sonrió. Se había imaginado a Brigita como una
mujer madura vestida con uniforme marrón y cofia. Sin embargo, la alternativa le gustaba más. Rondaría la treintena, tenía
el pelo castaño y corto, y la cara redonda. Llevaba una falda
de estilo patchwork, un jersey ancho de color marrón, grue-
sos zapatos de cordones y unos leotardos de lana de color azul.
Tenía toda la pinta de ser una niñera de las que se pasaban el
día fabricando juguetes con cartones de huevos y correteando
por el parque, y de las que se metían en la cama a las diez
de la noche con una taza de chocolate para leer la Biblia.

—¿De dónde eres? —le preguntó Poppy mientras la invitaba a entrar en casa.

—¡De Letonia! —gritó Brigita, como si fuera de Júpiter—.

Pero mi novio es inglés. De Hartlepool. Vine para estudiar astronomía, pero necesito dinero y descubrí que me encantaban los niños, así que empecé a trabajar para Farrah y, bueno, el tiempo que estuve con ella fui más feliz que un cochino en un charco. Pero ya no me necesita, porque los niños van al colegio, así que me dijo: «Vete a trabajar con Poppy y Luke. Son buena gente. Te tratarán muy bien». —Miró a Poppy de arriba abajo—. Farrah me dijo que eres modelo, pero era mentira, ¿verdad?

—Lo era, antes de tener a Clara.

—Ah, sí, los bebés nos hacen engordar. Así es la vida.

—Esto... —Desconcertada, Poppy le hizo un gesto invitándola a sentarse en el sofá—. Siéntate. ¿Quieres un vaso de agua?

—Ni hablar, mami. Las cosas no son así. Yo te traeré un vaso de agua. ¿Dónde está la cocina?

—No, de verdad, no hace falta.

—¡Que no, que no! Yo la busco.

Y antes de que Poppy pudiera detenerla, Brigita había desaparecido en dirección a la cocina. Tardó un rato en volver.

—Aquí tienes, mami. Lo siento, la cocina está sucia, así que he tenido que limpiar un poco antes. Y no he encontrado hielo. ¿Quieres hielo? Si quieres, vuelvo a buscar en el congelador.

—Así está bien —contestó Poppy con un hilo de voz.

Intentó llevar a cabo una pequeña entrevista, aunque era innecesario, ya que a menos que Brigita confesara ser una drogadicta, el puesto era suyo. De todas formas, Brigita fue más allá de lo que se esperaba de ella y sacó del bolso un listado impreso de las actividades infantiles que podían realizarse en la zona y le preguntó a cuáles asistía Clara.

—A ninguna —respondió Poppy, avergonzada.

Lo había intentado, cierto, pero le había parecido muy difícil esperar sentada en una silla muy incómoda mientras Clara se peleaba con otros niños por conseguir un cochecito de muñeca destartalado y las demás madres charlaban en grupos cerrados a los que no había sabido cómo acercarse.

—Ah, bueno. Entonces ¿qué hacéis durante todo el día? —preguntó Brigita, dando un toquecito a Clara en la barbilla—. Guapa. No te pareces a tu mami.

«No hacemos nada», pensó Poppy.

—Bueno, ya sabes —dijo, en cambio—, vamos al parque. Leemos cuentos.

—Claro, mami. Pero me parece que ya va siendo hora de que Clara se relacione con otros niños.

Después le hizo un montón de preguntas sobre alergias, sobre lo que le gustaba comer a Clara, si ya pedía hacer pipí o no, y justo entonces la niña hizo caca, así que Brigita se remangó el jersey y le cambió el pañal sin contener siquiera la respiración. Cuando acabó, hizo una pedorreta a Clara en la barriga y la niña se echó a reír. Poppy le dijo que el puesto era suyo, que trabajaría cuatro días a la semana y le preguntó si aceptaba. Brigita dijo que sí, que por supuesto. Poppy le preguntó si podía empezar el lunes.

—¡Puedo empezar mañana si quieres!

—No, no, no —dijo Poppy.

La idea de abandonar de forma tan brusca su antigua vida para comenzar una nueva le resultaba insoportable. Necesitaba por lo menos una semana para mentalizarse y preparar a Clara.

—Como quieras —replicó Brigita, encogiéndose de hombros—. Vendré a las ocho, mami.

—¿A las ocho? Un poco pronto, ¿no?

—Con Farrah empezaba a esa hora —dijo Brigita, pasmada.

—¿Te parece bien a las nueve? —sugirió Poppy.

—Bueno, si a ti te parece bien, vale. Es que Farrah está siempre liadísima.

—¿Cómo?

—Que está muy ocupada —aclaró la niñera con voz impaciente—. Va todas las mañanas al gimnasio antes de ir a trabajar. —Miró a Poppy de arriba abajo otra vez y se encogió de hombros—. Pero cada mujer tiene sus prioridades, supongo.

Poppy tenía la intención de decirle que el primer mes sería de prueba, quería discutir la cuestión del sueldo, de las vacaciones y las demás cosas que Luke le había dicho que dejara claras, pero con las prisas se le olvidó. Daba igual. Ya lo hablarían otro día.

Y así, el lunes sonó el timbre a las nueve en punto. Brigita entró en tromba, y antes de que Poppy fuera consciente de lo que pasaba, Clara estaba sentada en su trona y se estaba comiendo un plato enorme de cereales.

—Sorprendente —dijo Luke cuando entró en la cocina ya arreglado—. Clara suele tirar al suelo todo lo que huela a comida sana.

—Le he hecho una carita sonriente con estos arándanos —le explicó Brigita con falsa modestia—, y eso le ha abierto el apetito.

—Es genial —le dijo Luke a Poppy en voz baja mientras enchufaba la tetera.

Poppy asintió con la cabeza, paralizada por los nervios y los celos.

—A ver, mami, no vayas a tomarte esto a mal —dijo Brigita bajando la voz—. Creo que es mejor que hoy nos dejes solas. Si estás todo el día cerca de Clara, la niña acabará confundida y se revolucionará. Cuanto más tiempo pasemos juntas, antes se acostumbrará a mí y antes me cogerá cariño.

—Vale —accedió Poppy con docilidad.

Como no sabía muy bien qué hacer, se duchó y se vistió. No podía negarlo: era un gustazo hacer esas dos cosas tan sencillas a simple vista sin que Clara se aprovechara de las circunstancias para tirar el jabón o la pasta de dientes al inodoro, o para meterse con ella en la ducha vestida. Sin embargo, estaba demasiado nerviosa para disfrutar de su nueva libertad. Se secó, se vistió tan rápido como pudo y corrió a la planta baja, donde encontró a Brigita abotonando el abrigo de Clara sin los chillidos (por parte de Clara) ni los gritos (por parte de Poppy) que solían acompañar una tarea tan engañosamente sencilla.

—Nos vamos al parque de la iglesia —le dijo Brigita—. Clara, ¡vámonos!

—Ah, vale —dijo Poppy mientras su hija salía sin volver siquiera la cabeza.

Mientras el portazo resonaba en el recibidor, ella se quedó donde estaba, un poco mareada. Se había imaginado lágrimas por parte de Clara, una negativa a dejar a su mamá, a cuyas piernas se aferraría con fuerza. En cambio, era como si no existiera.

De repente, vio una imagen futura. Una imagen de Clara ya mayor, en el colegio, con amigas y sin necesitarla. El proceso ya había comenzado. ¿Qué iba a hacer ella? No tenía ni idea ni a corto ni a largo plazo. Echó un vistazo por la ventana. El sol brillaba en un cielo azul. Se sentía como un cero a la izquierda. Suponía que podía ir a dar un paseo, porque a solas sería más relajante, pero llegó a la conclusión de que no era ese el motivo por el que Luke había contratado a una niñera.

«Sí, me mantengo muy ocupada, ¿sabes? Me ocupo de la casa, participo en obras de caridad, el trabajo…»

Su móvil sonó. Era su madre.

—¿Sí? —Por primera vez en su vida, Poppy se alegró de oírla.

—Solo llamaba para ver cómo va la chica. —Era evidente que Louise estaba en su coche, un Porsche Boxster. Solo la llamaba cuando estaba aburrida en medio de un atasco.

—Ha empezado hace solo una hora, pero yo diría que va muy bien.

Louise resopló.

—Tú siempre tan optimista, Poppy. En fin, sé que no vas

a hacerme caso, porque nunca lo haces, pero voy a darte unos consejos de todas formas: guarda el alcohol bajo llave y ponle un candado o lo que sea al teléfono. Dios, cada vez que recuerdo los problemas que tuve con tus chicas…

—Vale, mamá —la interrumpió Poppy, que decidió pincharla—. ¿Cómo está Gary?

—¿Gary? —repitió su madre muy mosqueada—. No tengo ni idea.

—¿No os ibais juntos de vacaciones?

—¿Ah, sí? No lo recuerdo. ¡Qué va! Bueno, en realidad —siguió Louise, bajando la voz—, hay alguien nuevo en el horizonte. Jean-Claude.

—Ah… —A Poppy se le cayó el alma a los pies. Había oído ese tono de voz confidencial y emocionado muchas veces, y siempre anunciaba un inminente desastre—. ¿Dónde os habéis conocido?

—En Málaga, cuando Christine y yo nos fuimos al spa. Se alojaba en el mismo hotel que nosotras, porque estaba en un congreso. Es profesor de lingüística en la Universidad de Marsella. ¡Es guapísimo, Poppy! Ya te mandaré una foto.

—¿Es francés?

—Mmm… ¿A que es emocionante? Aunque habla inglés perfectamente.

—¿Has pasado mucho tiempo con él durante el fin de semana en Málaga?

—Estuvo cenando con nosotras la segunda noche y después mantuvimos una agradable conversación al día siguiente en el bufet del desayuno, que era increíble, por cierto, aunque conseguí no comer ni un cruasán. Le di mi tarjeta de visita y me dijo que seguiríamos en contacto.

—¿Y te ha llamado?

—No. Por eso ayer busqué su nombre en Google. Encontré su dirección de correo electrónico y le mandé un mensaje con ni número de teléfono porque seguro que lo ha perdido (ya sabes cómo son los hombres), y ahora estoy esperando a que se ponga en contacto. Es maravilloso, Poppy. Sé que te va a encantar. Es muy inteligente y…

Poppy no aguantaba más. Así que decidió recurrir a la excusa de siempre.

—¡Mamá! Lo siento mucho, pero están llamando a la puerta. Tengo que dejarte.

—Ah, vale —replicó Louise irritada. Cortar las llamadas era cosa suya—. Llámame luego y cuéntame cómo va la chica. Y ya te mandaré los detalles de Jean-Claude en un correo electrónico.

—Vale. Gracias por llamar.

—¡Ah, otra cosa!

—¿Qué?

—Ahora que tienes a esa chica, ¿qué vas a hacer durante todo el día?

—Acabo de llamar a la agencia —mintió—. Ya me tienen un montón de trabajos preparados y he quedado en pasarme esta tarde por allí.

—¿Ah, sí? Eso es genial. —Una bocina—. ¡Gracias a Dios! Por fin nos movemos. Vale, Poppy, ya hablaremos. ¡Adiós!

Agotada después de la conversación, Poppy se dejó caer en la cama. Hablar con su madre siempre la dejaba exhausta. Quizá un sueñecito la ayudara a recuperarse. Sin embargo, recordó la mentira que acababa de soltar y la firme determinación que la hizo llamar a Brigita volvió a apoderarse de ella. En busca de un entorno que la hiciera sentirse como una mujer de negocios, se fue al despacho de Luke, cerró la puerta y marcó el número de la agencia con el corazón a mil por hora.

—Hola, Prime Models. Soy Jenny, ¿en qué puedo ayudarle?

Una recepcionista nueva.

—Hola, ¿podría hablar con Bárbara, por favor?

—¿Me puede decir quién la llama? —preguntó la chica a su vez, bostezando.

—Poppy.

—¿Poppy qué más?

—Poppy Norton. Quiero decir, Price. —Hacía mucho tiempo que no usaba su apellido de soltera y hacerlo la transportó al pasado.

—¿Ella está al tanto del motivo de su llamada?

—Soy clienta suya —respondió Poppy con tirantez. Comenzaba a recordar por qué odiaba lo de ser modelo. Lo humillante que era que la tratasen como si fuera un trapo sucio.

—No cuelgue, por favor.

Mientras esperaba con la música de Amy Winehouse, Poppy echó un vistazo por el despacho. Las paredes estaban decoradas con fotos de los momentos estelares de la carrera de su marido: Luke con chaleco antibalas en el desierto de Irak; Luke estrechando la mano a la reina; Luke con el presidente Bush. Como solía sucederle, Poppy tuvo la sensación de ser una invitada en lugar de la señora de aquella casa, donde los muebles los había elegido David, su casero, y habían llegado en una furgoneta, y donde las cosas que formaban un hogar (las fotos, los adornos, los libros, los CD, los DVD) eran de Luke. Ella todavía no había tenido tiempo de reunir muchos recuerdos, dada su juventud. En un par de ocasiones había pensado en redecorar, porque tenía la vaga noción de que eso era lo que hacían las madres que se encargaban del cuidado de los niños a tiempo completo, pero cuando se lo sugirió a Luke, él le recordó que a David no le gustaría un pelo.

—¡Poppy! —dijo la voz de alguien que parecía hacer gárgaras con lejía—. Hace mucho que no sabemos nada de ti y ya nos estábamos preguntando qué coño te habría pasado. ¿Cómo van las cosas?

—Muy bien, gracias. Sigo viva a pesar del bebé, ¡ja, ja!

—¡Ah, sí, claro! El niño. ¿Cómo está?

Poppy oyó que Bárbara estaba tecleando en su ordenador a velocidad de vértigo.

—En realidad es una niña.

—Lo siento, ¿una niña? —Se oyó algo parecido a una bolsa de patatas fritas al abrirse—. Poppy, ¿te crees preparada para regresar al mundo real? Ya han pasado, ¿cuánto? Más de dos años, ¿no?

—Más o menos. Y sí, creo que estoy preparada. Tengo una niñera y eso, ya sabes…

—Genial, genial. Bueno, pues entonces ven a vernos pronto. Trae fotos de la niña.

—Lo haré. Tengo unas en el tobogán en las que está preciosa. Se parece a…

—¡Qué bien! Me encanta —dijo Bárbara con el mismo interés que demostraría si le hablase del tiempo.

—Puedo ir el viernes —se apresuró a decir Poppy en un intento por que Bárbara siguiera prestándole atención, igual que haría un cómico ante una audiencia borracha. Quería decir que le encantaría pasar ese mismo día, pero sabía que sonaría demasiado desesperada.

—¿El viernes? Bueno, vale —accedió Bárbara a regañadientes.

—¿Sobre las once?

—De acuerdo. ¡Ah, vaya! Lo siento, tengo que colgar. Nos vemos el jueves.

—¡El viernes! —gritó Poppy.

En ese momento recordó el día en que Bárbara le estuvo dando la tabarra en la sección de bañadores de Harvey Nicks, desesperada por hacer que firmara el contrato. Pero el tiempo le había dado la vuelta a la tortilla y ya no estaba en su lista de prioridades. Claro que no estaba dispuesta a seguir con ese tipo de pensamientos. No iba a ser una sanguijuela aprovechada. Iría a la agencia, impresionaría a Bárbara y haría que Luke estuviera orgulloso de ella.

17

Thea se había pasado el lunes en un hospital del norte de Londres investigando una historia sobre un médico que había administrado una dosis casi mortal de medicamento a un niño. En ese momento ya eran las cinco de la tarde, dos horas antes del comienzo del programa, estaba en una de las salas de edición comprobando los rótulos o, lo que era lo mismo, los nombres que aparecían bajo las caras de los presentadores. Los rótulos eran muy importantes. Se podían contar por millones las veces en las que Hillary Clinton había aparecido con el letrero de «Duque de Wellington» o que Nelson Mandela se había convertido en «Johnny Rotten». Pero cuando ella estaba al mando, esas cosas nunca pasaban. Y nunca pasarían.

Satisfecha al ver que todo estaba dispuesto, abrió la puerta insonorizada y regresó al zumbido de la redacción. La adrenalina era casi palpable conforme se acercaba la hora límite. Los reporteros gesticulaban mientras hablaban por teléfono. Los productores mascullaban para intentar convencer a los tertulianos de que pasaran al plató. Mónica Thomson, la ayudante de dirección, intentaba convencer a Emma Waters para que fuera al aeropuerto de Heathrow, donde un hombre había conseguido atravesar la alambrada de seguridad para correr desnudo por una de las pistas.

—No seas tonta, Mónica. ¡No pienso ir a Heathrow! ¡Está lloviendo a mares!

—Por favor —insistió Mónica con timidez. Acababan de ascenderla y, al igual que pasaba con los perros, los reporteros olían su miedo.

—No. —Emma señaló a Bryn Darwin, uno de los reporteros más viejos y también más vagos, que estaba muy ocupado con un sudoku—. Manda a Bryn. Vamos.

—Ah, vale —dijo Mónica, que se alejó con nerviosismo para intentarlo con el hombre.

Dean entró en la redacción como Napoleón cuando pasaba revista a sus tropas.

—¿Tenemos ya a una adolescente gorda? —gritó sin dirigirse a nadie en particular—. Vale, ¿por qué cojones no la tenemos? Quiero una vaca. Y si hay que traerla al estudio en grúa, mejor. Vamos, poneos las pilas. Encontradme una morsa. Cincuenta libras para quien lo consiga.

—¡Tengo a una! —gritó el capullo de Rhys, uno de los AG (ayudantes generales), con el que todos se metían por su comportamiento servil—. Dieciséis años. Ciento cuarenta y seis kilos. Se alimenta a base de Coca-Cola, patatas fritas y pollo del Kentucky Fried Chicken. Pero ella dice que tiene un problema hormonal.

—¡Bingo! ¡Buen chico! ¡Bien hecho! Dale los detalles a Amanda —le ordenó Dean, señalando con la cabeza a la encargada de los invitados, cuyo trabajo consistía en trasladar a dichos invitados al estudio.

—Dice que va a necesitar un monovolumen —le dijo Rhys a Amanda— y que van a tener que mover los asientos para poder entrar.

Thea sonrió. Adoraba que en el trabajo apenas hubiera tiempo para respirar, y mucho menos para pensar. Pensar demasiado no era saludable; había pasado la noche en vela preocupada por la posibilidad de que su relación con Rachel ya nunca fuera la misma.

—¿Cómo te ha ido? —le preguntó Alexa Marples, sentada en el escritorio que Thea tenía a su espalda.

Inteligente y ambiciosa, Alexa le recordaba muchísimo a una versión diez años más joven de sí misma, salvo por la seguridad que la chica demostraba al ponerse esos vaqueros tan bajos de cintura. Antes de que pudiera contestarle, Alexa continuó:

—Dios, qué ganas tengo de que se acabe el día. Me he despertado con una resaca del copón. Demasiados Bacardi Breezer anoche.

Thea sonrió.

—Sé a qué te refieres.

—¿En serio? —La cara de Alexa era la misma que si la reina acabara de decirle que se sentía un poco alicaída pero que esperaba que un buen trago le curase los males.

No era la primera vez que veía una reacción parecida desde su regreso. Solo había estado dos años fuera, pero daba la sensación de que la oficina se había llenado en ese tiempo de niñatos que se pasaban todo el día actualizando su perfil en la red y largándose en cuanto llegaba la hora de la salida para emborracharse en la zona de copas de Shoreditch. Thea ya no formaba parte del grupo, pero tampoco formaba parte del grupo de los casi cuarentones que volvían a casa corriendo al acabar el trabajo para leerles un cuento a sus hijos. Al igual que le pasó en casa de Rachel, la invadió cierta inquietud, la sensación de que no encajaba en ningún sitio.

En el plató del programa Luke estaba ensayando los titulares de esa noche.

—Seis de cada diez adolescentes son obesos —entonó con su voz firme y clara mientras Dean y Georgina, la abogada, escuchaban con atención—. El terremoto mexicano: se teme que hayan muerto doscientas personas. El médico que envenenó por accidente a un bebé…

—Sabes que no puedes decir eso, Luke —interrumpió Georgina—. Todavía no se ha demostrado nada. El médico nos demandaría.

—¡Joder! —Luke no tenía paciencia para los alegatos de

la abogada—. ¿El bebé que recibió una dosis fatal? ¿Qué te parece eso?

—¿Soy yo o a Luke le pasa algo raro en la cara? —preguntó Alexa en voz baja.

Thea lo miró. Alexa tenía razón. Luke parecía tener la piel de los pómulos más tersa que nunca y, aunque sus ojos eran muy expresivos, la frente no se le movía en absoluto, produciendo un efecto extraño. Thea miró de reojo a Alexa, pero la chica estaba pendiente por completo de los monitores. Detestaba la idea de que todo el mundo supiera que había habido algo entre Luke y ella.

—A mí me parece igual que siempre —respondió sin más.

—¿No crees que está en baja forma últimamente? Se rumorea que Dean está recopilando un informe de fallos y que Luke va en cabeza.

—¿De verdad? —preguntó con voz cansada. Quería cortar de raíz esa conversación.

Sin embargo, sabía que Alexa tenía razón. Luke había perdido cierto lustre de un tiempo a esa parte. Había olvidado hacerle una pregunta muy importante al director de Instituciones Penitenciarias el jueves. A Dean no le había hecho ninguna gracia.

—No me gusta la chaqueta de Emma —siguió diciendo Alexa, señalando con la cabeza a la reportera que, tras haberse escaqueado del viajecito a Heathrow, estaba dictando las respuestas de los deberes de historia a su hijo mayor a través del teléfono.

—No, Carta Magna, cariño... Carta Magna. Con ge.

—No le sienta nada bien —reconoció Thea. Tocó en su pantalla para ver la «base de telespectadores», o el archivo donde estaban los correos electrónicos de los telespectadores que Dean insistía en que todo el mundo estudiara para ver las sugerencias del público—. Sí, y los telespectadores nos dan la razón. Han mandado tres mensajes para criticarla después de las noticias del mediodía. El rojo le queda fatal.

Se echaron a reír y de repente experimentó una chispa de química. Aunque doblara la edad a Alexa, tal vez pudieran ser amigas. Su móvil comenzó a sonar.

—¿Diga? —preguntó todavía sonriendo.

—¿Eres Thea? —preguntó a su vez una voz masculina que no reconocía.

—Sí —respondió con frialdad.

Había colgados que llamaban todos los días al programa para decirle, por ejemplo, que eran la princesa Anastasia y que por diez mil libras le concederían una entrevista en exclusiva. No era algo que conviniera alentar.

—Soy Jake Kaplan. Nos conocimos en Greenways.

Peor todavía. El chico caritativo que quería decirle (¡sorpresa!) que por desgracia había niños viviendo en la calle.

—Hola —lo saludó con indiferencia.

—Hola. Acabo de volver de Guatemala y me preguntaba si te gustaría que quedáramos.

Su franqueza la dejó de piedra.

—¿Cómo dices?

Lo oyó reír.

—No me he expresado bien. Ayer mismo volví de Guatemala y se está cociendo una historia que creo que al *Informativo de las Siete y Media* puede interesarle, así que me preguntaba si te apetecería quedar para hablar del tema mientras nos tomamos algo.

—Ahora mismo estoy muy ocupada. ¿No puedes contármelo por teléfono?

—No —respondió él—. Es una historia muy importante. De verdad que tenemos que hablarlo cara a cara.

«Capullo engreído», pensó cabreada.

—Lo siento mucho, Jake, pero estoy hasta arriba de trabajo esta semana. ¿Por qué no me mandas un correo electrónico y me cuentas por encima de qué va? A lo mejor puedo hacerte un hueco la semana que viene. —«Y luego te daré plantón», concluyó para sus adentros.

—No estaré. Vuelvo a Guatemala. Cuanto antes nos veamos, mejor.

Thea puso los ojos en blanco. Vaya coñazo de tío.

—Mira, no puedo prometerte nada. Y de verdad que tengo que dejarte, estamos en mitad del programa y…

La dejó con la palabra en la boca.

—No pasa nada. Tu informativo se lo pierde. Llamaré a la BBC para darles la historia. Seguro que ellos la quieren.

«¡Ah, por ahí sí que no paso, enano!», pensó.

—Bueno, en ese caso me temo que tendré que vivir con las consecuencias. —Y le colgó. No volvería a llamarla. Nunca lo hacían.

18

Poppy estaba entre dos aguas con respecto a la cita con Bárbara. Llevaba toda la semana añadiendo cosas a la lista de lo que odiaba sobre la profesión de modelo: la presión para no comer, las críticas resentidas, los halagos a los gays que incluían alabar las fotos de Kylie Minogue, detalle imprescindible para evitar que los chicos de peluquería y maquillaje las dejaran hechas un adefesio...

Sin embargo, después de tres días contando con la ayuda de Brigita en la casa, era consciente de que si no encontraba trabajo, acabaría muerta por una mezcla de aburrimiento y de tristeza. Pasada la novedad de hacer sus necesidades en privado, echaba muchísimo de menos a Clara. Escuchar su risa en otra habitación le provocaba un dolor físico. Se pasaba el día detrás de ella para cogerla y darle un montón de besos, pero cada vez que lo hacía, Brigita la miraba con cara de cabreo.

—Ya te he dicho que es mejor que mami se quite de en medio. A divertirse, corre.

Poppy decidió que no tenía nada que perder si iba a ver a Bárbara. Así que, después de comprobar en dos ocasiones distintas que estaba en la agenda para el viernes, pasó un buen rato arreglándose y al final se decidió por unos vaqueros que disimulaban el michelín post-Clara y una camiseta de manga corta del mismo tono que sus ojos. No solía utilizar el secador de pelo para peinarse porque a Clara la asustaba el ruido;

pero, con Brigita al mando, decidió esmerarse con el secador y el cepillo redondo antes de maquillarse. Cuando se miró en el espejo, ni siquiera se reconocía. No se había arreglado tanto desde… En fin, prácticamente desde el día de su boda.

—¡Poppy! —gritó Glenda, mientras se asomaba con el bote de Pronto en una mano y el plumero en la otra—. ¡Buenos días!

—Hola, Glenda, ¿qué tal? ¿Cómo están los niños?

—Bien. Hablé con ellos el domingo después de ir a misa. Fernando sigue jugando al fútbol y estoy muy orgullosa de él. Maribel está preocupada porque ha discutido con una amiga. Los echo de menos.

—Debe de ser horrible.

Como siempre, Poppy se sintió abrumada por lo tontos que eran sus problemas en comparación con los de Glenda. Sin embargo, la asistenta se limitó a encogerse de hombros.

—Al menos, gano dinero. Hago todo lo que puedo por ellos. —La miró—. Hoy estás muy guapa, cariño. ¿Adónde vas?

—Podría decirse que tengo una especie de entrevista de trabajo.

—Con lo guapa que estás, seguro que consigues el trabajo que quieras. Buena suerte, corazón. Cuando sepas algo, dímelo.

—Vale. Te mandaré un mensaje.

El día era uno de esos engañosos que tanto se daban en primavera cuando el sol apretaba hasta el punto de que la gente se decidía a dejar los abrigos. Uno de esos días en los que los periódicos publicaban fotos de las chicas guapas que tomaban el sol en Hyde Park cerca de los narcisos y todo el mundo se sentía mal por disfrutar de otra de las pruebas de la existencia del calentamiento global, aunque al día siguiente el termómetro hubiera vuelto a bajar y todo el mundo empezara a buscar en internet algún lugar en el extranjero donde pasar las vacaciones. Poppy iba de camino al metro cuando se dio cuenta de que los hombres la miraban como hacía tiempo que no lo hacían. Y eso la animó mucho.

«Qué triste eres. ¡Estás casada!», se recordó.

Salió del metro en Oxford Circus y se internó en el laberíntico entramado de callejuelas del Soho en dirección a la ajada puerta negra de su agencia. La sala de espera estaba tal cual la recordaba, empapelada prácticamente con las portadas en las que habían aparecido las modelos más importantes de la agencia. En el pasado Poppy había sido una de ellas, pero su foto ya no estaba en la pared. En el sofá había una chica que no aparentaba más de doce años, cuyas piernas parecían infinitas, leyendo el *Harper's Bazaar*. La miró con cara de lástima como si hubiera entrado por error, procedente de alguna residencia de ancianos. La recepcionista, que como mucho aparentaba trece años, carraspeó.

—¿Puedo ayudarte?

—Vengo a ver a Bárbara.

—¿Tienes cita?

—Sí. Soy Poppy Price.

—¡Ah, sí! Pasa.

Poppy abrió la puerta de cristal y entró en la oficina principal con su embriagador aroma a velas perfumadas. La música que flotaba desde los diminutos altavoces competía con las voces de nueve chicas escuálidas sentadas alrededor de una mesa cuadrada que hablaban a gritos por teléfono como si estuvieran negociado los precios de venta del cobre en el centro financiero de Londres en vez de buscar a la candidata perfecta para anunciar un nuevo champú anticaspa.

—¿Alguien ha confirmado el fotógrafo para Alix?

—¿Habéis encontrado hotel para Kate?

Nadie la miró mientras caminaba hacia la oficina de Bárbara, situada al fondo a la derecha.

Llamó a la puerta de cristal y oyó que le daban permiso para entrar. Sorpresa, sorpresa, su antigua mentora estaba hablando por teléfono.

—Sí, vale. Bueno, ¿y si va al Priory? O a esa otra clínica de Jersey. Hola, Poppy, siéntate, cielo. Ahora mismo estoy contigo. Sí, sé que la última vez el personal vendió historias a la prensa rosa, pero despidieron a la culpable. Mira, si quiere someterse a un tratamiento de rehabilitación en Arizona, por mí, estupendo... me da igual. Pero que lo haga ya. Porque los clientes están empezando a hacer preguntas. Sí, han notado las marcas de pinchazos entre los dedos de los pies.

Poppy se fijó en la enorme foto enmarcada de Daisy McNeil que descansaba frente a ella en el escritorio.

«Para Bárbara con cariño. Te quiero muchisisisísimo. D xx»

—Mira, tengo que irme. Ha venido una vieja amiga a verme. —Sonrió a Poppy—. Vale, mantenme informada. Chao. ¡Poppy! —Se puso en pie y la besó—. ¡Poppy! ¡Has regresado de entre los muertos! Es un milagro.

—Bueno, tanto como morirme... Solo he tenido una niña.

—Estoy segura de que antes tenías sentido del humor —replicó Bárbara al ver la expresión dolida de Poppy—. ¡Era una broma!, y con eso demuestro lo que acabo de decir —añadió entre dientes—. Bueno, pues vamos a echarte un vistazo. —Se hizo el silencio mientras la examinaba de la cabeza a los pies—. Sí. Bastante bien. Seguramente deberías perder tres kilos, pero estás casi en forma. Estoy segura de que podré encontrar una sesión para algún catálogo. De hecho, creo que acaban de contratarnos para hacer un catálogo de una firma premamá.

—¡Vaya! —exclamó Poppy. Los catálogos eran el trabajo menos apreciado del mundo de la moda—. ¿Ninguna publicación?

—Es posible. Creo que Sharon ha dicho algo sobre una revista de cocina que busca chicas. Tendré que hablar con ella. Cariño, no me pongas esa cara. Ya cambiarán las cosas. Tal vez volvamos a conseguir que aparezcas en las revistas, pero como ya te he dicho, necesitas perder esos últimos kilillos. Los tienes todos en la cara, cielo, ese es el problema. Además, ¿cuántos años tienes ya? ¿Veintiséis?

—Veinticuatro.

—Tu vida útil está a punto de acabar. En lo que al mundo de las modelos se refiere, claro. Porque siempre hay mucho trabajo para las mujeres maduras, evidentemente. Y no te lo tomes a mal, pero mientras has estado fuera de circulación, el mundo de la moda ha cambiado por completo. Ya no se llevan las curvas. Vuelven a mandar las huesudas. Las cosas cambiarán dentro de un año, es lo de siempre, pero lo que las revistas piden ahora son chicas de aspecto desharrapado, y tú no lo tienes, gracias a Dios.

—¡Pero puedo tenerlo! —gritó, arrepintiéndose al momento de haberse lavado el pelo y las manos esa mañana.

Bárbara se echó a reír y meneó la cabeza.

—Poppy, tienes toda la pinta de una chica californiana perdida en Londres. Deberías estar corriendo por la playa en Malibú, no arrastrando los pies por el West End. —Le echó un vistazo a su Tag Heuer—. Mira, siento abreviar tanto las cosas, pero tengo un almuerzo de trabajo y antes de eso una conferencia con Tokio. Así que largo de aquí. Pero no te preocupes. Estoy segurísima de que saldrá algo. Te llamo lo antes posible. —Pulsó el botón del intercomunicador—. Cariño, haz pasar a Jasmine y dile que siento mucho haberla hecho esperar.

Y así, antes de que se diera cuenta, Poppy estaba de vuelta en la calle, donde tuvo que parpadear para adaptarse a la luz del sol. No acababa de creerse lo rápido que Bárbara la había despachado. El resto del día se extendía frente a ella de un modo tan desolador como un paisaje invernal. Podía ir a alguna exposición, supuso, aunque parecía haber perdido el apetito artístico, como si se hubiera comido un paquete de algodón absorbente, un truco al que las modelos recurrían a menudo. Decidió dar un paseo para despejarse.

Atravesó Soho Square, donde al cabo de una hora el césped estaría lleno de oficinistas almorzando alrededor de la curiosa cabaña, de la estatua del rey Carlos II y del banco en homenaje a Kirsty MacColl. Dejó atrás el estrecho callejón del Astoria que apestaba a orina, donde en una ocasión se escondió con su amigo Alex —que todavía no había salido del armario— para ver a Geri Halliwell, caminó junto al horrible rascacielos de Centrepoint y siguió por la deslucida New Oxford Street hasta llegar a las avenidas georgianas de Bloomsbury. La decepción que había sentido poco antes desapareció, reemplazada por la euforia de estar sola, sin un cochecito de bebé que empujar y sin la pasajera de dicho cochecito que normalmente la ralentizaba porque no paraba de pedirle zumo y tortitas de arroz.

Al llegar al British Museum decidió entrar. Había llevado varias veces a Clara a ver las momias, pero pensó que podía disfrutar del resto de las exposiciones. Cruzó el enorme vestíbulo por donde a Clara le encantaba correr. Una mujer que salía de la sala egipcia esperó a que ella entrara sosteniéndole la puerta.

—Gracias —le dijo Poppy, y después, cuando la reconoció, exclamó—: ¡Ah, hola!

—Hola —dijo Thea Mackharven.

—¿Qué haces tú aquí? —Se dio cuenta de inmediato de que la pregunta podía parecer grosera—. Lo siento. No me estoy cuestionando tus motivos para estar aquí, es que...

—Está cerca del trabajo. Suelo venir durante la hora del almuerzo.

—Claro —respondió, desesperada por agradarle—. ¿Qué parte te gusta más?

La mirada desdeñosa que se había quedado grabada en el alma de Poppy la noche de la cena en casa de Dean volvió a aparecer en todo su esplendor.

—Me gusta mucho la sala sumeria —contestó Thea con arrogancia.

—¡A mí también! Me resulta sorprendente que lo que antes fuera Sumeria ahora sea Irak. Me gustaba mucho leer sobre los Jardines Colgantes de Babilonia. Me parecía idílico, y ahora es un país polvoriento y destrozado. —Poppy sabía perfectamente que estaba parloteando sin ton ni son por culpa de los nervios—. Al menos eso es lo que dice Luke.

—Mmm. Luke y yo pasamos mucho tiempo en Irak.

La forma de decirlo hizo que a Poppy se le retorcieran las tripas.

—Bueno, ha sido estupendo verte —balbuceó mientras echaba un vistazo al reloj—. ¡Madre mía! ¡Mira qué hora es! Será mejor que me vaya.

—Adiós —dijo Thea, mientras Poppy se apresuraba a salir del museo preguntándose por qué la odiaba tanto aquella horrible mujer.

19

Había pasado una semana. Llevaba todo el día lloviendo a mares. Algunas zonas de Gran Bretaña sufrían la peor riada de su historia. Pero para decepción de Poppy, en Brettenden, donde esa misma noche iba a celebrarse la reunión de antiguos alumnos, no era así. A las seis en punto Meena la esperaba delante de la puerta de su casa en su flamante Audi, un regalo de su devoto padre, lista para llevarla al colegio donde ambas estudiaron.

—¡Dios!, ¿por qué has tardado tanto? —gritó Meena cuando, quince minutos más tarde, Poppy, que se había puesto como una sopa en los escasos tres metros que separaban la puerta de la casa de la verja de entrada, se metió en el coche de un salto—. Me he fumado por lo menos diez cigarrillos mientras te esperaba.

—Lo siento, lo siento. Clara me ha echado la cena encima del vestido que me iba a poner y he tenido que cambiarme en el último minuto.

—Joder, estoy cagada de miedo —dijo Meena con su habitual delicadeza—. Estoy tan nerviosa que creo que me voy a tener que tomar un Valium.

—No creo que sea una buena idea si vas a conducir —la reprendió Poppy en voz baja, pero su amiga estaba demasiado ocupada revisando su vestido.

—Dios, Poppy... Vale, estás guapa, como siempre, pero ¿no podrías haberte puesto algo un poco más alegre?

—¡Vaya!

Poppy se había visto bien con su vaporosa falda de gasa negra y un jersey azul. Observó a Meena, que llevaba unos vaqueros ceñidos y una camiseta verde. De algún modo había logrado el equilibrio perfecto: parecía haberse puesto lo primero que había encontrado y aun así estaba genial. Ella, en cambio, proyectaba la imagen de la madre sensata en la que se había convertido.

—Ostras, me muero de miedo —masculló Meena al tiempo que se miraba los ojos en el retrovisor y se metía por el carril de aceleración de la A40 con la lluvia aporreando el capó—. ¿Por qué me has obligado a ir, Poppy?

—¡Yo no te he obligado! Tú me has obligado a mí. Yo te dije que sería horroroso.

—¿Qué problema tienes tú? Estás casada con un hombre rico y famoso. Tienes una hija preciosa. ¿Y yo? Estoy soltera. Soy recepcionista. Tenía pensado conseguir mi objetivo a los veintiuno.

—Casarte no significa que hayas conseguido tu objetivo —replicó Poppy en voz baja.

Meena la miró mientras metía la quinta al entrar en la autopista.

—¿Otra vez Luke te está dando la lata?

—Bueno… Se ha enfadado porque le dije a la niñera que le pagaríamos doce libras la hora. Pero era él quien quería una niñera, no yo.

—¡Madre mía! —Meena se colocó delante de una furgoneta blanca. Poppy se agarró al asiento—. Está forrado, ¿no?

—No lo sé. Siempre se queja porque está en números rojos por las facturas de los internados de sus hijos.

—Pues que no los mande a colegios pijos. Siempre le decía a mi padre que era mejor que guardara el dinero para cuando quisiera operarme las tetas. O para pagar mi dote.

—Bueno, ¿qué me cuentas de los tíos? —le preguntó Poppy.

—La cosa está floja. Muy floja. No hay ejecutivos libres de momento. Todos están muy ocupados intentando conseguir las primas. Sigo suplicando a mis padres que me concierten un matrimonio con ese primo suyo que tiene una empresa de software en Bangalore, pero dicen que los matrimonios concertados ya están pasados de moda. Como si eso me importase.

Pese a la lluvia, tuvieron la sensación de que el trayecto hasta la alta verja tras la que comenzaba el largo camino de gravilla de Brettenden House había pasado en un abrir y cerrar de ojos.

—¡Socorro! Ahora sí que estoy muerta de miedo. Da la vuelta, Meena. ¿Por qué no nos atiborramos de curry en Henley? No soy capaz de enfrentarme a esto.

—¿En serio? —Estaban llegando al aparcamiento, donde las ruedas patinaron sobre el asfalto mojado—. Podría hacerlo, ¿verdad?

—Vamos. —Poppy asintió con la cabeza. Meena colocó la mano en la palanca de cambios y estaba a punto de dar marcha atrás cuando alguien golpeó la ventanilla.

—¡Meena! ¡Poppy! ¡Hola!

A través del cristal empañado por la lluvia vieron una cara redonda con unas gafas de montura negra. Una mata de pelo rojizo recogido en coletas. Un chubasquero verde de lunares.

—¡Joder! —exclamó Meena—. Es Lolly Frickman. Mierda, la última vez que la vimos estaba hecha un mar de lágrimas porque no la habían cogido para el papel de Yum Yum en la versión que montó la señorita Grinder de *Mikado*. —Lolly volvió a golpear la ventanilla, de modo que Meena la bajó con un suspiro—. ¡Lolly! ¡Dios, mírate! ¡Estás estupenda!

—Gracias —respondió Lolly con una sonrisa deslumbrante—, tú también. Me alegro de verte, Poppy.

—Lo mismo digo —contestó la aludida, que se dio cuenta de que no había vuelta de hoja. Salió del coche y contempló la fachada gótica del colegio, que relucía por la lluvia—. Puff, de vuelta al campo de concentración.

—¿No te gustaba el colegio? —preguntó Lolly con incredulidad.

—No, lo odiaba —respondió Poppy mientras subían a la carrera los escalones de piedra y abrían la enorme puerta de dos hojas que daba al vestíbulo principal.

El interior seguía oliendo a cera y a sudor adolescente, y las paredes todavía estaban cubiertas con pizarras verdes donde los logros de los antiguos alumnos se enmarcaban en pan de oro. Meena y Poppy siempre se habían reído al verlo. «Mayor número de donuts consumidos sin lamerse los labios: Meena Badghabi.» «Mayor número de excusas inventadas para librarse de jugar al baloncesto: Poppy Price.» Poppy decidió prestar atención a Lolly, que después de la animada conversación con Meena le estaba dando tironcitos en la manga.

—Bueno, Meena es directiva del grupo Holmes Place. ¿Qué hay de tu vida, Poppy?

—Estoy casada. —Y añadió a la defensiva—: Felizmente casada.

Lolly se echó a reír.

—¡Estás de coña! Porque estás de coña, ¿verdad?

—No —contestó Poppy mientras entraban en el antiguo salón de actos, lleno de mujeres gritonas. Dios, ¿esa era Amelia Crinch? Seguro que se había operado la nariz—. Tengo una hija pequeña.

—¿En serio? —replicó Lolly al tiempo que cogía una copa de vino blanco de una mesa y se la bebía de un solo trago—. Qué madura. No creo que pudiera hacer frente a un bebé ahora mismo. ¡Qué asco con los pañales! Y las noches en vela. No, muchas gracias.

—No es tan malo —dijo Poppy, un tanto dolida porque no la hubiera felicitado ni le hubiera pedido ver fotos—. Y tú ¿a qué te dedicas?

—Soy contable. —Jugueteó con una de las coletas—. Conseguí una beca cuando me licencié. Es increíble. Conozco a todo tipo de gente, y el sueldo también es genial. Acabo de dar la entrada para un apartamento en un edificio de nueva construcción en Paddington.

—¡Yo vivo cerca de allí! En Maida Vale.

No supo muy bien por qué, la verdad, sobre todo porque nunca le había caído bien Lolly, que tenía el dudoso honor de ser la chica más aburrida de Brettenden House a pesar de la feroz competencia por el puesto, pero le resultó muy duro cuando, en vez de decir «¡Qué bien! Tenemos que quedar un día», su antigua compañera comentó:

—Ah, vale.

—Pues eso —dijo Poppy. Por extraño que pareciera, se sentía humillada. Su vida debería ser el sueño dorado de todas las mujeres: estar casada con un hombre maduro y rico, tener una hija preciosa, vivir en una maravillosa zona de Londres y encima tener niñera. ¿Por qué la gente con trabajos de oficina la miraba por encima del hombro?—. Tengo que ir al servicio —murmuró—, así veré si siguen tan sucios como de costumbre. —Pero cuando se volvió, escuchó un grito.

—¿¡Poppy!? ¿Eres Poppy Price?

Una mujer muy elegante con una melenita morena y embutida en un minivestido verde, con botas altas de color negro y un bolso que Poppy reconoció como perteneciente a la última colección de Balenciaga, se estaba acercando. De repente se le ocurrió que podía fingir no reconocerla, pero ¿para qué?

—¡Migsy Remblethorpe! —Migsy era una de las chicas guays de su promoción, siempre rodeada por otras chicas guays que se reían de sus comentarios maliciosos y copiaban sus modelitos. Jamás le había dirigido la palabra, salvo para pedirle un par de veces que le pasara la sal—. ¿Cómo estás?

—Muy bien. Estupendamente. Me resulta raro que me llamen Migsy, llevo siendo Michelle durante años. Bueno, ¿qué me cuentas de tu vida?

—Soy modelo —dijo Poppy. Ni de coña volvería a soltar que era madre.

—¿En serio? Creí que tenían que ser... bueno, anoréxicas o algo. No sabes cuánto me alegra ver a una mujer de verdad en la profesión.

A lo mejor debería haber mentido.

—Bueno, era modelo, pero tengo a una hija pequeña, así que... ¿Y qué hay de ti, Migsy?

Migsy sonrió con engreimiento.

—Trabajo para la revista *Wicked*. ¿La conoces? Soy la editora de contenidos. Es muy divertido. Viajo por todo el mundo y conozco a muchos famosos.

—Cuenta, ¿a quién conoces?

—Bueno, mañana voy a entrevistar a Marco Jensen. ¿Lo conoces? Es el bombón que da las noticias en el *Informativo de las Siete y Media*.

—Él no da las noticias de ese informativo. Es mi marido quien lo hace.

—¿¡Tu marido!? —Migsy gritó tan alto que el grupito que tenían al lado, donde estaba Fleur Mappleton-Wise, cuyo padre al parecer poseía todo el condado de Northamptonshire, dejó de hablar para mirarlas.

—Sí. —Poppy sintió que el orgullo le hinchaba el pecho—. Luke Norton.

—¿¡Luke Norton!? —chilló Migsy, de modo que las rubias volvieron a mirarlas—. ¿En serio? ¿Te refieres al sinvergüenza?

—Yo...

—¿¡Y tú eres la zorra!? —A juzgar por su expresión, cualquiera habría dicho que Migsy había descubierto a Bin Laden disfrazado con uniforme de colegiala.

—Bueno...

—Dios, Poppy, me encantan esas columnas. Son hilarantes. Y todas hablan de ti. ¡Dios mío! —En sus labios apareció una lenta sonrisa—. Creo que deberíamos mantenernos en contacto. ¿Tienes cuenta de Facebook?

—Esto… No. No puedo hacer nada con el ordenador porque mi hija se entretiene tirando de los cables.

—¿¡Que no tienes cuenta de Facebook!? —Migsy miró a Poppy como si acabara de admitir que le gustaba bajarse las bragas en público—. Vale. No pasa nada. ¿Llevas tarjeta de visita encima?

—Pues no. Lo siento.

Migsy se apresuró a buscar en su enorme bolso verde y sacó su móvil.

—Vamos, dame tu número de teléfono.

Poppy se lo dió y Migsy lo anotó en la agenda.

—¡Genial! —exclamó, y después le dio un par de besos en las mejillas—. Te llamaré pronto. Venga, vamos a tomarnos algo. Así recordaremos los viejos tiempos.

—Me gustaría mucho, sí —dijo Poppy, que se preguntó en qué se había convertido su vida para decirlo en serio.

20

Poco antes de que Poppy y Meena se dispusieran a deslumbrar Brettenden House, Thea estaba con el agua hasta las rodillas en la plaza de Fordingley, un pueblo situado en algún lugar entre Gales y Gloucestershire. Llevaba un chubasquero muy poco favorecedor y se le había corrido la máscara de pestañas. En una mano tenía el paraguas con el que intentaba protegerse de la lluvia y en la otra, el móvil.

—Sí, acabo de mandarte la grabación —le decía a Johnny, el realizador encargado ese día del programa, con una nota satisfecha en la voz por encima del repiqueteo de la lluvia—. Un pueblo devastado por las peores inundaciones que se recuerdan en treinta años. La gente en barca por la calle principal. Una madre y su recién nacido sin hogar. Todos quejándose porque el gobierno sabía que esto podía pasar, pero nadie ha hecho nada para evitarlo.

—Genial, Thea. Te felicito por haberlo enviado tan pronto. Estoy impresionado.

Thea sonrió de oreja a oreja. Enviar el reportaje más de una hora antes de la emisión del programa era toda una hazaña, pero ella era así de eficiente.

—¿Marco está listo para el directo? —preguntó Johnny—. Está programado para las siete y ocho minutos.

—Por supuesto.

—¿Está por ahí? Me gustaría decirle un par de cosillas.

—Pues no, acaba de entrar al pub porque necesitaba ir al baño.

Cosa que no era cierta, la verdad. Marco estaba en *El cerdo y el silbato*, sí, el hostal donde se alojaban, pero más bien estaría retocándose el maquillaje en su habitación. Y ella estaba encantada por el respiro. Marco llevaba dándole el coñazo desde las nueve de la mañana, cuando entró en el Ford Galaxy que conducía George, el cámara, que era el encargado de llevarlos al pueblo que había sufrido la peor inundación de Gran Bretaña. Desde que vio a Marco salir por la puerta de su casa, Thea supo que el día iba a ser larguísimo.

—¡Por Dios! —exclamó él cuando se sentó en el asiento del copiloto (como la «estrella», ese era el sitio que le correspondía)—. No me puedo creer que Johnny me haya asignado esta historia. Tengo una resaca de cojones. Anoche salí con Jonathan y Jane… —Hizo una pausa. Al igual que sucedía con todos aquellos que presumían de tener amigos famosos, Marco nunca utilizaba los apellidos de las personas a las que se refería porque eso implicaría que no los conocía tanto como quería dar a entender. Sin embargo, estaba en una tesitura, porque quería que la gente supiera de quién hablaba. Era un dilema horrible—. Salí con Jonathan y Jane —siguió al ver que ni Thea ni George mordían el anzuelo—. Nos lo pasamos de puta madre. Jonathan se pasó de la raya, porque hoy tiene grabación, pero como es un profesional…

—¿Te refieres a Jonathan O'Connor? ¡Ah, no! Que ese es Des O'Connor, ¿verdad?

Thea sonrió al captar el deje sarcástico de George. No tenía sentido intentar impresionar a un cámara; en general estaban tan de vuelta de todo que George ni siquiera se sorprendería si Kate Moss subiera desnuda al coche en ese momento y le pidiera que la llevara al hotel de cinco estrellas más cercano para echar un polvo.

—Me refería a Jonathan Ross. —Marco no pudo seguir mordiéndose la lengua más rato—. Un tío genial. Lo conocí el año pasado cuando me encargaba de la sección de deportes. El caso es que tengo una resaca bestial y encima esta noche celebramos el cumpleaños de Stephanie y está cabreadísima. Debería estar reservando mesa en el Ivy, no de camino al salvaje oeste para hablar con cuatro paletos follaovejas.

—Deberías haber hecho la reserva hace meses —dijo Thea—. Creo que es mejor que no estés en la ciudad…

—Cariño, ¿sabes con quién estás hablando? —replicó Marco con voz de imbécil, para que Thea supiera que estaba bromeando. Pero ella no se dejó engañar—. Soy un famoso, cariñín. Capaz de conseguir una mesa en el Ivy cuando me dé la gana. Tengo que llevarte algún día. —Se produjo un silencio mientras George seguía conduciendo y Thea hacía averiguaciones relacionadas con la noticia de la inundación en su Blackberry. Marco no soportaba la idea de que no le prestaran atención—. ¿Es que no había otro que pudiera cubrir esta noticia para que yo me quedara calentito y seco en el estudio?

—Es una noticia importante, Marco, y como uno de nuestros mejores reporteros, eras la elección lógica —contestó Thea, alzando la voz para hacerse oír por encima del ruido de los limpiaparabrisas.

George era un conductor fantástico, pero dadas las condiciones meteorológicas, ni siquiera él podía ir a más de sesenta por hora, y la posibilidad de que la competencia se les adelantara le ponía los pelos de punta.

—En fin, da igual —replicó Marco al tiempo que se encogía de hombros—. Aquí no hay nada más que delincuentes. Lo mejor que podría pasarles a estos palurdos es que se los llevara una riada.

Decidida a no morder el anzuelo, para Thea fue un alivio que su teléfono sonara en ese momento.

—Hola, sí, soy Thea Mackharven. ¡Ah, hola, señora Emory! Sí. Ahora mismo va de camino a Fordingley un equipo del *Informativo de las Siete y Media* y como usted es la presidenta de la asociación de vecinos, nos encantaría entrevistarla… Sí, Marco Jensen. ¡Lo sé, lo sé! Sí, él también está deseando conocerla. ¿Le gustó el collar que llevaba Emma anoche? Por supuesto que se lo haré saber, claro. —Y colgó, contentísima consigo misma por haber conseguido que la señora Emory encontrara una madre con un recién nacido que se hubiera quedado sin casa por la inundación y que esta quisiera hablar en exclusiva con Marco.

—No acabo de creerme que se haya creado tanto revuelo con todo esto —siguió refunfuñando Marco cual mosquito incansable—. ¿Es necesario que pasemos la noche allí?

—Pues sí. Dean nos quiere en el pueblo mientras siga lloviendo.

—¡Por Dios! Seguro que se parece al diluvio de Noé, cuarenta días lloviendo para castigar a los aldeanos por incesto y por beneficiarse a las ovejas.

—¿Dónde nos alojaremos, Thea? —lo interrumpió George. Era un hombre parco en palabras y que iba directo al grano—. ¿Tiene bar?

—Supongo. Es un hostal típico con pub.

—¡Un hostal! —exclamó Marco, horrorizado al mismo tiempo que George gritaba:

—¡Genial!

A todos los cámaras les pasaba exactamente lo mismo. Daba igual lo importante que fuera la noticia, o lo rústico del lugar, lo principal era el bar. El once de septiembre: «Genial, los bares de Nueva York son legendarios». El funeral de la princesa Diana: «¿Podremos escaparnos a algún bar?». La ejecución de Saddam Hussein: «Irak es mucho mejor que otros países musulmanes a la hora de conseguir alcohol». El primer viaje a la luna con periodistas invitados: «Vale, ¿estará abierto el bar?».

Claro que, en cuanto llegaron a Fordingley, la cosa cambió por completo. George se convirtió en el profesional eficiente que era, mientras Marco se camelaba a la señora Emory a base de autógrafos y de cumplidos, según los cuales no aparentaba más de cuarenta y cinco. Incluso le hizo carantoñas al bebé de la madre que se había quedado sin casa mientras Thea observaba la escena con reticente admiración. Al igual que Luke, era capaz de hacer cualquier cosa con tal de encantar a las serpientes. Entre los productores era una fuente de continua irritación que las «estrellas», conocidas también como «presentadores», ganaran mucho más que ellos. Sin embargo, al verlos utilizar su encanto, se entendía que fueran capaces de camelarse al mismísimo demonio.

En ese momento Marco estaba meneando la cabeza mientras el señor Willis, un miembro de la asociación de vecinos, se quejaba de que llevaban años ejerciendo presión para que construyeran diques efectivos, pero que nadie les había hecho caso.

—Creíamos que esta vez sería distinto porque las elecciones están a la vuelta de la esquina —añadió—. La verdad, pensaba que los peces gordos se pasarían por aquí para hacernos la pelota, pero parece que no están por la labor ni de conseguir nuestros votos.

—Políticos… ¿Qué sabrán ellos? —replicó Marco al tiempo que meneaba la cabeza.

Una hora después, en el hostal y sentados en la cama doble de Thea, cuyo colchón estaba lleno de bultos, el cuento cambió un poco.

—Creo que el tío se pensaba que a mí me importa el tema cuando en realidad me la suda —se burló Marco.

Ya habían preparado la cinta, un proceso que incluía la edición del vídeo y la grabación de la voz de Marco. Lo único que les quedaba por hacer era el directo cuando el *Informativo* estuviera en emisión. Luke, vía satélite, pediría a Marco, situado en el rincón del pueblo donde más agua hubiera, que le hiciera un resumen de la situación.

—Listo —dijo Marco, después de visionar la cinta por

segunda vez—. Buen trabajo. Voy a llamar a Stephanie y a echarme un sueñecito. Hasta luego.

—A las seis y cuarto en la plaza del pueblo —le recordó Thea mientras él iba camino de la puerta.

—¿A la seis y cuarto? No seas tonta, es demasiado temprano. A las seis y media.

—A las seis y cuarto, Marco.

—¿Para pasar una hora y pico bajo la lluvia?

Thea sonrió con dulzura.

—Con este tiempo pueden ocurrir un montón de fallos técnicos. A las seis y cuarto.

—Lo que tú digas —aceptó, antes de cerrar la puerta con más fuerza de la necesaria.

Thea la miró, disgustada. En la época en la que ella se marchó a Estados Unidos, Marco siempre estaba dispuesto a hacer cualquier cosa e incluso se ofrecía voluntario para trabajar los fines de semana, el día de Navidad, los puentes o incluso el día del funeral de su madre con tal de escalar posiciones. Desde que se había convertido en presentador ocasional, se había transformado en una *prima donna* que le daba mil vueltas a Mariah Carey. El cansancio volvió a invadirla. Poco tiempo antes adoraba esa vida: la emoción de no saber dónde iba a acabar por la noche, el desafío de conseguir a las personas apropiadas para entrevistarlas, incluso las discusiones con los reporteros. Sin embargo, últimamente tenía la impresión de que ya lo había visto y lo había hecho todo antes. Se estaba convirtiendo en alguien como George —salvo por la barriga cervecera y el bigote al estilo de Clark Gable—. Pero ¿qué se podía hacer después de haber conseguido el mejor trabajo del mundo? Cualquier cosa sería un retroceso.

A lo mejor debía reservar unas vacaciones. Planear algo que le hiciera mirar con ilusión hacia el futuro. Egipto sería un destino ideal en esas fechas. Podría salir a bucear. Un año antes había llamado a Rachel y le había preguntado si le apetecía tomarse un descanso. Evidentemente, en esa ocasión era imposible. Thea se vio como una de esas mujeres a las que todo el mundo compadece porque la única compañía que tienen para cenar es un libro y porque se ven obligadas a ponerse una alianza en el dedo para evitar los intentos de seducción de los camareros extranjeros en busca de un pasaporte británico. Muy mal. Siempre había deseado ver la esfinge y las pirámides. La idea del Antiguo Egipto hizo que se acordara de la zorra y de su encuentro en el Museo Británico unos días antes. Ella tenía por costumbre visitar el museo cuando le apetecía desconectar del trabajo, pero ver allí a Poppy Norton le había resultado tan extraño como encontrarse con Paris Hilton en una convención de neurocirujanos.

Sentía curiosidad por saber a qué narices dedicaba los días esa chica. Dean había mencionado de pasada que Luke y ella habían contratado a su antigua niñera, así que ya no se dedicaba a su hija en exclusiva. ¿Cómo era posible que una mujer no deseara tener una vida laboral? Era un concepto tan ajeno a su mentalidad como el de pintarse ponis en las uñas o el de llevar vaqueros firmados por Victoria Beckham. Claro que la zorra seguro que hacía todo eso. ¿Cómo había podido desperdiciar tanto tiempo con un hombre al que le gustaba ese tipo de mujer?, se reprendió mientras cerraba su portátil de golpe. Menos mal que por fin había visto la luz.

No tenía ningún sentido seguir cavilando en esa habitación tan cutre. Se puso el chubasquero y bajó al bar, donde vio a George tomándose una buena pinta y charlando con la camarera.

—Siento interrumpirte, pero deberíamos irnos a la plaza para preparar el directo.

—Vale. —George apuró la cerveza de un trago—. Si te digo la verdad, me estaba poniendo un poco paranoico ahí dentro. Los demás estarán todavía trabajando y eso me pone nervioso, como si hubiéramos metido la pata o algo.

—No hemos metido la pata, es que somos muy eficientes

—le aseguró—. Pero precisamente para no meter la pata vamos a preparar las cosas con tiempo.

La distancia desde el hostal hasta la plaza del pueblo, anegada de agua, se recorría en unos cinco minutos. El resto de las televisiones ya habían tomado posiciones: la BBC, la Sky, ITN y Channel 4. Thea los saludó con la mano mientras chapoteaban en dirección al lugar que habían marcado como suyo.

—Son las seis y veinte —dijo George cuando lo colocaron todo—. ¿No debería haber llegado Marco?

—Pues sí —contestó—. Le dije que a las seis y cuarto, pero estoy segura de que viene de camino. Se habrá retrasado susurrando tonterías a su novia por teléfono.

—¿Y si le das un toque?

—Ahora voy.

Sin embargo, Marco tenía activado el buzón de voz. Thea le dejó un mensaje diciéndole que se diera prisa, y después siguió comprobando que todo estuviera en su sitio. Volvió a llamarlo al cabo de cinco minutos. Y lo hizo una tercera vez otros cinco minutos después.

—Me cago en diez, va a llegar por los pelos.

—Está a cinco minutos caminando —le recordó Thea, decidida a disimular que por dentro estaba que echaba humo—. Si no aparece a las siete menos cuarto, iré corriendo al hostal y lo traeré a rastras.

Mientras hablaba, se oyó un grito a su espalda. Cuando volvió la cabeza, se quedó alucinada y abrió la boca como si fuera un personaje de dibujos animados al que se le hubiera desencajado la mandíbula. A escasos metros de distancia estaba el primer ministro, ataviado con los pantalones impermeables típicos de los pescadores. Un grupo de asesores lo rodearon mientras tomaba las manos del señor Willis para escuchar sus problemas.

—¡Joder! ¿Qué coño está haciendo aquí?

—Una puta aparición sorpresa —respondió George, que

cogió la cámara y comenzó a caminar hacia él—. Mierda, mira. Todos van a por él.

Era cierto, el resto de los equipos de televisión corrían por la plaza pertrechados con las cámaras y los micrófonos para conseguir ser los primeros en hablar con el primer ministro.

—¡Mierda! —gritó Thea.

Sí, vale, no podía quejarse de haber perdido su casa bajo dos metros de agua, pero a sus ojos, lo que estaba a punto de suceder era igual de desastroso. La aparición del primer ministro era la oportunidad para que un reportero le pidiera explicaciones sobre cómo y por qué se había equivocado el gobierno de una forma tan estrepitosa. Era la clase de imagen que daba prestigio a un programa. La certeza de que sus periodistas, de que sus reporteros, no tenían miedo de hacer preguntas directas y arriesgadas. Sin embargo, como Marco no había llegado, no podían hacer nada. Volvió a marcar su número, pero todavía saltaba el buzón de voz.

—Mierda, mierda, mierda. ¡Esto es una pesadilla! —masculló.

Francesca Broome, de Sky, había colocado el micrófono prácticamente debajo de la nariz del primer ministro y estaba asintiendo frenéticamente con la cabeza.

—… horrorizados por la situación que se está viviendo aquí. Las ayudas serán completas e iniciaremos una investigación…

En ese momento, el teléfono de Thea sonó.

—¡Marco! —gritó.

—No, qué coño Marco, ¡soy Dean! ¿Dónde está Marco? No lo vemos por ningún sitio.

Mierda. Ese era el problema con Sky. Que estaba a todas horas conectada en la redacción, así que cada vez que un equipo del *Informativo* cubría alguna noticia con el resto de la jauría —cosa que sucedía el noventa por ciento de las veces—, los jefes los tenían controlados al milímetro.

—Marco está desaparecido en combate —contestó con brusquedad—. Estamos intentando dar con él.

—¿Un profesional como Marco? Me extraña que un tío como él no esté ahí.

—Lo estará ahora mismo. —Colgó y agarró por el brazo a un hombre muy delgado que le pareció un jefe de prensa—. ¿Qué coño está pasando? ¿Por qué no nos ha avisado nadie de la visita del primer ministro?

—Precisamente para que fuera una visita sorpresa. De todas formas, ibais a estar todos aquí para cubrirla.

—¡Mierda!

La situación era humillante. No podían permitir que todas las televisiones menos el Canal 6 acribillaran a preguntas al primer ministro. Quedarían fatal. Y rodarían cabezas.

—¿Hará una rueda de prensa general? —preguntó al jefe de prensa mientras Lola Bindleman, de la BBC, se adelantaba para hacer su trabajo.

—Por supuesto, pero no se quedará más de diez minutos. El helicóptero lo espera para llevarlo a Brize Norton y de allí volará directo a Alemania para asistir a una cena con los mandatarios de la Unión Europea.

—Marco —masculló cuando volvió a saltar el buzón de voz—, ¿dónde cojones te has metido? ¡Date prisa!

—Lo siento —le dijo el jefe de prensa—, no puede retrasarse más.

—¡Vale, vale! ¡Lo entrevistaré yo! —Thea cogió el micrófono con torpeza y se adelantó—. Primer ministro, Thea Mackharven, del *Informativo de las Siete y Media*.

Al ver que tenía el pelo empapado y la máscara de pestañas corrida, el primer ministro retrocedió un paso con gesto nervioso.

—Me estaba preguntando cómo es posible que el gobierno tenga la caradura de presentar este paquete de ayudas a estas alturas. Al fin y al cabo, es el tercer año consecutivo que la zona sufre inundaciones.

George era un profesional. Mantuvo la cámara fija con un primer plano del primer ministro que, a pesar del susto de verse atacado por lo que parecía una gitana que podría intentar plantarle un ramillete de romero en la solapa para que le diera buena suerte, comenzó a soltar la consabida retahíla de disculpas.

—¡Thea! —gritó alguien tras ellos.

Thea miró hacia atrás y vio que Marco llegaba corriendo con el cuello de la gabardina levantado, lo que le daba un aire de detective privado muy sofisticado.

—De acuerdo, Marco ha llegado —le dijo al jefe de prensa—. Rápido, ¿podemos repetirlo para que sea él quien le haga las preguntas?

—No, lo siento. Tenemos que irnos.

Y condujeron al primer ministro hasta un lugar donde no hubiera agua, seguidos por los crujidos de la estática de un sinfín de radios.

—¿¡Dónde cojones te has metido!? —gritó Thea.

—¡Como si no lo supieras! Estaba en el hostal. ¿Por qué coño no me has llamado?

—¡Te he llamado mil veces!

—Ni hablar. —Sin embargo, la expresión de su cara delataba que mentía. Había estado todo el rato hablando con Stephanie y había hecho caso omiso del pitido de la llamada en espera.

Claro que Thea sabía muy bien que no podía acusarlo de mentir.

—Da igual. Deberías haber estado aquí mucho antes.

—Me dijiste que no llegara hasta las siete menos cuarto.

Thea lo miró con desdén.

—Ni hablar —replicó con deliberada lentitud—. Te dije que a las seis y cuarto.

—Me dijiste que a las siete menos cuarto. —Y se miraron como dos perros a punto de enzarzarse en una pelea.

Marco iba a mentir, comprendió Thea de repente. La cosa iba a ponerse cruda y Marco había decidido dejarle todo el marrón a ella.

El teléfono comenzó a sonar. Las recriminaciones estaban a punto de llegar.

—¡Thea! —Era Dean con tono amenazador—. ¿Qué cojones está pasando?

21

Dean no estaba enfadado. Estaba indignado, ofendido, contrariado, alterado, molesto, irritado, resentido o en sus propias palabras:

—¡Hasta los huevos! Estoy tan contento como un rinoceronte en cuanto ve a un cazador. La cagada de anoche es imperdonable. Hicimos el ridículo delante del resto de las cadenas.

Apretujados en el despacho de Dean para esa reunión, el personal del *Informativo de las Siete y Media* se miró los pies y las uñas; miró a cualquier sitio menos a Thea.

Dean levantó la mano e hizo el mismo gesto que debieron de hacer los emperadores romanos para indicar que soltaran a los leones estando los cristianos en el circo.

—¡Thea! Tú eres la culpable de este desastre. Te despediría si pudiera, pero Roxanne dice que primero tengo que darte un aviso. Así que ya estás avisada, guapa. Vuelve a cagarla y te doy la patada.

Se produjo un silencio muy incómodo.

—Vale —dijo Thea a la postre.

Lanzó una mirada elocuente a Marco con la esperanza, a pesar de todo, de que cargara con una mínima parte de la culpa, pero el tío tenía la vista clavada al frente. Solo el movimiento nervioso de sus mocasines de Prada indicaba que a lo mejor sentía una punzada de culpa.

—Estupendo. —Dean se volvió hacia el editor del programa matinal—. ¡Sunil! Quiero que el programa de esta noche haya mejorado a la enésima potencia. Y quiero al «Padre del Cáncer».

—¿Cómo? —Sunil Syal se subió las gafas por su sudorosa nariz.

—¡Ponte las pilas! El puto «Padre del Cáncer». Está en la página cinco del *Express* de hoy. Un padre viudo de tres hijos cuya mujer murió al dar a luz a gemelos y al que acaban de diagnosticarle cáncer de pulmón terminal. Sin haberse fumado un solo cigarrillo en la vida. ¿No es genial? Tenemos que entrevistarlo.

—Ah, el «Padre del Cáncer». Claro. Rhys ya está trabajando en el caso. ¿Verdad que sí, Rhys?

—No, yo… —Una mirada de Sunil lo cortó en seco.

Por suerte, Dean no se dio cuenta y siguió a lo suyo.

—Queremos que se eche a llorar, rodeado de esos niños con cara de pena. Será genial.

—Sin problemas —se apresuró a asegurarle Rhys.

—Hace falta más —les advirtió Dean—. Estoy buscando algo muchísimo más especial. Thea, es una pena que no pueda flagelarte, pero voy a buscar un potro al que atarte. Te hice volver de Estados Unidos porque creí que tenías talento. Después de la cagada de anoche quiero que me consigas una exclusivaza, nada de mierdas de tres al cuarto. Una revelación que derrumbará al gobierno. O mejor aún… una exclusiva del famoseo. Una entrevista con Tom Cruise en la que confiese que es una mujer. Que descubras a Elvis trabajando como ascensorista en Harrod's. Que el duque de Edimburgo admita que mandó asesinar a la princesa Diana. En otras palabras, un puto bombazo. *Capichi?*

—No hay problema —contestó Thea tan tranquila como un estanque para patos en un día sin viento.

Por dentro, sin embargo, era como una barquita bajo el asalto de un ciclón en pleno Atlántico. Jamás le habían echado una bronca semejante en público. Lo injusto de la situación hacía que le dieran ganas de estampar algo contra la pared. Se habían pasado el trayecto de vuelta a Londres (Dean les había ordenado que volvieran todos para la investigación) discutiendo sobre quién era el culpable. Marco se empeñaba en negar que ella le hubiera ordenado que apareciera a las seis y cuarto. Era su palabra contra la de ella, y sabía que solo era una productora, mientras que Marco era la estrella en ciernes. Y como todos los que trabajaban detrás de las cámaras sabían, las estrellas siempre obtenían el beneficio de la duda. El Canal 6 a lo mejor la echaba de menos si se marchaba, pero el mundo exterior nunca se enteraría. Si Marco se iba, un montón de mujeres a lo largo y ancho del país se suicidaría en masa. No podía hacer nada, solo repetirse una y otra vez que ella tenía razón.

Lo peor del asunto era que nadie ajeno al mundillo de los informativos entendería a qué venía tanto escándalo. Al fin y al cabo, el programa había salido bien. Marco había estado en su puesto para la sección «en directo» que se hacía desde el estudio; de hecho, el único elemento un poco dudoso fue la entrevista con el primer ministro. Aun así, habían conseguido insertar medio minuto de más como «noticias de última hora durante el directo». Sin embargo, mientras el resto de las cadenas habían hecho un hueco para emitir el acoso de sus reporteros al primer ministro por la falta de previsión de su ejecutivo y por no preocuparse por el país, el *Informativo de las Siete y Media* solo había conseguido treinta segundos de metraje en los que el hombre hacía comentarios insulsos sobre el terrible desastre y sobre las intenciones del gobierno para ayudar en todo lo posible. De cualquier modo, como muy bien sabía ella, esa pifia no iba a entrar en los anales del periodismo; pero en los despachos donde se enorgullecían de la perfección era una cagada de las que hacían época.

Después de que la despacharan, volvió a su escritorio con

la cabeza alta y la espalda bien derecha. Todo el mundo evitaba mirarla a la cara. Ella clavó la vista en el monitor, aunque las lágrimas le impedían ver lo que tenía delante. Tenía que encontrar una exclusiva. «Sí, claro, ahora mismo la pido por internet», pensó. Necesitaba alguien con quien desahogarse. Cogió el teléfono y llamó a Rachel.

—Hola, en estos momentos no puedo atenderle. Si desea…

Colgó y llamó a Dumberley.

—Dumberley, 69027.

—Hola, mamá, soy yo.

—¿Thea? —Jan parecía emocionada, pero la preocupación no tardó en aparecer en su voz—. ¿No te reñirán por llamar desde el trabajo?

—No, no pasa nada. —Esperó, dividida entre el deseo de decirle a su madre lo dolida que se sentía y, como de costumbre, el afán por proteger sus sentimientos—. ¿Cómo estás?

—Muy bien. ¿Has visto el espectáculo de Andrew Lloyd Weber? ¿A toda esa gente compitiendo por un papel en su musical? ¡Thea, es maravilloso! Son todos estupendos, no sé a quién elegir, aunque si tuviera que quedarme con uno…

A Thea la asaltó una abrumadora oleada de cariño por su madre.

—¿Te gustaría que sacara entradas para verlo? Podríamos ir juntas. Podrías venir a Londres y pasar la noche conmigo.

—Ay, cariño, gracias, pero no. ¿Quién iba a prepararle el té a Trevor?

—¿No podría calentárselo en el microondas por una vez? —Se sentía muy sola. La abuela lo habría entendido. Sintió la presencia de alguien tras ella. Se volvió y vio a Luke.

—Hola —la saludó.

Ella se puso como un tomate.

—Hola —articuló con los labios antes de añadir en voz alta—: Espera un momento. —Se concentró de nuevo en el teléfono e interrumpió a su madre—. Mamá, oye, lo siento mucho, pero tengo que dejarte. Un problema en el trabajo.

Solo quería saber que estabas bien. Te llamaré pronto… Sí… Genial… Vale, nos vemos entonces. ¡Adiós! —Colgó e intentó sonreír.

—Bueno, ¿cómo te va? —preguntó él.

—Bien, gracias. ¿Y a ti?

—Genial. —Luke sonrió antes de bajar la voz—. Lo de antes ha sido exagerado. Dean es un capullo. Se ha pasado tres pueblos.

Thea esbozó una sonrisa torcida.

—Gracias, Luke.

—Bueno, es la verdad. —Luke la miró. Directo a los ojos. Y Thea se sintió como la mantequilla recién untada en una rebanada caliente—. Mira —siguió él entre dientes—, todo el mundo sabe que ese niñato de Jensen te ha cargado el muerto. George está corriendo la voz. No te preocupes, Dean se va a enterar enseguida. De todas formas… ¿te apetece tomar una copa esta noche?

A Thea se le subió el corazón a la garganta, como cuando descendía esquiando una pista negra. Había fantaseado con ese momento en un sinfín de ocasiones, y se había imaginado rechazándolo de plano, diciéndole que estaba demasiado ocupada planeando su huida con sir Trevor McDonald. Pero a la hora de la verdad solo fue capaz de decir:

—Yo… esto…

Luke hizo ademán de alejarse.

—Si estás demasiado ocupada, no pasa nada.

—¡No! ¡No estoy demasiado ocupada! —exclamó al mismo tiempo que Rhys aparecía por detrás de Luke—. Sería estupendo.

—No dejes que esos cabrones te hundan. Nos vemos luego. Y a la mierda con la copa, mejor cenamos. —Se alejó.

Thea lo observó alejarse un segundo antes de decir:

—Hola, Rhys. ¿En qué puedo ayudarte?

—Esto… siento lo que te ha pasado.

—Tranquilo. —No soportaba el hecho de que un ayudante general que seguía en el colegio con la tabla del cinco cuando ella estaba consiguiendo exclusivas sobre los talibanes le tuviera lástima.

—Se me ha ocurrido algo. Una entrevista muy importante.

—¿En serio?

—Sí. Me ha venido a la cabeza Minnie Maltravers.

Thea sonrió con amabilidad, en absoluto impresionada por una sugerencia tan poco creativa. Minnie Maltravers era una supermodelo de cuarenta y tantos reconvertida en un fenómeno de masas. Su fama se debía a tres motivos principales: su increíble físico, su terrible malhumor y su defecto de llegar tardísimo a todas partes. Era norteamericana, de orígenes humildes, y había alcanzado la fama durante la década de los ochenta. Los noventa los pasó enganchada a las drogas y con el cambio de siglo decidió someterse a rehabilitación. En la actualidad estaba limpia, casada con un director británico llamado Max Williams, y vivía en un castillo de Escocia sin apenas hacer ruido, salvo por los ocasionales juicios en los que alguna empleada o cualquier otra persona del servicio la denunciaba por despido improcedente y la acusaba entre lágrimas de haberle tirado un fax a la cabeza. Todo el mundo estaba fascinado con Minnie, a todo el mundo le encantaría ver una entrevista suya, pero había un problemilla…

—Rhys, ya sabes que Minnie nunca concede entrevistas. Es su lema. Así conserva su halo de misterio.

—Sí, pero… —Rhys le enseñó una hoja— he visto esto en el teletipo. Al parecer, va a ir a Guatemala para participar en un proyecto humanitario. Se me ocurrió que podríamos hacer algo con eso. Aunque solo hablara de su colaboración con el proyecto humanitario, conseguiríamos que Minnie Maltravers hablase, y ya sería algo.

Thea cogió el papel muy despacio.

—¿Has dicho Guatemala?

—Ajá.

Thea leyó la breve nota de prensa que había enviado Reuters.

Ciudad de Guatemala
Gran expectación esta mañana por los rumores sobre los planes de la supermodelo Minnie Maltravers de visitar la ciudad con la organización humanitaria Niños de Guatemala, inaugurar un nuevo hospital y visitar algunos orfanatos y centros de día…

Su ordenador le anunció que tenía un correo electrónico. Miró la pantalla. «Luke Norton» aparecía en el remitente, y había escrito en el asunto:

Reserva en Wolseley para las 8.30 h. Estoy deseando ponernos al día. Bss

Tras mirar de reojo a Rhys como si la hubiera pillado viendo fotos de Justin Timberlake desnudo, Thea borró el mensaje.

—Bueno, ¿qué te parece? —preguntó Rhys.

—Creo que tiene posibilidades. Tengo un contacto en Niños de Guatemala. Lo llamaré.

—¿No quieres que lo haga yo? —Rhys se había llevado un chasco.

—No, gracias. Es mi contacto. De hecho, ya me dejó caer que podría acceder a Minnie de esta manera —dijo, pasando de la expresión incrédula de Rhys. Le daba un poco de vergüenza, la verdad, porque el chico había olido algo bueno y se merecía la oportunidad de seguir la pista, pero después de la puñalada trapera de Marco, no se sentía muy caritativa—. Seguramente no sea nada, pero merece la pena intentarlo. —Una pausa brevísima y luego—: Buen trabajo, Rhys.

—Gracias.

Mientras Rhys se alejaba cabizbajo, Thea, consciente de que le llevaría más tiempo encontrar la tarjeta en el bolso, buscó «Niños de Guatemala» en Google. Apareció un número que empezaba por 7485, lo que quería decir que la sede estaba en la zona de Camden Town, al norte de Londres. Se apresuró a marcar.

—¿Hola? Sí, mire, querría hablar con Jake Kaplan, por favor.

Mientras esperaba a que le pasasen la llamada, escribió un correo de respuesta.

Siento no poder esta noche. Algo urgente. Lo siento. Otra vez será.

Ya estaba arrepentida antes incluso de pulsar el botón de enviar. Se apresuró a cerrar mentalmente las compuertas de sus emociones. Luke se había acercado a ella en un momento vulnerable. No debería haber aceptado la invitación. No volvería a hacerlo. Entre ellos todo había acabado hacía mucho tiempo, y no pensaba echar la vista atrás.

22

La llamada de Thea no pareció sorprender a Jake, aunque tampoco pareció hacerle gracia.

—Siento mucho haber estado tan borde el otro día cuando llamaste —dijo ella—. Estábamos a punto de llegar al cierre y a esa hora todos estamos nerviosos. Si estás libre, me encantaría quedar.

Jake se echó a reír.

—¿Ya te has enterado de lo de Minnie?

—¿De qué Minnie hablas? —preguntó ella a su vez, intentando hacerse la sueca.

—De Minnie Maltravers. Ha aparecido una breve mención en su página web sobre la visita que hará con nosotros a Guatemala. Hace solo cinco minutos y desde entonces no paran de sonar los teléfonos.

—¿Ese era el tema del que querías hablar conmigo? —preguntó Thea.

—Te dije que tenía una noticia.

—Y te creí —mintió—, pero estaba tan ocupada que me resultó imposible buscar un hueco para quedar contigo. Pero como ya te he dicho, si todavía estás interesado...

Jake soltó un suspiro fingido.

—¿Y si ya le he vendido la noticia a la BBC? ¿O a ITN? ¿O a Sky?

La gente no dejaba de hablar de la metedura de pata del Canal 6 durante la entrevista al primer ministro.

—¿Te han invitado la BBC, ITN o Sky a cenar donde tú quieras para hablar de la noticia? —preguntó Thea.

Hubo un breve silencio antes de que Jake contestara.

—Tienes suerte, Thea. No sé por qué, pero he decidido esperar a que la cosa estuviera más asentada antes de confirmar la noticia, así que todavía no hemos dado ninguna exclusiva. Eso sí, estoy muy ocupado para cenar. Esto es una locura y no creo que las cosas vayan a tranquilizarse pronto. Además, vuelvo a Guatemala mañana por la mañana.

—¡Pero tienes que comer! —gritó Thea—. Esta noche, una cena rápida mientras me lo cuentas todo.

—Bueno, vale, si insistes… —accedió Jake con voz alegre.

—Estupendo —dijo Thea después de una brevísima pausa. Sí, su intuición era correcta: Jake le había echado el ojo. Lo que no dejaba de ser raro, porque era mucho más joven que ella. Y demasiado bajo. Sin embargo, si a través de él conseguía una entrevista con Minnie Maltravers, no pensaba quejarse—. ¿Adónde te gustaría ir? —preguntó—. ¿Al Gordon Ramsay, en el Claridge's? ¿Al Locanda Locatelli?

Él se echó a reír.

—A los dos, si se puede. ¿Qué te parece si luego nos pasamos por el Savoy Grill? Podríamos pedir un plato en cada uno.

—Mmm… —Eso no le gustaría ni un pelo a Foxy Roxy.

—¡Estoy de coña! No te preocupes por los restaurantes pijos. Tendré que trabajar hasta tarde y no tendría tiempo para disfrutar de la experiencia. Hay un bar que sirve comidas aquí al lado de mi oficina. ¿Te parece que nos veamos allí? Así me evitaría el paseo hasta el centro.

A las ocho y media Thea abrió la puerta de El Cetro y el Poni en Camden Town. La aparente despreocupación que había demostrado Luke por su negativa la había mosqueado un poco. Se había limitado a mandarle un escueto correo electrónico: «Tranquila, otra vez será». Sin embargo, eso era lo mejor, se dijo. No pensaba ir otra vez detrás de Luke solo porque hubiera tenido un mal día en el trabajo. Luke pertenecía al pasado, como los cheques, las cabinas telefónicas y las faldas globo. ¡Ah, no! Las faldas globo volvían a llevarse... En fin, que Luke era agua pasada.

Jake estaba sentado a una mesa situada en un rincón, con una pinta de Guinness delante mientras ojeaba una carpeta naranja. Se puso en pie en cuanto la vio. Se le había olvidado lo bajito que era.

—¡Hola! —la saludó, y hubo un momento incómodo mientras se preguntaban si debían añadir un beso al saludo, aunque al final ambos descartaron la idea—. ¿Cómo estás? ¿Te pido algo para beber?

—Ya voy yo —se ofreció ella, y le molestó un poco oírle decir: «Ah, vale, gracias». ¿No se suponía que los hombres tenían que insistir?, pensó. Sin embargo, tuvo que recordarse que eso no era una cita. Había ido para engatusarlo, por molesta que le resultara la idea; era él quien cortaba el bacalao.

—Gracias —dijo Jake de nuevo cuando Thea volvió de la barra con una enorme copa de Barolo para ella y con otra Guinness para él—. Ha sido un día de locos, supongo que te lo imaginas. Una alusión de nada a la posibilidad de que Minnie vaya a Guatemala y se desata la locura. Los teléfonos han sonado esta tarde más que en todo un año.

—Así que es cierto que va, ¿no? —preguntó Thea que, aunque intentó que la pregunta pareciera despreocupada, no lo consiguió.

—No puedo confirmarlo —respondió Jake con una sonrisa.

—¿Eso quiere decir que sí? —insistió ella, inclinándose hacia delante.

—Tal vez —contestó él.

Se miraron un rato, retándose para ver quién rompía el silencio. Thea decidió que había llegado el momento de emplear otra táctica.

—¿Cómo está tu madre?

Jake hizo una mueca.

—Digamos que no está experimentando ninguna mejora milagrosa. ¿Y tu abuela?

—Lo mismo.

—Es una mierda, ¿verdad?

—Para darle un poco más de énfasis, yo diría que es una puta mierda.

Se sonrieron.

Jake hizo un gesto hacia la pizarra donde estaba escrito el menú.

—¿Te parece que pidamos algo para comer?

Hicieron falta media botella de vino tinto y prácticamente dos filetes poco hechos con patatas fritas para que Thea aceptara la idea de que, aunque bajito y joven, Jake era un gran tipo.

—He estado mirando vuestra web —le dijo—. Según he leído, eres el encargado de relaciones artísticas, pero te juro que no sé lo que significa.

Jake mojó una patata en el ketchup.

—Toda ONG que se precie tiene hoy en día un equipo encargado de tratar con los famosos. Yo dirijo ese equipo en Niños de Guatemala. Nuestro trabajo consiste en masajear los egos de las estrellas dispuestas a hacer alguna obra de caridad.

—¿Para que puedan maquillar sus currículos?

—¡Qué cínica eres! —la acusó, meneando una ceja al más puro estilo de Roger Moore—. Tal vez se sientan motivados de verdad por el deseo de ayudar a los más pobres y necesitados.

—Sí, claro.

—Típico de una periodista. ¿Por qué no podéis creeros nada bueno de nadie? —Sonrió mientras se llevaba un tomate cherry a la boca—. Es una relación complicada. Ellos nos necesitan para dar lustre a su imagen y nosotros los necesitamos mucho más; pero la mayoría de las veces nos sale el tiro por la culata. En la época en la que trabajaba para World Hunger, llevamos a una actriz a Malawi que insistió en alojarse en un hotel de cinco estrellas y en volar en primera clase. Se bebió todo lo que había en el minibar, después se quedó petrificada al ver las moscas y la suciedad, y se negó a dejarse fotografiar con un niño famélico por temor a que le pegara algo. Nos costó miles de libras y no recibimos nada a cambio.

—¿Quién era?

Jake se encogió de hombros e hizo el gesto de cerrarse una cremallera en la boca. «Vale», pensó ella. De cualquier forma, Thea sabía que estaba hablando de Justina Maguire. Todo el mundo se había reído a su costa en aquel entonces. Los jefes de prensa eran unos ingenuos al pensar que podían silenciar un episodio como ese.

—¿A qué te dedicabas antes de meterte en este mundo? —quiso saber Thea.

—Trabajaba para una agencia de publicidad —contestó antes de darle el nombre de una de las más prestigiosas de Londres—. Pero el trabajo era tan banal que decidí trabajar con World Hunger y después con Niños de Guatemala.

—¿Eres religioso? —Sentía mucha curiosidad a ese respecto.

Jake se echó a reír con tantas ganas que Thea le vio hasta la campanilla.

—No. ¿Hay que serlo para estar dispuesto a ayudar a los demás?

—Es raro que la gente se preste a hacer algo sin percibir nada a cambio.

—¡Otro comentario cínico! Me pagan. No tanto como en mi anterior trabajo, eso sí. Pero ahora soy más feliz.

La miró y Thea admitió que tenía unos ojos bonitos de mirada alegre, pero la franqueza con la que la observaban le resultaba desconcertante.

—¿Tú eres feliz? —le oyó preguntar.

Tuvo la sensación de que acababa de preguntarle si usaba desodorante vaginal. La sorpresa fue tal que sintió un hormigueo en el cuero cabelludo.

—Esa pregunta es muy personal. —Hizo una pausa y después soltó de mala manera—: Por supuesto que lo soy. Tan feliz como cualquiera.

—Eso es bueno —sentenció Jake—. Solo era una pregunta. ¿Tienes novio?

La imagen de Luke apareció en su mente como si fuera una de esas ventanitas emergentes que aparecían de repente en las páginas web. La cerró de la misma forma, como si hubiera usado el ratón.

—¿Los novios son la clave de la felicidad? —preguntó ella a su vez—. ¿Tienes novia?

Él la miró a los ojos sin pestañear.

—No, estoy soltero. Por ahora.

—Igual que yo —dijo ella, irritada después de ese «Por ahora». ¡Pues sí que se lo tenía creído!—. Y me estoy cansando de que todo el mundo me trate como si tuviera una enfermedad terminal. Me gusta ser como soy. Me encanta mi trabajo. Disfruto viajando. Me encanta saber que puedo subir a un avión y que a la mañana siguiente me despertaré en cualquier lugar del mundo. Si tienes novio, no se pueden hacer esas cosas. —«A menos que tu novio también las haga», pensó, y bebió un buen trago de vino.

—¿Y qué pasará cuando te hagas mayor? —Normalmente, la gente se mostraba crítica con su filosofía de vida, pero Jake le estaba preguntando movido por una curiosidad genuina.

—No puedes pasarte la vida preocupada por el día en que seas mayor. —Se dio cuenta de que estaba borracha. En otra época media botella de tinto habría sido el preludio de una buena tajada. ¿Qué le estaba pasando?—. Perdona, ¿qué estaba diciendo? Ah, sí. Que no puedes preocuparte siempre por el futuro. Bueno, al menos no mucho. Hay que vivir el momento.

—Estoy de acuerdo —convino Jake.

—¿De verdad?

—Sí. —Bebió un sorbo de vino—. Después de lo que le pasó a mi madre, es inevitable pensar de esa manera. Era una mujer tan vital, tan activa, que disfrutaba tanto de la vida... y de repente ¡zas! Su cerebro empieza a atrofiarse y en cuestión de meses parece una muerta en vida. Por eso dejé de trabajar para la agencia de publicidad. La vida es demasiado breve para malgastarla promocionando la autobiografía de algún famoso. Tenía que vivir el momento.

—*Carpe diem!* —gritó Thea, alzando la copa.

—*Carpe diem!*

Y brindaron.

—Ejem... —dijo la camarera, al tiempo que estampaba la cuenta en la mesa delante de Jake.

Thea echó un vistazo a su reloj.

—¡Por Dios, si son casi las doce!

Jake se echó a reír.

—Y yo tengo que estar en el aeropuerto a las seis.

—Y todavía no me has contado qué va a pasar con Minnie —añadió Thea, hablando con cierta dificultad.

—¿Estás borracha?

—¡Alegre! Estoy... muy relajada.

—Si tú lo dices... —comentó él con una sonrisa—. Vale, seré caritativo contigo. Minnie irá a Guatemala para colaborar con nosotros en algunos proyectos. Creo que deberías enviar a un equipo para cubrir su visita.

—No podemos gastarnos ese dineral solo por la posibilidad de que Minnie se digne hablar con nosotros. Necesito garantías. —Un poco molesta, Thea tecleó su clave en la máquina de la camarera. La invadía una frustración similar a la de quedarse sin orgasmo después de haber disfrutado de un fantástico precalentamiento.

—No puedo garantizarte nada, Thea. Te estaría mintiendo. —Jake alzó las manos—. ¿No era eso de lo que estábamos hablando? ¿Fue Abraham Lincoln quien dijo que no hay nada cierto salvo la muerte y los impuestos?

—Creo que fue Cliff Richard. No, Benjamín Franklin.

—Sabionda. —Jake se rascó la cabeza—. Mira, hoy por hoy no puedo decirte mucho, pero es posible que haya una buena historia y que Minnie decida conceder una entrevista. Si el *Informativo de las Siete y Media* tiene un equipo en Guatemala, me aseguraré de que ese alguien seas tú. De momento no puedo confirmarte nada más. Lo siento.

—Vale —replicó Thea con cierta irritación mientras se ponía en pie—. Voy a pedir un taxi. ¿Qué vas a hacer tú?

—Autobús. Soy un voluntario, ¿recuerdas? —Jake abrió la puerta y el aire fresco del exterior fue como un golpe.

—¡Mira, hay un taxi libre! —Thea comenzó a gesticular frenéticamente. Cuando el taxi se detuvo, se volvió para mirar a Jake.

—En fin, me alegro de haber quedado —dijo—. Hablaré con los jefazos sobre lo de enviar al equipo, pero igual que tú no has podido prometerme nada, yo tampoco puedo hacerlo.

—No estoy intentando engañarte. Minnie irá a Guatemala dentro de muy poco, y si tus chicos están allí, me lo agradecerás.

—Veré lo que puedo hacer.

—Lo mismo digo.

Se miraron un segundo justo antes de que Jake se acercara a ella y se pusiera de puntillas para besarla en la mejilla.

—Buen viaje —dijo ella—. Tengo tus números. Te mantendré informado.

—Lo mismo digo —respondió Jake—. A ver si nos vemos a la vuelta.

—A ver… —repitió Thea, subiendo al taxi—. Siempre y cuando nos consigas esa entrevista.

Jake se echó a reír y cerró la puerta. Cuando el taxi se puso en marcha, Thea se volvió y lo vio despedirse de ella con la mano. Imitó el gesto con indecisión. Y sonrió. Se sentía rara. Tardó algo más de un segundo en darse cuenta de que esa sensación rara se debía a que se había divertido.

CARTA ABIERTA A CARLA BRYONNE DE PARTE DE HANNAH CREIGHTON, QUE SABE MUY BIEN LO QUE SE SIENTE CUANDO TU MARIDO TE PONE LOS CUERNOS.

Cuando HANNAH CREIGHTON supo de las dificultades conyugales de Carla Bryonne, que se había enterado por su antigua asistenta, Gloria Wilkins, de que su marido, el jugador del Arsenal y de la selección inglesa, Duane Bryonne, había tenido una serie de aventuras, se compadeció de ella. Desde aquí, de mujer abandonada a mujer abandonada, le ofrece su apoyo.

Querida Carla:

No sabes lo mucho que me ha afectado leer acerca del calvario que te ha hecho pasar Duane estas últimas semanas. Tus dificultades me han recordado la agonía de mi ruptura matrimonial.

Si lo que he leído es cierto, tu marido es un mujeriego chulo y antipático que te tiene totalmente controlada. Te sientes fea y te crees débil: material usado, vamos. Supongo que Duane sabe que estás desesperada por mantenerlo a tu lado y sospecho que está encantado por el poder que ejerce sobre ti.

Las sórdidas historias de tu antigua asistenta personal, Gloria Wilkins, han debido de minar por completo tu confianza. Según dicen, el comportamiento de tu marido te ha dejado hecha una ruina no solo física, sino también emocionalmente. No sabes cómo te entiendo. Mi marido, el presentador del *Informativo de las Siete y Media*, Luke Norton, me engañó sabrá Dios cuántas veces durante los dieciocho años que duró nuestro matrimonio antes de que, al final, nos dejara a mis tres hijos y a mí por su novia, una chica de veintidós años, embarazada, más conocida por mis amigos como «la zorra».

Cuando descubrí que mi marido me estaba siendo infiel, acababa de tener mi tercer hijo (igual que tú). Mi autoestima estaba en ese momento por los suelos, ya que me pasaba el día preocupada por perder los kilos del embarazo y con el pelo lleno de papilla de fruta. «No me extraña que mi marido no me desee», pensaba yo. Sufría palpitaciones e iba siempre acelerada. Tenía la impresión de que me estaba volviendo loca.

Descubrir que el hombre que supuestamente tiene que ser tu amante y protector te ha traicionado es lo más duro del mundo. Y resulta todavía más duro cuando recuerdas todas esas ocasiones en las que se lo echaste en cara y lo único que conseguiste fue que te llamara ridícula, paranoica y loca. ¿Duane te ha llamado neurótica alguna vez? ¿Te ha dicho que iba a dejarte por lo loca que parecías? En público sé que has seguido asegurando que crees en tu marido, pero en privado, al menos, debes de sospechar que te ha sido infiel.

Sin embargo, si te pareces a mí, parte de ti se aferrará a la creencia de que Duane te está diciendo la verdad. Yo me enfrenté a Luke muchas veces por sus aventuras, pero solo conseguí airadas negativas. Al igual que tú, me esforzaba por encontrar evidencias irrefutables de su infidelidad para convencerme de que no eran imaginaciones mías. Tener que leer a escondidas los mensajes del teléfono de tu marido hace que te sientas como lo peor de lo peor.

Yo estuve durante años apoyando a mi marido. Pero, a diferencia de ti, no trabajaba. Dejé mi trabajo para dedicarme a mi familia y, económicamente, no sabía cómo podría seguir adelante sin él. Pero al final descubrí un correo electrónico que me hizo imposible seguir soslayando la verdad. Cuando me enteré de que había dejado preñada a esa cerda, no me quedó más remedio que echarlo de casa. ¿Y sabes qué? Sobreviví —aunque reconozco que hubo momentos en los que iba a la deriva—, y lo hice concentrándome en mi propio bienestar y regresando al trabajo. Hoy por hoy me siento más segura y feliz de lo que nunca me he sentido. Tengo una nueva pareja y la relación con mi ex es cordial, aunque distante.

Carla, conozco de primera mano el infierno por el que estás pasando. De mujer a mujer, te pido que te separes de Duane y busques la fuerza necesaria para hacerlo en tus amigos y en tu familia. Concéntrate en tu carrera de diseñadora de ropa deportiva. Sal de juerga con tus amigas.

Por muy difícil que resulte, debes descubrir si Duane te ha engañado. Llama a las personas involucradas. Lo que descubras será doloroso, indudablemente, pero también liberador, porque la pelota estará en tu campo y serás tú quien decida si sigues o no con tu matrimonio.

Tienes una larga y prometedora vida por delante, llena de aventuras. Tienes unos hijos preciosos. Pero si sigues enterrando la cabeza en la arena como un avestruz, tu actitud no solo te reportará el final de tu matrimonio, sino también el de tu cordura. Y, créeme, ningún hombre se lo merece.

Te tengo presente en mis pensamientos,

HANNAH CREIGHTON

23

El tiempo transcurría a paso de tortuga para Poppy. Como Brigita iba a casa cuatro días a la semana, no tenía nada que hacer. Era como el pez que se mordía la cola: necesitaba tener a alguien que cuidara de la niña para poder trabajar, pero necesitaba trabajar para poderle pagar el sueldo (de acuerdo, técnicamente era Luke quien pagaba, pero lo que era suyo también era de ella, aunque prefería que saliera de su propio bolsillo).

Sabía que Luke esperaba que al contratar a una niñera ella pudiera trabajar y los ingresos aumentaran, pero a corto plazo sus gastos se habían disparado. Para recuperar la figura se había apuntado al Harbour Club, situado al final de la calle, donde mataba el tiempo haciendo largos en la piscina muy despacio, bebiendo combinados en el bar y hojeando ejemplares antiguos del *Cuore*. Al fin y al cabo, el gimnasio estaba lleno de madres aburridas que quedaban para poner a caldo a las vagas de sus asistentas y para hablar de destinos vacacionales con actividades infantiles. Sin embargo, y como de costumbre, casi todas le sacaban más de diez años y sabía muy bien que no tenía nada que decirles, así que las observaba con timidez con el rabillo del ojo mientras leía un artículo sobre el nuevo novio de Lindsay Lohan.

También pasaba mucho tiempo en la cocina preparándole complicados platos a Luke, pero siempre acababa quemándolos o añadiéndoles demasiada sal o demasiado azúcar. Cuando se disculpaba, Luke se encogía de hombros y le decía que no pasaba nada, que tampoco tenía mucha hambre. Y a partir de ese momento seguían comiendo en silencio. Luke refunfuñaba algo. Y ella fregaba los platos sin decir nada, veía un poco la tele y se acostaba temprano.

—¿Estás bien? —le preguntó Poppy tras haber pasado un par de noches de esa manera.

—Estoy bien —contestó él, aunque no la convenció—. El trabajo es muy estresante. Los accionistas están presionando para que aumentemos los índices de audiencia. Para darle al canal una imagen más joven.

—¿Y eso qué quiere decir?

—Quiere decir —masculló Luke— que mi trabajo está en la picota. Tengo más de cincuenta años y el canal quiere espectadores que no sepan quién fue Adolf Hitler. Quieren ver a niñatos como a ese Marco Jensen.

—Ah, sí —dijo Poppy sin pensar—. Una antigua compañera con la que estuve hablando durante la reunión del colegio trabaja para la revista *Wicked*. Tuvo que irse pronto para entrevistar a Marco.

Sabía que Luke estaba cabreado antes incluso de acabar de hablar.

—A eso me refiero, ese es un ejemplo de cómo están las cosas. Lo importante es tener pinta de adolescente, no la experiencia.

—Clara ha usado hoy el orinal —anunció ella en un intento por cambiar de tema—. Brigita dice que lo hace muy bien.

Quiso hacer una tarta para celebrar el segundo cumpleaños de Clara, pero cuando Brigita la encontró rebuscando medidores y cuencos en la cocina, puso el grito en el cielo.

—Ese es mi trabajo, mami. Tú siéntate. Relájate.

La tarta que hizo Brigita en forma de erizo de chocolate, con virutas por espinas y cerezas por ojos, era mucho más bonita que cualquiera que pudiera haber hecho ella.

Brigita invitó a algunas de sus amigas niñeras y a los niños a su cargo para celebrar una fiesta de cumpleaños y, como de costumbre, Poppy se quedó fuera del grupo, sin saber con quién hablar y sintiéndose un tanto resentida por tener que compartir el día especial de su hija con desconocidos.

Estaba tan aburrida que incluso recurrió a mirar el enlace que su madre le había mandado para que viera a Jean-Claude. Era un vídeo de un hombre guapo, alto, de pelo canoso y pinta de creído que rondaba los cuarenta y que estaba dando una conferencia sobre «Roland Barthes: de la fenomenología a la deconstrucción». Se preguntó qué tendría ese hombre en común con una mujer cuyo libro preferido era *Flores en el ático*, pero tampoco iba a pensar en eso.

Louise la había llamado desde un atasco en la M27 para contarle las novedades.

—Como no se puso en contacto conmigo, lo llamé. Se quedó de piedra al oírme, pero dijo que me invitaría a cenar la próxima vez que estuviera en Londres.

—¿Y cuándo será eso? —preguntó Poppy con sorna.

—No me lo dijo. Pero tampoco es un problema porque he decidido irme el último fin de semana del mes al spa de Marsella y darle una sorpresa, así que podremos cenar allí.

Oír la llamada de Michelle (antes Migsy) Remblethorpe el jueves por la mañana fue todo un alivio.

—¡Hola! —exclamó Poppy con gran efusividad—. ¿Cómo estás?

—Bien. ¿Y tú? Me he acordado de ti porque acabo de leer el artículo de Hannah Creighton sobre Carla Bryonne. Es una salvajada, ¿no te parece? No sabes lo mucho que te compadezco. En el trabajo todo el mundo habla de eso, de lo terrible que debe de ser que todos te conozcan como «la zorra».

—No lo he leído —replicó Poppy con el estómago revuelto.

—¿No? Pues no lo leas, hazme caso. Es innecesariamente cruel. Pero me ha hecho pensar. Me alegré mucho al verte en la reunión y esperaba que pudiéramos quedar para comer.

—¿Hoy?

—¿Hoy? No sé. Hoy salen las revistas y estamos un poco apurados. Pero podría escaquearme una hora si quedamos cerca de mi trabajo. Las oficinas están en Farringdon... ¿Te parece que quedemos en el Smiths of Smithfield?

—Me encantaría —respondió Poppy.

Entusiasmada por la idea de que Migsy Remblethorpe quisiera conocerla de verdad, se maquilló con esmero, se puso los vaqueros más limpios que tenía y fue a la parada del metro. En el quiosco que había en el andén compró el *Daily Post* para leer el artículo. El habitual cóctel de emociones se agitó en su interior: una parte de indignación por la crueldad de Hannah, mezclada con dos partes de dócil aceptación de su destino, porque era lo mínimo que se merecía.

—Lo siento, Hannah —musitó—. No sabía lo que hacía.

Sin embargo, ya era demasiado tarde, pensó mientras subía la escalera de la estación de metro de Farringdon. Esa era su parada habitual cuando trabajaba en la cafetería de Sal. «Pero después Luke me alejó de todo esto», le decía siempre a su entrevistadora imaginaria.

Aunque ¿de qué la había alejado en realidad?, se preguntó en ese momento. Había sido feliz en la cafetería; cierto que ganaba una porquería, pero se pasaba las horas muertas cotilleando con Sal y con su mujer, y después volvía en metro a su casa de Kilburn, donde se tiraba de los pelos al ver cómo había dejado su compañera de piso la cocina y luego se alegraba al verla entrar en casa. Meena y ella pasaban horas arreglándose para ir al centro mientras bebían vino directamente de la botella y bailaban al son de Kiss FM.

«Pero no tenías a Clara —se recordó mientras recorría las calles empedradas—. Pero no soy feliz. Pero tienes que ser feliz a la fuerza, porque tienes una niña preciosa y sana. Pero no lo soy. A lo mejor soy demasiado avariciosa. ¿Qué más quiero de la vida?»

Aunque había llegado cinco minutos tarde, tuvo que esperar otros veinte a que apareciera Migsy. Unos veinte minutos muy felices que pasó en una soleada mesa en la planta alta del restaurante, desde la que se disfrutaba de una magnífica vista de Saint Paul. Le encantaba la sensación de estar en un restaurante sin lápices de colores gratis, tronas y menús infantiles, de poder estudiar el menú con tranquilidad sin tener que estar constantemente pendiente de Clara por si se clavaba un tenedor en el ojo o se comía todos los terrones de azúcar.

—¡Hola, Poppy! Siento llegar tarde. —Una vez más, Migsy iba perfecta—. Me alegra poder recuperar el contacto —dijo al tiempo que se sentaba—. ¿A que la reunión fue divertida?

—Mmm —murmuró Poppy, que se marchó cinco minutos después de acabar de hablar con Migsy, cuando comprendió que Meena estaba tan borracha que le tocaría a ella conducir de vuelta.

—¿Hablaste con Laura Lightman? Ahora es sexóloga y se ha cambiado el nombre: se llama Laura Lightwoman. —Se rió entre dientes—. ¿Quién iba a imaginarlo? Claro que nadie habría imaginado que tú serías la zorra. Una botella de espumoso, por favor —le dijo al camarero—. Por cierto, me lo pasé bomba entrevistando a Marco Jensen. ¿A que está como un queso? Me contó muchas cosas del *Informativo de las Siete y Media*, de lo honrado que se sentía por trabajar con alguien tan veterano como tu media naranja. Dijo que lo respetaba de verdad, lo mismo que respeta a todos los de la generación anterior.

—Vaya, qué amable —comentó Poppy.

Un camarero se acercó a ellas.

—Hola. —Migsy sonrió—. Vale, yo voy a tomar la ensalada de hinojo y manzana. ¿Y tú, Poppy?

—Esto... yo tomaré faisán —respondió ella, diciendo lo primero que vio en la carta.

El camarero desapareció. Migsy se inclinó sobre la mesa.

—Voy a ir directa al grano porque no puedo quedarme mucho. Estoy más liada que la pata de un romano. Seguro que ya sabes cómo es esto.

—Ah, sí, ciertamente. —«¿Ciertamente?» Acababa de sonar como la presentadora de un programa religioso. Tenía que salir más con urgencia.

Migsy continuó hablando:

—Estamos buscando una nueva columna. Una especie de consultorio para chicas sobre la vida diaria en la ciudad. Ya sabes, las fiestas a las que has asistido, las tiendas en las que has comprado, los famosillos con los que te has codeado... Creo que serías perfecta para hacerlo porque eres modelo, que es a lo que todas nuestras lectoras aspiran, pero también eres madre, cosa que también son (pobres desgraciadas), así que puedes contarnos algunas anécdotas sobre tu hija que a las madres puedan gustarles por algún motivo inexplicable. Ah, y no te lo tomes a mal, pero también eres la zorra. A ver, aunque sé perfectamente que no lo eres de verdad, así es como la gente te conoce por las columnas de Hannah. —Le indicó al camarero que no querían pan antes de que Poppy pudiera servirse un bollito con una pinta estupenda—. Bueno, ¿qué me dices?

Poppy se sentía como Dorothy después de que el huracán asolara Kansas.

—Esto...

—No te preocupes, sé que no sabes escribir —la interrumpió Migsy—. Ese será mi trabajo. Tendrás que contarme una vez a la semana lo que has hecho. Te pagarán trescientas libras por columna para empezar, pero si la cosa va bien, podríamos hablar de un aumento.

—Yo...

Les colocaron la comida delante. Migsy cogió unos tallos de hinojo y se los llevó a los labios. Poppy cogió el cuchillo y el tenedor. ¿Por qué narices había pedido faisán? En cuanto intentó cortarlo, el pájaro comenzó a escurrirse por el plato como un borracho que patinara sobre hielo. Intentó cortar un trocito de un extremo y sacó lo bastante para alimentar a una pulga muy raquítica.

—¿Qué te parece? Me gustaría que me contestaras ahora, porque tenemos una editora nueva y necesito ideas frescas para impresionarla.

—No voy a fiestas —confesó Poppy—. No he tenido mucha vida social desde que nació mi hija. —«Ni tampoco antes», podría haber añadido.

—No pasa nada —le aseguró Migsy para restar importancia al asunto—. Nosotros nos encargaremos de todo.

—¿Quieres decir que te encargarás de que me lleguen invitaciones?

—Claro. —Migsy rebuscó en su bolso—. Aquí tienes unas cuantas para empezar. Mira. El preestreno de *Homicidios*. Es mañana por la noche. Va a ser alucinante. Brad Pitt va a asistir. Y habrá una fiesta después en el Museo de Historia Natural.

—¿En serio? —Poppy miró las coloridas invitaciones—. ¿Y solo tengo que decirte cómo fue?

—Y a quién viste. Es el trabajo más sencillo del mundo. Junto con el de acomodadora. —Migsy resopló—. Te llamaré todos los jueves por la mañana, a las once, si no te parece demasiado temprano, y así hablamos de todo lo que has hecho durante la semana. Básicamente, un par de fiestas, un par de comentarios sobre alguien que aparezca en las noticias (Kerry Katona, por ejemplo) y alguna cosa que haya hecho tu chiquitina. Después te mandaré por correo electrónico una versión de lo que escribiré en tu nombre y ya está.

Poppy ojeó el montón de invitaciones sin saber por dónde empezar. Se mordió el labio.

—Creo que lo mejor sería hablarlo con mi marido.

Migsy se encogió de hombros.

—Si quieres, pero no creo que vaya a importarle.

—Es posible. No estoy segura. Dice que quiere que vuelva al trabajo. Pero de todas maneras…

—Claro, claro, coméntaselo —la interrumpió Migsy con un tono más impaciente al tiempo que sonaba su móvil—. Perdona. ¿Diga? ¡Mierda! Vale, no te preocupes, vuelvo ahora mismo. —Colgó—. Una crisis. Corre el rumor de que Minie Maltravers va a adoptar un niño. Tenemos que cambiar la portada ahora mismo. Tengo que volver. Ya sabes cómo es esto, Poppy, pero no te preocupes. Tú quédate todo el tiempo que quieras. Date un capricho. Pide postre. —Se levantó—. Me he alegrado de volver a verte. Estoy emocionadísima por que vayas a trabajar con nosotras.

Y tras despedirse con la mano, se fue. Poppy la vio alejarse con cierta confusión.

Clavó la mirada al otro lado de las ventanas, en la línea irregular de los tejados. Un trabajo de verdad. Como el que tenía Hannah. La oportunidad de ir a fiestas, de salir de casa una vez más. Y una columna en una revista. Las ideas que bullían en su cabeza por fin encontrarían el modo de salir. «Estoy muy ocupada con mi columna, pero todavía consigo dedicarle todo el tiempo necesario a mi hija. La maternidad es lo más importante para mí…»

En casa, Clara estaba sentada en el suelo, garabateando en una enorme hoja de papel. Brigita estaba lavando los platos en el fregadero con el teléfono pegado a la oreja.

—Mmm. ¿Mmm? Bueno, te quiero… No, yo te quiero más que tú a mí. —Soltó una risilla muy de adolescente al notar que Poppy la miraba y luego se dio la vuelta—. ¡Ay! Tengo que dejarte, cariñín. Adiós. Sí. Yo también. —Dejó el teléfono en la encimera de la cocina—. Hola, mami. No te he oído entrar. ¿Cómo ha ido el día? Hace un poco de frío fuera, ¿no?

—Bien —contestó Poppy mientras se preguntaba si se atrevería a decirle que dejara de llamarla «mami». Se agachó hasta quedar a la altura de su hija—. Hola, chiquitina, ¿cómo estás?

Clara gruñó sin levantar siquiera la cabeza.

—Se ha portado como un ángel —dijo Brigita con cariño—. Otra vez ha hecho caquita en el orinal. Pronto querrá usar el grande. Hemos dibujado estrellas. Enséñaselas a mami.

—¡No, pintar!

—Vale, luego me la enseñas.

Clara siguió garabateando. Brigita volvió al fregadero. La sensación de ser una extraña en su propia casa fue más fuerte que nunca.

—¿Estabas hablando con tu novio? —le preguntó a la niñera.

Brigita se volvió para mirarla y se apartó un mechón húmedo de los ojos.

—Lo siento, mami. No suelo hacer llamadas personales mientras trabajo, pero era una emergencia. Él...

Poppy le quitó hierro al asunto.

—¿Cómo se llama?

Brigita sonrió y su cara, normalmente regordeta, cambió por completo.

—Phil —respondió con evidente adoración.

—¿A qué se dedica?

—Repara tejados.

—¿Cuánto lleváis juntos?

—Dos años. Nuestro sueño es ahorrar lo bastante para volver a Yorkshire, comprar una casa y que yo pueda continuar mi doctorado.

«No corras mucho», pensó Poppy, aterrada por la posibilidad de que Brigita la abandonara justo cuando se le había presentado esa oportunidad. Sin embargo, dijo:

—Ah, qué bien.

—La cena ya está servida, Claclá. Anda, angelito, lávate las manos.

Obediente, Clara se levantó y se acercó al fregadero. Poppy se quedó pasmada. ¿Por qué tardaba ella horas en convencer a su hija para que hiciera algo tan sencillo como sentarse en la trona? Una inesperada sensación de ineptitud se apoderó de ella. En teoría era mucho más afortunada que Brigita: muchísimo más guapa y con un marido guapo y rico, una hija adorable y una casa preciosa. Pero Luke y ella nunca hablaban por teléfono como había oído hacer a Brigita y a Phil. Y había pasado mucho, muchísimo tiempo desde que el nombre de Luke le iluminara la cara como un espectáculo pirotécnico con solo pronunciarlo.

Aunque no iba a pensar más de ese modo. Le habían ofrecido un trabajo. Un trabajo muy interesante. Asistiría a fiestas y volvería a ganar dinero. En cuanto Luke volviera del trabajo, se lo comentaría, pero no veía ningún motivo por el que pudiera oponerse. Le prepararía una cena romántica, abriría una botella de vino y harían el amor, cosa que llevaban un tiempo sin hacer. Su móvil vibró en ese momento.

Ceno con ministro. Vuelvo a mdianox. Bsazo a C. T qiero. Bss

¡Ah! En fin, no pasaba nada. Hablaría con él cuando volviera. O no. Acababa de ocurrírsele algo mucho mejor.

—Brigita, sé que no te he avisado con mucho tiempo, pero… ¿estás libre para cuidar de Clara mañana por la noche?

—¡Sin problema! —exclamó Brigita al momento.

—Genial. Voy a hacer una reserva en Orrery. Es el restaurante donde Luke y yo celebramos nuestra boda. Compartiremos una cena romántica y le daré las buenas noticias.

—¿Estás embarazada otra vez? —Brigita se llevó la mano a la boca—. Bueno, creo que se te está marcando la barriguita, pero no quería decirlo.

—No, no. No es eso.

Todo lo contrario, de hecho, pensó Poppy al tiempo que cogía el teléfono y buscaba en la agenda el número del Orrery. Sin embargo, el móvil le volvió a vibrar.

Cambio d plan. A París xa cubrir rvueltas. Spro volvr l domingo según historia. T llamaré dsd Eurostar si puedo. Bss

Poppy observó el móvil sin dar crédito. Otro maravilloso y solitario fin de semana con Clara. Se volvió para decirle a Brigita que se cancelaban los planes. Pero se lo pensó mejor.

Al día siguiente era la fiesta de *Homicidios*. Para la que tenía dos invitaciones. Lo mejor sería asistir. No tenía nada que perder. Solo necesitaba un acompañante, y conocía a alguien que se moriría por asistir.

Buscó el número en la agenda y llamó a Meena.

24

Como era de esperar, a Meena le encantó la idea.

—¿El estreno de una película? ¡Sí, Poppy! Pediré el día libre.

—No hace falta. Empieza a las siete y media.

—Pero tenemos que arreglarnos. Y tardaremos horas. Estaré en tu casa a las tres.

Y, fiel a su palabra, Meena llegó al día siguiente a las tres de la tarde, ni un minuto más, ni uno menos.

—¡Tachán! —gritó al tiempo que se volvía para señalar la Samsonite negra que arrastraba, y el movimiento hizo que su larga melena negra le cayera por el hombro—. ¡He comprado ropa! ¿Dónde está Clara? Le traigo un disfraz de hada.

—Con su niñera.

—Ah, sí, se me había olvidado. Ahora sí que eres una mujer florero. Con servidumbre y todo. En fin… —Sacó una botella de cava de una bolsa de plástico—. Como no estamos obligadas a mantener las apariencias ya que no hay niños a la vista, vamos a ponernos a tono con la ocasión.

Cambiaron la emisora, de modo que pasaron de Radio 4, la preferida de Luke, a Kiss FM, y Meena se puso a trabajar con sus herramientas. Como en los viejos tiempos.

—Deberíamos haber traído a un maquillador y a un peluquero —dijo Meena con la boca totalmente abierta mientras se aplicaba su cuarta capa de máscara de pestañas.

Poppy se echó a reír.

—No seas tonta. Nos habría costado una pasta.

—Sí, pero ahora eres una celebridad profesional o lo que sea. Tienes que vestirte en condiciones para estas cosas. Los *paparazzi* te sacarán fotos. —Meena se abrazó la cintura, emocionada—. ¡Dios mío! ¿Crees que estará el príncipe Guillermo?

—Lo dudo.

—¿Y Brad Pitt? Él es el protagonista, ¿no?

—Está casado.

—No lo está. Angelina y él no se casarán hasta que cambien las leyes en Estados Unidos para que los gays también puedan casarse. —Meena era una enciclopedia andante en ese tipo de asuntos.

—No me gustaría pelearme con Angelina, la verdad. Ya la veo escondida en un callejón oscuro, esperando para hacerme daño.

—Y qué más da. Habrá muchísimas más oportunidades ahora que vas a conocer a un montón de tíos famosos. Porque si aceptas lo de la columna esta, te invitarán a cosas así muy a menudo.

—Si acepto… —recalcó Poppy.

Meena puso los brazos en jarras y la fulminó con una mirada asesina.

—¿Qué quieres decir con ese «si»? Ni que tuvieras que pensártelo. Te pagan por asistir a fiestas todas las noches. ¡Y serás famosa! Y cuando digo «famosa», me refiero a famosa de verdad, famosa con glamour, no como el pelmazo de tu marido, que se limita a sentarse detrás de un escritorio y leer el autocue. Dios, si no fueras mi mejor amiga, estaría tan celosa que podría matarte.

—Antes tengo que hablarlo con Luke.

Meena resopló como los ponis con los que habían crecido sus compañeras de Brettenden House.

—Luke quería que volvieras a trabajar y ya has conseguido un empleo. ¿Cuál es el problema? Él está en París. ¿Por qué no puedes divertirte tú también?

—Estoy segura de que le parecerá bien. Pero creo que antes debería consultárselo. En cuanto vuelva, se lo diré.

Meena se sentó en la cama.

—Poppy, aunque no has dicho ni una sola palabra durante estos años, sé que ha sido difícil para ti. Prácticamente has sido una madre soltera. Has estado encerrada en casa. Te has perdido un montón de cosas buenas, un montón de diversiones, sin quejarte siquiera. Estoy orgullosa de ti por tu forma de llevar las cosas, pero creo que ya va siendo hora de que te diviertas un poco, puñeta.

Poppy sintió un nudo en la garganta. Menos mal que a Meena, que se estaba recogiendo el pelo en una coleta, se le pasó pronto el arrebato y le preguntó:

—A ver, ¿qué nos ponemos?

—No estoy muy segura. Estaba pensando en mi vestido azul.

—No, no, a un estreno hay que ir más moderna. —Meena comenzó a ojear la ropa del armario de Poppy—. Por Dios, qué horror. ¿No tienes otra cosa que no sean jerseys de lana y pantalones de algodón?

—Es lo más fácil de lavar.

—¡Madre mía! Pero ¿tú te estás escuchando? —Chasqueó los dedos—. Ya está. Estos vaqueros. Con esta chaqueta.

Los vaqueros no había llegado a estrenarlos porque le parecían demasiado ceñidos y la chaqueta, de lentejuelas plateadas, que se la habían regalado después de una sesión de fotos, acabó directamente en el fondo del armario porque sospechaba que con ella parecía la cantante de un piano bar.

—No sé yo…

—Pues yo sí que lo sé. Ponte los vaqueros.

Poppy la obedeció sin rechistar.

—Y ahora la chaqueta.

—Pero necesito un top o algo debajo.

—No necesitas nada, es muchísimo más sexy si la llevas sin nada.

Poppy siguió sus órdenes, aunque no lo tenía muy claro.

—Perfecta. Y ahora… este colgante. —Meena le colocó un collar de cuentas negras—. Y estos zapatos. —Señaló un par de zapatos negros de tacón de aguja y piel de serpiente.

—No puedo andar con eso. Me romperé un tobillo.

—Nena, con la pinta que tienes te digo yo que no vas a ir andando a ningún sitio. —La empujó para que se pusiera delante del espejo—. Mírate.

Poppy se miró. Y como siempre se quedó sorprendida por la diferencia que lograban los kilos de maquillaje y un peinado en condiciones.

—¡Bueno! Una de dos: o voy hecha una mamarracha o estoy de muerte.

—Lo último —le aseguró Meena, orgullosa.

—¿Estás segura? ¿Cómo lo sabes? —Poppy se dio la vuelta para mirarla.

—Mamá guapa —dijo Clara, que acababa de entrar con Brigita a la zaga.

—¡Hola! Brigita, esta es mi amiga Meena. ¿Qué te parece nuestra ropa?

Brigita hizo un gesto pensativo como si fuera un cirujano a punto de hacer un baipás coronario.

—Sí, la chaqueta te sienta muy bien, Poppy. Te tapa la parte superior de los brazos. —Se volvió hacia Meena—. Con ese trasero, creo que no deberías llevar falda. ¿Unos pantalones, mejor?

—No puedo creer que Migsy Remblethorpe sea la responsable de esto —dijo Meena, asombrada, cuando ya estaban en el vagón de la línea de metro que las llevaba al West End—. Siempre nos ha odiado. Nos llamaba «horteras».

—De eso hace mucho —le recordó Poppy.

—Pero me parece muy raro que de repente sea tan amable contigo. Eso sí, que conste que no me quejo si va a darnos invitaciones a un montón de fiestas.

—No sé si van a ser un montón. A ver cómo va la cosa.

Se bajaron en Piccadilly Circus, donde habían instalado tres focos de luz móviles para iluminar el cielo nocturno. Sobre Leicester Square flotaba un enorme dirigible en el que se veía el título de la película encima de la boca de Brad Pitt.

—¡Ay, Dios mío! —chilló Meena al tiempo que se cogía del brazo de Poppy.

Cruzaron la plaza, dejando atrás a los chiflados que rezaban en sus tribunas improvisadas, a los caricaturistas con sus caballetes que dibujaban con tan poco acierto a los sonrientes turistas, a los artistas peruanos que tocaban la flauta, a un vendedor de castañas asadas y a los grupos de chicas celebrando despedidas de soltera, hasta que llegaron congeladas (la noche era muy fría para la época del año) a la esquina de la plaza donde la multitud se congregaba delante de una verja metálica custodiada por dos porteros. En ese momento llegó una limusina blanca de la que bajó una chica negra muy alta con un vestido de noche de tafetán morado.

—¿Esa es Vonzella, de *La isla de los famosos enamorados*? —preguntó Meena—. Mira, por ahí se entra al cine. Vamos, saca las invitaciones.

Poppy se las enseñó a los porteros con recelo, convencida de que eran copias fraudulentas. Pero los gorilas se limitaron a asentir bruscamente con la cabeza para dejarlas pasar.

—¡Estamos en una alfombra roja! —A Meena le encantaba señalar lo obvio.

El ambiente no era como Poppy se había imaginado. En su mente veía las alfombras rojas como un lugar sobre el que flotar mientras los fans examinaban al detalle tu elección de vestuario y complementos. La realidad, sin embargo, era que la alfombra estaba tan concurrida como el primer día de rebajas. Había bandadas de mujeres vestidas con lentejuelas posando para los móviles que las fotografiaban desde el otro lado de la barrera. En el extremo más alejado estaban los fotógrafos, apiñados como un rebaño de ovejas en el corral mientras gritaban a una chica muy bajita que posaba como una experta girando hacia un lado y hacia el otro.

—¡Amanda, aquí! ¡Amanda, aquí! Amanda, sonríe un poco más. Enseña la pierna un poco, preciosa.

—Es Amanda Holden —susurró Meena—. ¿Crees que debemos posar para ellos?

—No seas tonta —respondió Poppy—, ni siquiera nos conocen.

—Pronto nos conocerán. ¡Ay, Dios! ¡Allí están Trinny y Susannah! —Rebuscó su teléfono en el bolso—. ¿Crees que quedaría muy cutre si les hago una foto?

—Pues sí —contestó al tiempo que alguien llamaba a Meena a gritos.

—¡Meena!

—¡Hola, Toby! —saludó Meena, lanzándose a los brazos del hombre más guapo que Poppy había visto en mucho tiempo.

Era alto, de pelo castaño y ondulado, con ojos grandes y una nariz aguileña, al estilo de un jefe indio. Llevaba vaqueros negros y camisa gris.

—Poppy, te presento a Toby. Trabajaba conmigo en el club. ¿Dónde te has metido? ¡Te he echado de menos!

—Me he mudado a Shoreditch. —Se volvió hacia Poppy y abrió los ojos de par en par, como lo haría un niño de cinco años delante de un escaparate lleno de dulces—. Hola, soy Toby Hastings.

—Poppy Norton.

Una mujer de nariz prominente vestida con un traje negro y con un pinganillo en la oreja los instó a pasar hacia el interior.

—Chicos, tenéis que sentaros ya. La película empieza en cinco minutos.

25

A Poppy le costó prestar atención a la película. Igual que, al
parecer, le sucedió al resto de la audiencia, que pese a las seve-
ras advertencias en las entradas, donde decía bien claro que los
móviles estaban prohibidos, se pasó las dos horas enviando
mensajes y hablando con sus amigos, comiendo a mandíbula
batiente las bolsas gratis («¡Gratis!», había susurrado Meena)
de M&M y levantándose para ir al baño. Claro que al final
todos aplaudieron enfervorizadamente. Después salieron en
tropel y cruzaron la plaza hasta Panton Street, donde los aguardaba una hilera de autobuses para llevarlos al Museo de Historia Natural como si fuera una excursión de escolares.

—Qué bonito —susurró Poppy al entrar en el enorme vestíbulo con el esqueleto de un dinosaurio en el centro.

Había estado muchísimas veces con Clara, pero habían
transformado el lugar para la ocasión con cientos de ramos de
flores exóticas y con resplandecientes guirnaldas de luces en
la cúpula. Había dos payasos vestidos con trajes iluminados
con bombillitas, que se paseaban entre los invitados subidos
en unos zancos. Una máquina de humo emplazada en un rincón soltaba bocanadas de una especie de bruma que giraba por
la estancia y se enroscaba alrededor de los tobillos de un grupo de camareros musculosos ataviados con chaqueta negra.

—¿Un canapé? —le preguntó uno al tiempo que le acercaba la bandeja de plata.

—Sí, por favor. ¿De qué son?

—Queso de cabra frito con cobertura de limón.

Poppy cogió dos y se vio obligada a metérselos en la boca a la vez porque se acercó otro camarero que ofrecía copas de champán.

—Gracias —consiguió decir mientras cogía una copa.

—Esto es vida —dijo Meena, que brindó con ella—. Por muchas noches como esta.

—Siempre y cuanto tenga niñera, claro —apostilló Poppy.

—¿Y para qué está Brigita? ¿O Luke, que también puede quedarse con Clara? Ya te lo he dicho antes: te has pasado casi dos años metida en casa mientras él iba arriba y abajo. Ahora te toca a ti.

—Esperaba verte de nuevo —dijo una voz ronca junto a ellas.

Se volvieron y vieron a Toby Hastings. Poppy se puso nerviosa de repente.

—¿Te ha gustado la película? —preguntó con voz temblorosa.

Él se encogió de hombros.

—No mucho. Un poco previsible. ¿Y a ti?

—También —respondió Poppy mientras Meena exclamaba:

—¡Ay, Dios! Acabo de ver la bandeja de los cócteles. Voy a por uno. —Y se internó entre la multitud.

—¿De qué conoces a Meena? —preguntó Toby.

La aburrida respuesta de Poppy fue interrumpida por una chica escuálida con rastas rubias.

—¡Toby! ¿Cómo estás, cariño?

—¡Irina! —exclamó él, dando la espalda a Poppy, que siguió donde estaba con la copa en la mano mientras miraba con expresión nerviosa a un lado y a otro.

Era lo mismo que asistir a una fiesta con Luke. Nadie quería hablar con ella. Había sido una imbécil al pensar que la idea de la columna podía funcionar. Apuró el champán y miró en busca de algún lugar donde dejar la copa justo cuando Meena volvía a su lado con dos copas heladas.

—¡Mira! ¡Vodka con lima!

Las cosas comenzaron a mejorar con un cóctel en la mano y su amiga al lado. Fueron juntas de sala en sala, contemplando boquiabiertas la marea de caras famosas que reconocían. De vez en cuando Poppy hacía ademán de pararse para ver los pájaros disecados expuestos en las vitrinas, pero Meena siempre la obligaba a seguir.

—No seas aburrida, Poppy. ¡Mira, allí está Jude Law! ¡Madre mía, es mucho más bajo de lo que me imaginaba! ¿Aquella no es Nicole Richie?

—No, creo que es una actriz de esa serie de televisión, *Emmerdale*, creo. Pero aquella sí que es Gwyneth. O alguien que se le parece mucho. Todavía no hay señales de Brad Pitt.

El tiempo pasó volando. Se sirvieron de un bufet tan fastuoso que parecía sacado de los últimos días del Imperio romano y después entraron en una sala convertida para la ocasión en una tienda de chucherías donde se pusieron hasta las cejas de gominolas. Un DJ se había colocado junto a una estatua de hielo que se derretía poco a poco, y Meena se puso a bailar. Poppy la observó desde la periferia, deseando poder acompañarla, pero como siempre había sido muy patosa le daba vergüenza. Bostezó de forma disimulada. Y en ese momento Toby reapareció.

—¿Necesitas algo que te ayude a seguir despierta?

—¿Cómo dices? —Poppy se ruborizó, ya que no estaba segura de haber entendido correctamente la pregunta, pero antes de que pudiera preguntarle, volvió a escuchar otro:

—¡Toby!

En esa ocasión era un hombre. Mayor, pero quizá no tanto como Luke. De la edad de Louise, posiblemente. No era guapo, pero era alto y de complexión atlética, con el pelo rubio y una piel ajada que ponía de manifiesto su falta de apego a los protectores solares. Tenía patas de gallo, pero su mirada era tan alegre que sugería una ausencia total de esposas, ex esposas o hijos.

—¡Charlie! —exclamó Toby.

Poppy los vio intercambiar un apretón de manos, y estaba a punto de alejarse cuando Toby dijo:

—Charlie, ¿conoces a Poppy?

—Hola —lo saludó ella con timidez, ofreciéndole la mano.

—Soy Charlie Grimes. Es un placer conocerte. —Sonrió y le guiñó un ojo a Toby—. ¿Formas parte del harén de mi amigo?

—¡Vete por ahí, Charlie! —exclamó Toby alegremente—. Acabamos de conocernos —añadió sonriendo hacia ella—. Aunque espero que podamos vernos mucho más de ahora en adelante.

Meena se acercó desde la pista de baile, saltando como si fuera un cachorrito sobreexcitado.

—¡Esto es la bomba! —gritó—. Me lo estoy pasando de muerte. ¡Ay, Dios, mira! Allí están los Dastardly Fiends —dijo, señalando con el dedo hacia la barra, donde estaban los dos miembros del dúo musical del momento, rodeados de chicas que parecían dispuestas a merendárselos—. Voy a acercarme para saludarlos. —Tiró del brazo de Toby—. ¿Los conoces?

Toby se encogió de hombros.

—No mucho.

—¿Me los puedes presentar?

Él se echó a reír.

—No veo por qué no.

Meena se lo llevó a rastras y Poppy los siguió con la mirada. Claro que ella estaba casada y Toby parecía ideal para Meena. Pero no pudo evitar sentirse un poco…

—¿Celosa? —preguntó Charlie, que seguía a su lado.

Poppy se sobresaltó. ¿Le habría leído el pensamiento?

—¿De Meena y de Toby? No. ¿Por qué iba a estarlo? Estoy casada.

—¿Casada? Demasiado joven, ¿no? ¿Cuántos años tienes?

—Veinticuatro.

Charlie esbozó una sonrisa melancólica.

—Esa es la edad que siento en mi corazón. Qué suerte tienes. Te envidio. Aprovecha al máximo todo ese tiempo que tienes por delante.

—Lo intentaré —convino Poppy, que no quitaba ojo a Meena y a Toby.

Meena se estaba riendo a carcajada limpia y cuando se tranquilizó se puso de puntillas para decir algo a Toby al oído. Él sonrió y asintió con la cabeza antes de que desaparecieran juntos entre la multitud. Poppy se volvió hacia Charlie, aunque le costó.

—Mmm… sin ánimo de ofender, ¿qué haces aquí?

—¿Te parezco demasiado mayor para esto? —preguntó él a su vez con una sonrisa.

—No, no —contestó ella, aunque acabó por admitir—: Bueno, sí, un poco quizá.

Charlie se echó a reír.

—Te agradezco la sinceridad. Es verdad. No debería haber venido. Debería estar en casa, con los pañales puestos y viendo la tele, pero resulta que soy el autor de la columna de cotilleos del *Daily Post* y me gano la vida yendo de fiesta en fiesta.

—¿¡Del *Daily Post*!? —Poppy lo miró con los ojos desorbitados, recelosa y temiendo que llevara a Hannah escondida en el bolsillo.

—Sí —contestó él, observándola con curiosidad—. ¿Lo lees? La gente de tu edad no suele comprar prensa escrita. Los periódicos están desapareciendo más rápido que la Amazonia.

—Lo leo de vez en cuando —respondió con cautela.

En realidad, una vez supo con quién hablaba, comprendió por qué su cara le resultaba familiar. Su columna iba acompañada por una foto bajo la cual escribía cotilleos sobre las famosas que lanzaban una nueva línea de trajes de baño o sobre los grupos musicales que iban a Alemania a grabar sus vídeos de promoción. Poppy solía leerla después de acabar con la de Hannah, como si fuera un caramelo después de un jarabe asqueroso.

—Qué trabajo más glamouroso —murmuró.

Charlie sonrió.

—No te creas. Los canapés de queso de cabra frito con cobertura de limón acaban cansando a cualquiera, y lo de preguntar a los famosos por sus planes de futuro es tan aburrido que acabas como un cencerro y deseando trabajar como analista de las fluctuaciones del comercio de uranio. —Se encogió de hombros con gesto alegre—. Pero ¿qué remedio me queda? A mi editor le gusta mi columna. Dice que me gano fácilmente a la gente.

—Pero todas las fiestas… —Al fin y al cabo, esa también podía ser su carrera.

—Bueno, pueden ser divertidas. Pero padezco un caso terrible de SID (es decir, situación de ingresos desequilibrados, no sea que te den ganas de salir corriendo a lavarte las manos), y resulta que mi empleo me ofrece un estatus social elevado que no va en consonancia con mi sueldo. Me muevo por los salones de baile de los hoteles donde hablo con millonarios, pero después tengo que correr bajo la lluvia para coger el autobús de vuelta a Crouch End. O almuerzo con una estrella de cine en el Ivy, pero después tengo que cenar un plato de pasta precocinada en mi sofá.

—¡A mí también me encanta la pasta precocinada!

—Me alegro. ¿Cuál es tu preferida? Confieso que me pierde la salsa de champiñones y pollo, aunque no le hago ascos a la boloñesa.

Sin embargo, antes de que Poppy pudiera dar rienda suelta a su asombro por sus gustos culinarios compartidos, Meena y Toby regresaron, muchísimo más animados que antes. Poppy pensó que se habían escapado para echar un polvo rápido. Hasta que vio el polvillo blanco que Meena tenía sobre el labio superior. Vaya, vaya.

—Quiero bailar. Vamos, Poppy, ¡me encanta esta canción!
—Y tiró de ella mientras se oía a Jay-Z.

Poppy la siguió y comenzó a bailar arrastrando los pies, mientras Meena se movía como una posesa.

—Eres una patosa —gritó Meena para que la escuchara por encima de la música—. Toby me ha dicho que estás buenísima.

Aunque el corazón le dio un vuelco por el comentario, Poppy cambió de tema.

—¿Te has metido una raya con él?

—¡Sí! ¿Quieres?

Poppy negó con la cabeza. Una vez y ya estabas enganchado, decían. Sabía que eso no era del todo cierto, porque Meena no se dedicaba a robar el bolso a las viejecitas para comprar coca, pero la única vez que la probó le sentó tan mal que en vez de disfrutar se pasó toda la noche con ganas de vomitar.

—¡Venga ya! ¡Es de la buena!

Poppy vio que Toby estaba bailando con otra chica, una guapísima con pómulos altos y un vestido de cuero entallado. Toby echó la cabeza hacia atrás y empezó a reírse, dejando a la vista sus blanquísimos dientes. Deseó ser ella quien compartiera sus carcajadas.

—Si quieres, voy y le digo a Toby que te dé un poco.

Toby le colocó las manos a la chica en los hombros y se inclinó para decirle algo al oído. La chica sonrió, asintió con la cabeza y desaparecieron entre la multitud.

—¿Poppy?

Poppy negó con la cabeza.

—No, gracias —contestó al tiempo que señalaba con la cabeza en dirección al lugar que acababa de abandonar Toby—. ¿A qué se dedica?

—¿Toby? Es una especie de asistente personal. Trabaja para una empresa que ofrece sus servicios a los famosos y a los millonarios. Se encargan de reservarles mesa en los restaurantes, de conseguirles invitaciones para los clubes de moda, ya sabes.

—Ah, vale —dijo Poppy, que en realidad no tenía ni idea.

A las dos de la mañana y sintiéndose un poco culpable por Brigita, Poppy tenía ganas de irse. Pero animada por tres copas de champán, descubrió que se lo estaba pasando bien, aunque no volvió a ver a Toby en toda la noche. Finalmente, se metieron en un taxi a las tres y Meena no paró de hablar como una cotorra.

—Me lo he pasado de muerte, Poppy. ¡No me puedo creer que este sea tu nuevo trabajo! ¡Tienes que decir que sí!

—Antes tengo que hablarlo con Luke —insistió.

—¡Qué coñazo de Luke! Es un imbécil. Me alegro muchísimo de que por fin puedas escapar de sus garras. Siempre has sido demasiado buena para él.

26

Que Clara la sacara de un sueño profundo gritando «¡Mami, tengo caca!» tres horas después de haberse acostado no era la mejor forma de despertarse. Aun así, pensó Poppy mientras cambiaba el asqueroso pañal a su hija, siempre estaba cansada. Y ese día al menos estaba cansada pero feliz.

Espabilada tras tres tazas de café, Clara y ella consiguieron pasar un agradable sábado delante de la tele, viendo el canal infantil de la BBC en pijama y comiendo tostadas. Poppy se preguntó si deberían hacer algo de provecho, como ir al parque, pero se acordó de Brigita. La niñera se encargaba de subir a Clara a los columpios durante toda la semana, así que podía tener la conciencia tranquila.

El mejor momento del día llegó sobre las seis, cuando Poppy estaba sentada en la tapa del inodoro observando a Clara chapotear en la bañera con nueve patos de colores. Le llegó un mensaje de texto de un número desconocido. Nerviosa, lo abrió.

M gustó vrt anox. Spro vrt pronto. Toby. BSS

No era precisamente un soneto de Shakespeare, pero a Poppy se le disparó el pulso. Le devolvió el mensaje con una sonrisa.

Cómo tiens mi num? Bss

—Mami. No teléfono. ¡Canta, mami!

Poppy entonó una alegre, aunque desentonada, versión de *Los patitos en el agua* mientras su teléfono volvía a vibrar.

Pss. Es 1 scrto. Sals sta nox? Bss

Por desgracia no. «Esta noche voy a acostarme a las nueve porque estoy muerta y, de todas maneras, tengo que cuidar de mi hija de dos años.» Pero como no era una respuesta muy sugerente, le contestó:

No, sta nox dscanso. Bss

Aguardó la respuesta con una sonrisa expectante.

—¡Mamiiiiii!

—¿Sí, cariño? La mamá pata dice «Cuá, cuá, cuá, cuá» —dijo mientras escribía a Meena un mensaje a toda pastilla.

L dist mi num a Toby?

—Quiero mi barquito.

—Las cosas se piden por favor —replicó Poppy de inmediato con la vista clavada en el móvil mientras lo instaba a cobrar vida. No pasó nada.

Le dio a Clara su barquito y después tuvo que soportar un berrinche de los buenos cuando intentó quitárselo para sacarla de la bañera. La secó, le puso un pañal limpio y el pijama y después se tragó una sesión doble del *Informativo de las Siete y Media* (la reposición del programa de la noche anterior por el satélite, seguida del programa en directo de esa noche). Clara saludó a su padre con mucha energía al verlo delante de la Torre Eiffel mientras Poppy prestaba más atención de la acostumbrada a su reportaje. Después leyó a Clara su cuento preferido seis veces. Seguía sin tener noticias ni de Meena ni de Toby. A lo mejor Toby no había recibido su último mensaje. O a lo mejor había sido demasiado brusca. Le mandó otro.

La prox smana si saldré x trabjo. Dim a q fistas irás. Bss

El móvil siguió en silencio. Poppy volvió a leer el cuento, metió a su hija en la cama, le dio un beso, apagó la luz y regresó seis veces al dormitorio para recoger del suelo el ratoncito de Clara, que la niña tenía la costumbre de tirar para llamar la atención. De vuelta en la planta baja, metió un paquete de comida china precocinada en el microondas y, mientras esperaba a que se calentase, llamó a su móvil desde el fijo. Vale. Estupendo. Funcionaba. Estaba muerta de ganas de mandar otro mensaje a Toby, pero se obligó a no hacerlo. Seguramente estaría en el metro. O en el cine. O dormido. Ya le contestaría.

Agotada, se metió en la cama casi a rastras poco después de las nueve con el móvil debajo de la almohada, por si las moscas. Sonó a las 21.11.

—¡Hola! —murmuró, aferrándose al móvil como un náufrago a un salvavidas.

—Hola, soy yo —dijo Luke.

Por regla general, una llamada de Luke la ponía contentísima. Pero en ese momento fue todo un chasco.

—Ah, hola, ¿qué tal por París? Te hemos visto. Has estado genial.

—¿En serio? Porque el imbécil del productor casi la caga, pero conseguimos hacerlo. Da igual, te llamaba para decirte que no volveré hasta mediados de la semana que viene porque quieren que me quede para cubrir el escándalo electoral.

En circunstancias normales Poppy habría protestado vehementemente al escuchar esas noticias, pero en esa ocasión se limitó a decir:

—¡Ah, vale! —Y empezó a vibrarle el móvil. Meena—. Bueno, buena suerte —le dijo a Luke a toda prisa—. Ya me contarás cómo te va.

—Vale. —Luke parecía extrañado por su brusco tono de voz, tan poco característico en ella. Pero Poppy ya le había colgado.

—¿Meena?

Una risilla.

—Sí, Toby me llamó para pedirme tu número. Dice que lo tienes intrigadísimo.

—¡Ah! —Poppy sintió que se ponía como un tomate.

—Le dije que estabas casada y que tenías una niña pequeña, y él dijo «¿Y qué?».

—¿Eso te dijo? ¡Qué morro! —Poppy estaba que se salía.

—Eso mismo le dije yo. Ay, Poppy, fue una pasada ¿Cuándo es la siguiente fiesta?

—No estoy segura —respondió—. Pero pronto. Ya te lo diré.

Aunque le dolían las piernas de cansancio, tardó un buen rato en dormirse. Se preguntó por qué se estaba ilusionando tanto con Toby. Era una mujer casada, ningún otro hombre debería acelerarle el corazón. Claro que Luke pasaba mucho tiempo fuera de casa y ella se aburría muchísimo. ¿Qué tenía de malo tontear un poco? No significaba nada, no iba a llegar a ninguna parte. Solo era un recordatorio muy halagador de que seguía siendo joven, de que no la habían enterrado en vida.

LA OTRA MUJER

Mientras el ministro de Interior presenta a su nueva amiga al mundo antes de que se haya secado la tinta de sus papeles del divorcio, la columnista HANNAH CREIGHTON se pregunta: ¿Cómo llamamos a las mujeres que roban el marido a las demás?

Hace un par de años tuve la enorme suerte —así es como lo veo ahora— de perder a mi marido, el presentador del *Informativo de las Siete y Media*, Luke Norton, de cincuenta y dos años, a manos de una modelo de veintidós. Al principio y como cabe esperar, me quedé desconcertada por esa increíble manifestación de una crisis de mediana edad.

No entendía por qué Luke no se contentaba con ponerse un pendiente y comprar una Harley en vez de dejar embarazada a una chica tan joven que podría ser su hija. Sin embargo, lo superé en gran parte escribiendo una columna semanal (que pronto se convertirá en un libro) a través de la cual expliqué la desintegración de mi descompuesto matrimonio y el principio de una nueva y maravillosa vida.

Sin embargo, hay algo que no dejan de preguntarme: ¿por qué nunca pronuncio el nombre de la mujer que me robó el marido? La respuesta es: ¿por qué voy hacerlo? En una época en la que los niños quieren ser famosos de la misma manera que nosotros queríamos ser maquinistas o enfermeras, ¿por qué voy sacar su nombre en un periódico? La pregunta, al principio, fue: ¿cómo llamarla? Mi abogado la llamó «la susodicha», pero eso era demasiado suave para mí. «Amante» trae a la mente una mujer con lencería cara y zapatillas con plumas en un pisito puesto en Earl's Court, lo que da un aire de glamour a la niñata, al igual que otro apodo igual de corto: Cruella.

Estuve considerando «Agujero negro», porque cualquier mujer capaz de lanzar al espacio exterior el futuro de una familia utilizando su sujetador como lanzadera debe de haber crecido en un absoluto vacío de moralidad y decencia, pero ese apodo tenía cierto aire ginecológico.

Así que me fui a mi olvidado diccionario de sinónimos, del que obtuve un buen número de posibilidades: pelandusca, casquivana, facilona, ligera de cascos, pendón, ramera, Jezabel, mujer de mundo, meretriz, golfa, buscona, zorrón, guarra, pilingui, furcia y puta. Y todas tenían un regustillo antiguo muy mono. Sin embargo, mi adjetivo preferido era uno de los que aparecían casi al final de la lista alfabética: ¡zorra! Cuando busqué la definición exacta, resulta que hablaba de una persona astuta y solapada, y también remitía a prostituta (ya sabéis, alguien que se vende por dinero). Vamos, que lo tenía todo para describir a la perfección al bombón que se había buscado Luke.

Rebautizar a la mujer que rompió tu matrimonio es muy terapéutico, y no solo porque pone de los nervios a tu ex marido. «¿Cómo le va a la zorra?», le pregunto cuando me veo obligada a discutir algo de los niños con él por teléfono. Cuando contesta con voz apagada, una parte de la agonía que yo he soportado se disuelve. Además, también le he contado algún chiste de rubias. Por ejemplo: «¿Cómo llamas a una rubia con dos neuronas? Embarazada».

Hay algo muy terapéutico en la pronunciación de la palabra «zorra». ¿Quién necesita el Prozac cuando puedes saborear en la lengua esas dos sílabas antes de escupirlas? Puedes decirlo con rabia, que en ocasiones ayuda a mitigar la furia que todavía siento en algún que otro momento. O puedes decirlo de forma que tus amigas, que también han sido tus paños de lágrimas, se partan de la risa. Y la risa, como bien he descubierto, fue una herramienta clave para salir de esta penosa situación y conseguir una vida mejor.

27

El tiempo, que había transcurrido a paso de tortuga para Poppy, de repente comenzó a pasar a una velocidad vertiginosa, como el paisaje visto desde la ventanilla de un tren a toda máquina. El lunes asistió al lanzamiento del nuevo perfume de Janis Lyons, donde no vio a Toby, pero Meena y ella se emborracharon a base de Bellinis y se fueron con un montón de bolsitas de regalos (Meena las cogió aprovechando que la encargada del guardarropa estaba despistada) que contenían una vela perfumada, un pisapapeles plateado, un frasco del perfume y una tableta de chocolate negro ecológico.

A la noche siguiente estaba muerta para el mundo a las diez. Y a la siguiente fue a una fiesta en una galería de arte en Mayfair, donde tampoco vio a Toby, pero donde se cruzó con Tracey Emin; con Brian, el ganador de una antiquísima edición de *Gran Hermano*; con la nueva novia del príncipe Enrique («Zorra —dijo Meena—. ¿Qué tiene ella que no tenga yo?», añadió) y con Marco Jensen con su novia, Stephanie, peleándose en el guardarropa porque él se negaba a meterse el pintalabios en el bolsillo del pantalón por si le «arruinaba la línea». Por suerte, no la vieron. Poppy no habría sabido qué decirles. Sin embargo, mantuvo una conversación con un hombre llamado Gus, que le dijo que él era «el calígrafo».

—¿«El calígrafo»? ¿No querrás decir un calígrafo?

—No —dijo Gus entre risas—. Soy «el calígrafo». Para

esta fiesta en concreto. Después hay una cena muy exclusiva para los clientes más importantes y mi trabajo es estar disponible por si hay algún cambio de última hora en la ubicación.

—¿Lo dices en serio?

Gus se enfurruñó un poco.

—Pues claro que sí —le soltó—. No sabes cuánta gente no aparece o lo hace con la amante en lugar de con la esposa.

—Como no le hacía ni pizca de gracia la expresión incrédula de Poppy, masculló—: Perdona, querida, pero tengo que dejarte para hablar con Freddie Windsor.

Atontada porque no sabía qué había dicho para ofenderlo tanto, Poppy cogió una copa de la bandeja de un camarero que pasaba. Se alegró al ver a Charlie, el columnista de la sección de cotilleos.

—Ah, hola. Nos vemos de nuevo. —Sonrió al verla acercarse a toda prisa.

—¡Hola! —Poppy no sabía por qué se alegraba tanto de verlo, pero así era. Charlie tenía algo que la tranquilizaba. Era agradable y campechano como una vieja bata de andar por casa, aunque nunca se le ocurriría decírselo.

—Las cosas siempre vienen de golpe —dijo él—. No te había visto en toda la vida y de repente nos vemos dos veces en la misma semana.

Poppy pensó en hablarle de la columna, pero decidió que era mejor no hacerlo.

—Tengo una niñera —le explicó—. Ahora puedo salir más.

Charlie se dio una palmada en la frente, como si lo hubiera dejado alucinado.

—¡Madre mía! Sabía que estabas casada, pero no que tuvieras un niño pequeño. Ahora sí que me siento como Matusalén. ¿Cuándo naciste? No me digas que fue en los noventa.

—No, en los ochenta. —Poppy se echó a reír—. A mediados de los ochenta.

—A mediados de los ochenta. Dios, a mediados de los

ochenta. Yo... —Se interrumpió—. Bueno, mejor no te aburro con mis cosas. Tampoco pienso decirte en qué década nací. Te basta con saber que acababan de inventar la luz eléctrica y que el miriñaque estaba en boga. Por cierto, ¿te apetece una copa, preciosa? Siempre y cuando tengas edad para beber alcohol.

—Me encantaría otra copa de champán.

—Una copa de champán para la dama y otra tónica —le dijo al barman.

—¿Tónica? ¿Sin ginebra ni vodka?

—Nunca bebo alcohol —respondió Charlie al tiempo que aceptaba los vasos—. Gracias.

—¿Por qué no?

Charlie sonrió.

—Eso demuestra lo inocente que eres, hermosa. No bebo porque soy alcohólico.

—Pero los alcohólicos siempre están borrachos, ¿no?

—Si yo bebiera un sorbo, seguro. Pero más o menos cuando tú naciste estuve a un paso de palmarla por culpa de la bebida. Y de las pastillas. Y otras sustancias nada buenas. Vivía en el sur de Francia y estuve metido en unos rollos muy chungos. Le hice daño a mucha gente. —Hizo una mueca—. Me pasé medio año entrando y saliendo de una clínica de desintoxicación. Digamos que eso me quitó del vicio de la bebida.

—Pero debe de ser muy raro ir a fiestas y no beber.

—Es interesante. —A Charlie le brillaban los ojos—. Cuando estás sobrio y los demás no, ves el mundo de un modo muy distinto a ellos. Me siento un poco desplazado, pero mi trabajo consiste en contar lo que pasa, no en participar de la acción.

—¿Estás casado? —Era una pregunta muy indiscreta, pero había algo en él que inspiraba confianza y estaba segura de que ni siquiera se ofendería en caso de preguntarle si padecía de flatulencias.

—Por desgracia, no. Fui un bala perdida demasiado tiempo y cuando por fin senté la cabeza, las chicas buenas ya estaban todas pilladas, y las modelos jóvenes no se fijan en mí porque no soy banquero ni abogado.

—Pero eres un hombre encantador. Que sepas que no todas las mujeres somos unas cazafortunas. —Poppy hablaba por experiencia en ese campo.

—Te sorprendería. En cuanto ven mi nómina, la mayoría se disculpa y… —Charlie apuró la tónica de un trago—. Perdona, cariño, pero tengo que irme. Tengo que pillar a Gianluca Mazza, el cirujano plástico del famoseo. Siempre tiene unos cotilleos estupendos, aunque insiste en querer quitarme las varices con láser.

Luke regresó el jueves por la mañana, cansado y enfurruñado. Al parecer, el hotel de París había sido espantoso.

—Roxanne insiste en que no podemos quedarnos en ningún sitio que cueste más de cien la noche. Es ridículo —se quejó mientras deshacía el equipaje—. Estábamos casi en una pensión de mala muerte.

—Pobrecito. Pero tus reportajes han sido muy buenos.

—¿De verdad? —Eso lo animó—. ¿Crees que nos fue mejor que a los de Sky News?

—Desde luego.

Pensó en contarle lo de la columna, pero fue incapaz. Tal vez debería sorprenderlo con el primer artículo acabado. Al fin y al cabo, había asistido a todas las fiestas, así que necesitaba cierta compensación. Su móvil sonó en ese momento.

—¿Sí?

—Ah, hola, Poppy. Soy Michelle Remblethorpe. Aquí estoy, como habíamos quedado.

Poppy miró a Luke, que estaba dejando la ropa interior sucia en el cesto de la colada.

—Esto… espera un segundo —dijo—. Voy a hablar desde el despacho. —Entró en la pequeña estancia con vistas al canal y cerró la puerta—. Vale, ya puedo hablar.

—Bueno, ¿cómo te ha ido esta semana?

—Genial —respondió Poppy—. He ido a tres fiestas. Te he conseguido una bolsita de regalo de Janis Lyons.

—¡Ay, eres un cielo! —exclamó Migsy—. Bueno, cuéntame. ¿A quién has visto?

—¿A quién he visto?

—¿A qué famosos has visto? —Migsy le pareció un poco impaciente.

—Esto… Bueno, la primera fiesta fue la del preestreno de la película. Vi a Jude Law y a Gwyneth, y también a los Dastardly Fiends.

Migsy soltó un chillido.

—Qué bien, Poppy! ¿Cómo es Jude Law? ¿Es tan guapo al natural como en la tele?

—No, la verdad es que es mucho más bajo de lo que esperaba y tiene un aire un poco desaliñado. Se pasó toda la noche sentado en un rincón con una chica y yo me pregunté: ¿Por qué molestarse en salir si no vas a intentar divertirte?

Migsy soltó una carcajada.

—¿En serio? Tengo entendido que puede ser un poco especial. ¿Qué me dices de Gwyneth? ¿Qué aspecto tenía? Siempre he creído que tiene un gusto espantoso. ¿Te acuerdas de aquella horterada cursi que llevó a la gala de los Oscar?

—¡Pues claro! Pero al lado de lo que llevaba el viernes, ese era elegantísimo. Era un modelito en naranja cantón. No sabía que fuera daltónica. ¡Y Denise van Outen! ¡Dios! Es increíble lo que se puede hacer con unas cortinas y una máquina de coser.

Migsy siguió riéndose. Poppy tuvo la sensación de que por fin habían encendido su caldera interior. Por fin volvía a estar en la onda.

—¿Qué me dices de Nick, de los Dastardly Fiends?

—Parecía muy contento consigo mismo. No sé por qué, porque su música es espantosa. Más que cantar, chilla como si lo hubieran castrado. Tiene los dientes tan amarillos que

265

estoy segura de que provoca accidentes de tráfico cuando sonríe.

—Bueno, es un colgado de mucho cuidado —dijo Migsy sin rodeos—. ¿Alguien más?

—También vi a Brian, de *Gran Hermano*, en la fiesta de Janis Lyons.

—Ah, sí, el de la celulitis.

—Ese mismo. —Poppy se echó a reír—. Tampoco hablé con él, pero parecía estar pasándoselo en grande. Y Tamara Mellon estuvo en la fiesta de la galería de arte.

—¿Con un tío que parecía que le habían planchado la cara?

—¡Bingo! —Se echaron a reír las dos—. Y también había un ridículo calígrafo para cambiar los nombres en la distribución de mesas si había algún problema a última hora. ¿Te lo imaginas? Dicen que nunca se puede ser demasiado rico ni demasiado delgado, pero yo te digo que se puede ser demasiado rico y demasiado imbécil.

Migsy se partía de la risa al otro lado del teléfono.

—Como antigua alumna de Brettenden House, te doy toda la razón. Bueno, ¿qué ha estado haciendo la pequeña Clara esta semana?

Justo en ese momento Luke se asomó por la puerta.

—¿Qué haces? —preguntó de mala manera.

Poppy cubrió el auricular.

—Estoy hablando por teléfono. No tardaré mucho.

—¿Tienes que hablar con tus amigas aquí? Tengo que usar el ordenador.

—Ya te he dicho que no voy a tardar mucho.

Al escuchar el tono rebelde de su voz, Luke se quedó de piedra. Después, y para sorpresa de ambos, dijo:

—Vale.

—¿Te importa cerrar la puerta? —preguntó Poppy. Luke cerró sin hacer ruido—. Lo siento, Migsy… Digo, Michelle. Me preguntabas por Clara. Bueno, ya le hemos quitado el pañal, pero si quieres que te diga la verdad, no entiendo las prisas. Es muchísimo más sencillo tenerla con los pañales que pasarse el día sentándola en el inodoro cada quince minutos. Si pudiera, la tendría en pañales hasta que se independizara.

—¡Qué bueno! —Migsy se echó a reír—. Y lo último ya. ¿Qué te parece el artículo de Hannah?

Poppy sintió que se le helaba la sangre en las venas.

—No lo he leído —respondió con calma.

—¿No? No pasa nada, ya te lo leo yo.

Poppy la escuchó mordiéndose el labio.

—¿Qué te parece?

Pensó la respuesta.

—Pobre Hannah, estar menopáusica tiene que ser horrible.

—*Touché!* —Otra carcajada—. ¿Y no te importa que te llame «zorra»?

—Claro que no —se apresuró a responder—. Me han dicho de todo. Zorra. Rubia tonta… Como diría Dolly Parton, no me molestan los chistes sobre rubias tontas porque sé que no soy tonta. Y que sepas que tampoco soy rubia. —De hecho, lo era, pero llevaba años esperando la oportunidad de decirlo.

—Genial —musitó Migsy—. Bueno, esto es todo, cariño. Ya hemos terminado.

—¿Ya? Sí que ha sido rápido.

—Te dije que no tardaríamos mucho. Buen material, Poppy. Voy a redactar el artículo, que se publicará dentro de dos semanas a partir de mañana. Lo siguiente que tenemos que hacer es arreglar las cosas para que un fotógrafo te haga una foto para ponerla junto a la columna. ¿Te va bien mañana por la mañana? Ya estamos trabajando para conseguir más invitaciones. Tenemos a nuestra experta llamando a todos los relaciones públicas para que incluyan tu nombre en las listas de invitados.

—Claro.

—Genial, te enviaré al fotógrafo sobre las once si te va bien. Ah, y tienes que darme tu número de cuenta para que te ingresemos el dinero.

Tras encargarse de todos los detalles (tardó unos minutos en localizar el número de su largamente olvidada cuenta personal), Poppy colgó. No acababa de creerse que hubiera sido tan fácil. Se lo diría a Luke esa noche; no veía razón alguna para que se molestase.

En las oficinas del *Informativo de las Siete y Media*, Luke repasaba alicaído los gastos de los últimos tres meses en su escritorio. En ese preciso momento no le gustaba mucho su vida. A Marco le daban cada vez más cuota de pantalla, quitándosela a él. Las facturas de los internados habían vuelto a subir. Los ataques de Hannah seguían sin darle tregua.

Además, en casa las cosas tampoco marchaban bien. Bueno, en realidad nunca estuvieron bien, pero algo había cambiado. Por regla general, Poppy lo ponía de los nervios con sus lágrimas cada vez que se marchaba al extranjero, pero el largo viaje a París le había parecido bien. Debería sentirse aliviado y, en cambio, se sentía inquieto. Desde que había vuelto, todos los días se encontraba a Brigita cuidando de su hija y a su esposa fuera al llegar a casa. Era cierto que le había dicho que debería disfrutar más de la vida, pero resultaba desconcertante volver y encontrarse con la niñera en vez de con su mujer sentada delante de la tele y que Poppy lo despertarse a altas horas de la madrugada al entrar dando tumbos y apestando a alcohol. Además, había sugerido contratar a una niñera para que Poppy buscase trabajo, no para que saliera todas las noches de juerga. Iba a tener que echarle la bronca, con suavidad, por supuesto, para no alterarla. Aunque tal vez esa nueva y dura Poppy se valiera por sí misma…

Clavó la vista en el montón de recibos que tenía delante. Nueve taxis, la factura de un hotel en Praga, la factura de un hotel de París. Otra factura de 175,80 libras del Frontline Club de hacía un par de semanas. ¿Qué coño había hecho esa noche? Ah, sí, se había cabreado con Gerry y después algunos desconocidos se habían unido al grupo y él había acabado invitándolos a todos a champán. Cuando comenzó en el oficio, las juergas como la de esa noche eran una parte fundamental de su trabajo, tanto como saber taquigrafía y escribir a máquina. Porque era obligatorio tener mucho aguante con la bebida; si no los emborrachabas, ¿cómo ibas a conseguir una historia de un contacto? ¿Y cómo ibas a regresar si no al mundo de la normalidad después de cubrir una guerra?

Sin embargo, en los últimos años todo eso había cambiado. La generación afeminada de Marco parecía preferir un sándwich de máquina en el escritorio a una botella de clarete en El Vino. Luke se encontraba a la deriva cada vez con más frecuencia cuando buscaba a alguien con quien tomarse una copa después del trabajo, como un oso polar en un trozo de hielo que se derritiera. De modo que esa noche loca había sido una excepción, una indulgencia que bien podían permitirse los accionistas del Canal 6, dada la cantidad de veces que había arriesgado su vida por ellos. La pregunta era: ¿a qué atribuirlo? Buscó la inspiración en las pantallas donde se veían los informativos. ¡Ajá! Unas imágenes de la catedral de Bellchester después de que la ciudad fuera señalada como la que sufría más robos por habitante de toda Gran Bretaña.

«Cena con el obispo de Bellchester», escribió en la columna de «Cortesía». Al fin y al cabo, había cenado con ese viejo carcamal un par de veces. Le pitó el móvil. Un mensaje de Poppy. Lo leyó con más interés del que le habría puesto hacía una semana.

Salgo sta noche No m spers. Bss

¡Pero bueno! ¿Qué estaba pasando? Luke echó un vistazo por la redacción. Marco estaba junto a la puerta, riéndose con Dean. Emma se estaba poniendo su abrigo de cachemira, seguramente con la intención de salir para cubrir una historia. Al verlos, la ansiedad se apoderó de él. De repente, sintió la acuciante necesidad de tener un amigo. Clavó la vista en Thea, que estaba hablando por teléfono con esos gestos suyos tan bruscos que tan poco sexys le resultaban.

Sin embargo, llevaba el pelo muy bien ese día, recogido en un moño alto. Y esos pantalones negros le resaltaban las piernas. Sintió un cosquilleo en la entrepierna. No tenía hijos ni marido con los que regresar al final del día y seguro que le gustaría tomarse una copa con él después del trabajo, ¿no?

Se arregló la corbata y atravesó la estancia. Aún seguía al teléfono. Al verlo, Thea cubrió el auricular.

—Hola, Luke, ¿quieres algo? —preguntó con tono brusco antes de decirle al teléfono—: Un momento.

—Me estaba preguntando si te apetecería tomarte una copa después del trabajo.

Se produjo una larga pausa antes de que ella respondiera:

—Me encantaría, pero estoy ocupada.

—¡Ah! Vale. —Molesto, Luke dio media vuelta.

Demasiado ofuscado para intentarlo con alguna otra persona, regresó a casa y se encontró a Brigita en el lugar que solía ocupar Poppy en el sofá, viendo un episodio de *Property Ladder*.

—¿Se ha portado bien Clara? —le preguntó, más por decir algo que porque le importase la respuesta. Eso no significaba que no adorara a su hija menor ni mucho menos, solo que no le interesaban demasiado los pormenores de su educación.

—Sí, papi. Desde que he venido se porta mucho mejor. Creo que antes estaba un poco mimada, ¿no? Pero le enseño modales.

Observó a Brigita. Nadie podría decir que fuera guapa con esa cara paliducha y ese pelo tan encrespado, pero tenía unos pechos increíbles. Se reprendió en silencio. Tener un rollo con la niñera era un topicazo demasiado exagerado incluso para él.

—¿No te importa trabajar tanto? —le preguntó.

—No. Tengo que ganar todo lo que pueda para que mi novio y yo nos compremos una casa en Hartlepool. Cuanto más trabajo, mejor. Y es bonito ver que mami se divierte tanto. Cuando empecé, siempre parecía muy triste, pero ahora todo está mucho mejor.

—Bien, bien —dijo Luke, sin saber a qué se refería.

Después de que Brigita se fuera, se sirvió un vaso de whisky, vio el programa de su rival, Jeremy Paxman, y se percató con envidia de la impresionante mata de pelo que tenía. Quizá se hubiera puesto implantes. Se preguntó si algún día se cruzaría con él en la clínica del doctor Mazza. Una clínica en la que, por cierto, tenía que volver a pedir cita.

Se metió en la cama, pero no podía dormirse, de modo que bajó a la cocina. Se estaba sirviendo otro whisky cuando Poppy apareció por la puerta. Tenía las mejillas sonrosadas y estaba muy sonriente. Llevaba un minivestido de seda púrpura con un abrigo de piel falsa y unas botas altas de ante verde. Se le paró el corazón al ver lo guapa que estaba. Se dio cuenta de que se había olvidado de lo preciosa que era su mujer.

—Vaya, sigues despierto —dijo ella.

—Insomnio.

—Pobrecillo. —Le dio un beso en la mejilla—. ¿Quieres que te prepare una tila?

—¿Dónde estabas? —le preguntó, sorprendido por la repentina desolación de su voz.

—En una fiesta —contestó ella al tiempo que cogía una barrita dietética de la panera y le daba un mordisco—. El lanzamiento de un desodorante o algo así. —Señaló la bolsa que había dejado en la encimera—. Mira, tengo una muestra gratis para cada uno. Para que luego digas que no te cuido.

Luke se colocó detrás de ella y la abrazó por la cintura.

—¿Cómo es que vas a tantas fiestas últimamente? —murmuró contra su pelo. Para su sorpresa, la sintió tensarse.

—Llevo un tiempo queriendo hablarte de eso —contestó ella.

Sin embargo, en ese momento a Luke no le interesaba la respuesta, ni su aparente reticencia a buscar trabajo. Los pechos que tenía en las manos lo habían distraído. Los apretó y le besó la nuca, a lo que ella respondió volviéndose entre sus brazos para besarlo en la boca. Veinte minutos más tarde, estaban desnudos en la cama y jadeantes.

—Ha sido muy bonito —dijo Poppy.

—Ha sido genial —convino Luke.

Sí, Poppy se había mostrado mucho más apasionada que de costumbre. A lo mejor era porque estaba borracha. Claro que no pensaba quejarse. Por fin sentía que se le cerraban los ojos y respiraba relajado.

—Luke —dijo ella al tiempo que lo abrazaba—, ¿recuerdas que me has preguntado por qué voy a tantas fiestas de un tiempo a esta parte?

—¿Qué? —preguntó él—. Estoy medio dormido, cariño. Cuéntamelo por la mañana.

28

Esa misma noche, Thea y Rachel estaban sentadas en un restaurante vegetariano de Islington, compartiendo un *thali*. Rachel parecía haber doblado su tamaño desde la última vez que se vieron, y a esas alturas sabía que el bebé era un niño porque acababan de hacerle una ecografía.

—¿A que es asombroso? —susurró.

—Increíble. —Thea fingió toda la emoción de la que fue capaz mientras observaba la imagen en blanco y negro de un ectoplasma—. ¿A quién crees que se parece?

—A Dunc, espero —respondió Rachel, que observaba el papel con ternura—. Bastardo.

—¿Cómo dices? —Thea siempre había visto a Dunc de esa manera, pero oír que Rachel lo insultaba fue toda una sorpresa.

—Ese es el nombre que le he puesto al niño hasta que Dunc se digne casarse conmigo.

Y eso que decía que el matrimonio se la traía al fresco…

—¿Todavía no se decide? —preguntó Thea sin dar importancia al asunto.

—Mmm… Dice que puede asimilar el hecho de ser padre, pero que lo de convertirse en marido le parece madurar demasiado. Parece que no le importa que mi madre y la suya estén de los nervios porque su primer nieto va a nacer sin que estemos casados.

—¡Por el amor de Dios! ¿Qué pasaría si Dunc hubiera nacido en 1920? ¿Se habría negado a ir a la guerra porque era «madurar demasiado»? Ya tiene… ¿treinta y tres?

—Está un poco consentido —confesó Rachel con expresión tristona—. Ha tenido una vida muy cómoda porque su madre le lavaba la ropa y le cocinaba, y después tuvo varias novias que siguieron haciéndolo. Y ahora estoy yo. Thea, lo he consentido y sabe muy bien que tiene la sartén por el mango.

—No la tiene.

—Sí la tiene. No te he dicho nada de esto antes porque me daba miedo que pensaras mal de mí, pero cuando le conté lo del embarazo no fue todo de color de rosa como te he hecho creer. Se puso como una fiera. Me acusó de tenderle una trampa. Y… en fin, es verdad. Así que le prometí un montón de cosas. Le dije que nunca tendría que cambiar un pañal, que yo me encargaría de darle el biberón por las noches, que no tendría que empujar el cochecito si le daba vergüenza y que si lo encontraba demasiado difícil, podría marcharse sin más.

—¡Ah! —exclamó Thea. La confesión no la sorprendió. De la misma manera que nadie se sorprendió al saber que Elton John era gay o que la reina era muy pija. Sin embargo, escuchar cómo admitía abiertamente que se había quedado embarazada para atraparlo le dio que pensar. ¿No era eso lo que la zorra le había hecho a Luke?—. Estoy segura de que verá las cosas de otra manera cuando el niño nazca —dijo para animarla.

—Eso espero, pero siempre tendrá la opción de salir corriendo si las cosas se tuercen más de la cuenta. Por mí, que haga lo que quiera. Lo que me preocupa es el bastardo. Nacer con un padre que prefiere clasificar sus discos antiguos por orden alfabético a cantarle una nana es un poco triste. —Como era normal en ella, Rachel cambió en un abrir y cerrar de ojos—. Dejemos el tema. Es aburrido. ¿Cómo está tu abuela?

—Como siempre. Fui a verla la semana pasada, pero se pasó todo el rato meciéndose con la mirada perdida. Es difícil.

—Debe de serlo, sí. —Al igual que le pasaba a la mayoría de la gente, Rachel no se explayaba mostrando compasión por una anciana a la que no conocía de nada. Los problemas sentimentales eran más sencillos—. ¿Y el trabajo?

—Sigo en el punto de mira.

—Ese cerdo de Marco…

—Sí, es un capullo… Pero, bueno, aparte de ese tema, estoy un poco aburrida.

—¡Pero si tienes el trabajo más emocionante del mundo! —Rachel siempre decía lo mismo cuando Thea comparaba sus sueldos.

—Eso era antes. Ahora solo me dan tonterías sobre ordenanzas municipales que recortan los gastos para el reciclaje o sobre famosos de medio pelo que lanzan líneas de lencería. Estoy desesperada por volver a viajar, pero hasta que no consiga redimirme, es tan difícil como…

—Como que Dunc y yo nos casemos. ¿Por qué no te largas?

—Porque no tengo ninguna otra opción. Hay recortes en todos lados. Y porque…

—¿Porque Luke no trabaja en otro sitio? —la interrumpió Rachel en voz baja.

—¡Rachel! Ya te lo he dicho. Lo mío con Luke está tan muerto como el pájaro dodo. No pienso quedar con él en la vida. De hecho, esta tarde me ha invitado a tomar una copa y le he dado calabazas. Si me hubieras visto, te habrías sentido orgullosa de mí.

—¡Sí señora! Bien hecho. —Rachel sonrió justo cuando sonaba el teléfono de Thea.

—Perdona, será mejor que conteste, por si es el primer ministro que quiere confesarme en exclusiva su aventura de diez años con una burra llamada Mabel. ¿Sí?

—¿Thea? ¡Hola! Soy Jake Kaplan.

—¡Hola! ¿Ya estás de vuelta?

Desde que Jake se fue no le quitaba el ojo a la página web

de Minnie, pero no habían vuelto a mencionar nada sobre un viaje a Guatemala, de modo que había descartado la idea de enviar un equipo para cubrir cualquier posible noticia.

—No, sigo en Ciudad de Guatemala —respondió Jake, aunque su voz parecía proceder del patio trasero, como si se hubiera escapado para fumarse un cigarro—. Parece que esto va para largo.

—¿En serio? —El comentario había despertado su curiosidad.

—¿Quieres saber por qué?

—Claro.

Jake bajó la voz y dijo:

—Que esto quede entre nosotros. Minnie vendrá la semana que viene.

—¿Nos concederá una entrevista?

Jake suspiró.

—Posiblemente no, pero tal vez te convenga cubrir la noticia desde aquí. Eso nos reportaría mucha publicidad y la necesitamos.

—No sé, Jake —replicó ella con un nudo en el estómago por la vergüenza—. A ver, reconozco que el trabajo que hacéis es excepcional, pero sin la entrevista de Minnie la noticia no es nada del otro jueves. —Hizo una pausa, sorprendida por lo mucho que le disgustaba desilusionarlo—. Lo siento.

—Mira —insistió él—, ya te lo he dicho antes. Es posible que Minnie se niegue a conceder una entrevista, pero la historia es buena. Cuanto antes envíes a un equipo, mejor.

—¿Cuál es la historia?

—No puedo contarte los detalles. Recuerda que te hablé de una adopción.

—¿Minnie Maltravers va a adoptar un bebé guatemalteco?

—¿¡De verdad!? —exclamó Rachel.

—Yo no he dicho nada —apostilló Jake—. Pero te repito: deberías enviar a un equipo. Por si acaso. —Hizo una pausa y luego añadió—: Y si se decidiera a conceder una entrevista, elegiría a la cadena que más cobertura dé al trabajo de Niños de Guatemala.

Thea reflexionó. La noticia de la adopción por parte de Minnie sería un bombazo, con o sin entrevista. Vale, no tanto como para enviar al presentador del noticiario para cubrirla, pero si existía la más mínima posibilidad de que Minnie les concediera una entrevista, Luke tendría que estar preparado. Y ella también. Se le aceleró el corazón. Un viaje al extranjero. Un hotel. El sol en la espalda. Y Luke.

Como en los viejos tiempos.

«¡Ya vale, Thea!», se reprendió.

—Hablaré con mi jefe nada más llegar a la oficina y después te llamo.

—Vale. Por cierto, ¿qué tal estás?

—Bien —respondió ella—. ¿Y tú?

—Deseando volver a verte.

La respuesta le provocó una mezcla de furia y risa. Otra vez estaba tirándole los tejos. En el fondo suponía que sería halagador si no pareciera un duendecillo disfrazado con vaqueros.

—Mmm, vale —contestó—. Bueno, te llamaré en cuanto sepa algo.

Dean no pareció quedarse muy convencido.

—Me estás diciendo que si no enviamos a un equipo no tenemos ninguna posibilidad de conseguir una entrevista, pero que en caso de enviar a uno, no es seguro que Minnie nos la conceda.

—Correcto. —Thea asintió con la cabeza, justo cuando sonaba su móvil. Lo apagó sin mirar siquiera quién la estaba llamando.

—¿Y por qué coño no puede asegurarlo? —preguntó Dean.

—Sabes muy bien cómo funciona esto. Estamos hablando de una diva que jamás habla con la prensa. Pero si damos suficiente cobertura al trabajo de Niños de Guatemala, las posibilidades de que hable con nosotros aumentarán.

—No creo que Roxanne se trague esto. Hemos superado ya el presupuesto de este año. ¿Qué dirán los accionistas si nos gastamos una pasta en grabar a un grupo de niños en un estercolero y al final no conseguimos hablar con Minnie?

—Es la única manera, Dean. —Thea decidió cambiar de estrategia—. Serán unos niños monísimos. Monísimos y muertos de hambre. A los espectadores se les caerán las lágrimas.

—Hablando de hambre… —dijo Dean al tiempo que metía la mano en la caja de galletas que tenía delante—. Mierda, ¿quién se las ha zampado? Vale. Lo haremos. Le diré a Marco que haga las maletas.

Thea tuvo la sensación de que acababan de darle un par de guantazos.

—¿Marco? ¿Y Luke?

—Ya me has oído. Esta historia le pega más a Marco. Es la cara del futuro. A Luke le queda… ¿cuánto? Un año como mucho antes de que se jubile anticipadamente. Las encuestas revelan que no atrae al segmento más joven de la audiencia.

Thea sabía que la estrella de Luke estaba en declive, pero esa era la primera vez que oía hablar del tema sin tapujos. En parte se alegró. «Se lo tiene bien merecido», pensó. Luke había abandonado a su mujer por una modelo mucho más joven, y le había llegado la hora de sufrir la misma experiencia en sus propias carnes. Sin embargo, era un hombre con talento que no se merecía que lo descartaran de esa manera. Y lo más importante: ni de coña viajaría con ese cerdo de Marco. Lo odiaba más que a la col cuando era pequeña. ¡Lo odiaba más que a JR de *Dallas*! Lo odiaba más que a Lucy Randall en el colegio porque se había reído de su forma de bailar charlestón. Cubrir la noticia de Minnie con Marco sería tan divertido como sufrir una lobotomía sin anestesia.

—Dean, he acordado con los responsables de Niños de Guatemala que Luke cubrirá la noticia. Minnie es una de sus fans.

—¿Me estás diciendo que Minnie Maltravers ve el *Informativo de las Siete y Media*? —preguntó Dean, alzando una ceja con sorna.

—Su marido, quizá —contestó ella—. De todas formas, ¿qué más da? Me han dicho que o Luke o nadie.

—¡Me cago en diez, Thea! En mala hora te pedí que volvieras de Nueva York. Vale, vale. Enviaremos a un equipo a Ciudad de Guatemala, Luke incluido. Además de una orquesta de violines para que ayuden a crear un clima lacrimógeno. Pero como no funcione, lo tienes crudo. Cabreado no soy muy agradable.

—Ni contento tampoco —le soltó sin despeinarse.

No era una broma, pero por suerte Dean se lo tomó como tal y se dio una palmada en el muslo mientras se reía.

—Esa ha sido buena. Y ahora, mueve el culo y dile a la megaestrella que venga a verme.

Mientras cerraba la puerta del despacho de Dean, su mente era un torbellino de pensamientos. Tenía mil cosas que hacer. Deberían marcharse a primera hora de la mañana siguiente. Tendría que decírselo a Luke, organizar el equipo técnico, ordenar que les consiguieran los billetes, llamar a Jake. Recordó que tenía el móvil apagado en el bolsillo. Lo sacó y lo encendió. Comenzó a sonar al instante.

«Tiene un nuevo mensaje de voz.»

«Mi madre, seguro», se dijo mientras bostezaba y se llevaba el teléfono a la oreja. Sería mejor no decirle que estaba a punto de salir a comer a un restaurante. Le diría que se había preparado una ensalada que tenía guardada en un Tupperware.

—Hola, señorita Mackharven. Soy Corinne Stiller, del geriátrico Greenways.

A Thea se le secó la boca. Se le aflojaron las rodillas. Devolvió la llamada sin pérdida de tiempo.

—Thea —le dijo Corinne, que echó mano de un discurso repetido hasta la saciedad—, siento mucho comunicarle que su abuela ha muerto esta mañana repentinamente.

29

Luke no fue el único que subió a un avión con rumbo a Ciudad de Guatemala. Los hoteles de cinco estrellas de la capital estaban llenos de equipos de noticias de todo el mundo. Cuando el equipo del *Informativo de las Siete y Media* aterrizó, capitaneado por Alexa, dado que Thea tenía que organizar y asistir a un funeral, los rumores corrían como los piojos en un colegio, y uno de los más insistentes decía que la visita de Minnie no era del todo altruista, que tal vez sus viajes para ver a los pobres huerfanitos fueran más bien del estilo de sus infames juergas en Bergdorf's.

El equipo de Minnie, sin embargo, lo negaba todo e insistía en que la modelo estaba en el país en visita privada para inaugurar un hospital y aumentar la proyección internacional de Niños de Guatemala. No se harían más declaraciones a la prensa.

—¿Estás convencido de que no va a hablar con nadie más? —preguntó Thea a Jake.

Habían pasado cuatro días y estaba hablando desde el manos libres, pisando el acelerador de su Peugeot 205 a fondo. El velocímetro pasaba de los ciento treinta kilómetros por hora mientras recorría a toda velocidad la autovía que la llevaría a Greenways y al funeral de su abuela.

—Tan seguro como se puede estar —respondió Jake con un tono bastante alegre, teniendo en cuenta que donde estaban eran las seis de la mañana—. El equipo del *Informativo de las Siete y Media* será el único que tenga acceso total a nuestros proyectos. Si Minnie se decide a hablar, estará obligada a hacerlo con vosotros.

—Gracias, Jake —dijo Thea antes de hacerle un corte de manga a un camión al que adelantó por la derecha. El conductor le devolvió el gesto. Y ella lo repitió.

—De nada. Nos estamos haciendo un favor mutuo. —Y tras una pausa añadió—: Es una lástima que no puedas estar aquí.

—Eso digo yo —le aseguró ella, aunque no en el mismo sentido que él.

—Siento mucho lo de tu abuela.

Jake ya se lo había dicho antes, cuando le contó por qué no podía ir a Guatemala, pero era agradable volver a oírlo.

—Gracias. —Guardó silencio un momento—. Todo el mundo cree que debería sentirme aliviada porque ha dejado de sufrir, pero me siento fatal.

—Pues claro. Llevas años llorando la pérdida de tu abuela, pero por fin puedes hacerlo plenamente, sin trabas. Todas las emociones que habías reprimido te están desbordando.

Aterrada por la posibilidad de que la desbordaran en ese momento, Thea cambió de tema.

—Bueno, ¿la adopción ya es definitiva?

—De manera extraoficial, sí. Anoche se firmaron los papeles. Se hará un anuncio oficial a lo largo de esta semana.

Thea suspiró aliviada. Si Minnie hubiera decidido de repente que prefería un niño chino, estaba segura de que la echarían del trabajo.

—Entonces hemos hecho bien al enviar a un equipo.

—Ya lo creo. Estarás en la cima cuando todo salga a la luz. ¿Estás segura de que no hay ninguna posibilidad de que te reúnas con nosotros?

—Me encantaría —contestó con sinceridad—, pero Alexa ya está allí. No me necesitan.

—Mierda, tengo que irme. La ayudante personal de Minnie me estará esperando. —Jake bajó la voz—. Igual lo anuncian hoy. Ya hablaremos más tarde. Buena suerte, Thea.

—Gracias. —Pero Jake ya había colgado.

Subió el volumen de la radio.

«Es una vergüenza que cualquier mujer con dinero pueda entrar en un orfanato como si se tratase de un centro comercial y elegir al bebé más mono que encuentre», decía una voz femenina.

«¿Más vergonzoso que dejar al bebé a su suerte en un orfanato para que se convierta en un chapero y un drogadicto desde la infancia?», preguntó otra voz que le resultaba familiar.

«Minnie Maltravers es una drogadicta. Fue sentenciada a noventa días de servicios a la comunidad y a asistir a una terapia de control de la agresividad por haber golpeado a su criada con un bolso. Pero parece que van a darle luz verde para adoptar a un bebé mientras que muchísimas parejas se encuentran con un rechazo tajante.»

«Que rechacen a otras parejas es irrelevante», replicó la voz femenina que le resultaba conocida.

¿Quién coño era?, se preguntó Thea.

«El asunto es que van a rescatar a un niño de una vida sin esperanza para darle otra llena de oportunidades.»

«Una vida como el consentido hijo único de una egomaníaca…»

«A ver, ¿no creerás de verdad que Minnie va a educar a ese hijo? Eso lo hará una legión de niñeras. Lo verá una vez por la noche, durante cinco minutos antes de acostarse, y también para las ocasionales sesiones de fotos, con suerte los dos.»

—¡Ahí le has dado! —dijo Thea mientras salía de la autopista.

La voz del presentador interrumpió la discusión:

«Gracias a Dilly Wells y a Hannah Creighton por su opinión en este debate. Y nuestros oyentes ¿qué creéis? Llamadnos al…»

¡Joder! Hannah Creighton de nuevo. Esa mujer estaba en todas partes, como si tuviera el don de la ubicuidad. Por enésima vez Thea se preguntó qué habría pasado si no hubiera enviado ese correo electrónico. ¿Seguirían juntos Luke y Hannah? ¿Habría nacido Clara? ¿Habrían acabado Luke y ella juntos? ¿Habría seguido Hannah siendo una simple ama de casa, recordada tras su muerte tan solo por la maravillosa ensalada de lentejas que hacía todos los años para la fiesta del colegio?

—Nunca lo sabremos —murmuró Thea al entrar en el aparcamiento de Greenways.

Tal como había esperado, el funeral que se le celebró en la capilla del geriátrico estuvo poco concurrido. Thea, Corinne, un par de enfermeras polacas, la tía María y su marido George, que habían volado desde Málaga para la ocasión a pesar de que nunca se habían tomado la molestia de visitar a Toni Fry mientras seguía con vida. Thea consiguió aguantar el tipo sin llorar durante la misa que dio un aburrido pastor, que nunca había conocido a su abuela. Se reservó las lágrimas para el crematorio, cuando dijeron otras palabras y el ataúd desapareció detrás de las cortinas, momento en el que supo que la persona a quien más quería del mundo se había ido para siempre. Después regresó al despacho de Corinne para tomar una taza de té con unas insulsas pastas. Decidió pararse en la primera gasolinera que viera en el camino de vuelta a casa para eliminarlas de su sistema con Lacasitos.

—Siempre vemos el programa vía satélite —dijo la tía María en cuanto soltó las condolencias de rigor y las tonterías de que la abuela estaba en un lugar mejor—. Es muy bueno, pero tengo que preguntarte una cosa: ¿por qué Emma Waters se pone siempre esas blusas con lazos? Ni que fuera Margaret Thatcher. Vale que esta fue una mujer maravillosa que volvió a levantar el país, pero aun así no quiero ver a su doble dándome las noticias. Da miedo. ¿Crees que lo hace a propósito?

—No creo.

—¿No puedes hacer nada al respecto?

—Podría comentárselo… —Por primera vez ese día, Thea sonrió al pensar en la reacción de Emma. Soltó la taza, lista para irse, y en ese momento se le ocurrió una idea.

—¿Cree que podría ir a visitar a la señora Kaplan? —le preguntó a Corinne.

—¿La conoce? —preguntó la gerente con sorpresa.

—Conocí a su hijo durante mi última visita. Ahora está en Guatemala, pero a lo mejor le apetece verme.

—Seguro que sí. —Corinne sonrió—. Está en la habitación cuarenta y nueve. Solo tiene que llamar a la puerta.

Thea llamó a la puerta presa de los nervios. Recordó aquella vez que encontró a su abuela en medio de un charco de orina, con el dormitorio destrozado como si fuera una estrella de rock. Sin embargo, la señora Kaplan estaba sentada muy tranquila en un sillón, con la vista clavada en los bonitos jardines.

—Hola, señora Kaplan. Soy Thea. Soy amiga de Jake. Mi abuela solía vivir aquí, la señora Fry. Acabo de asistir a su funeral.

—Había una vez un barquito chiquitito, había una vez un barquito chiquitito… —empezó a cantar la señora Kaplan entre dientes.

—Jake está en Guatemala. Está trabajando con unos compañeros míos.

Thea reparó en una enorme fotografía en blanco y negro colocada en la repisa de la chimenea en la que se veía a Jake con el brazo rodeando los hombros de una rubia muy mona. Por absurdo que fuera, sintió una punzada de celos. Después se preguntó si habrían hecho la foto con la chica en una zanja, como hacía Tom Cruise con sus compañeras de reparto para que él pareciera más alto, y sonrió ante la idea.

—Que llueva, que llueva, la Virgen de la cueva…

—Hemos cenado juntos. Es un hombre muy agradable. Así que debería sentirse orgullosa. Pero no piense nada raro sobre nosotros. Es mucho más joven que yo y además no es mi tipo. Y seguramente yo no sea el suyo, pero la cosa es que no dejo de pensar en…

—¡Qué felices seremos los dos! ¡Y qué dulces los besos serán! —canturreó la mujer.

Thea le dio un apretón en la mano.

—No pasa nada. Solo quería comprobar que estaba usted bien y decirle dónde se encuentra Jake. Vendrá a verla pronto.

Recorrió el pasillo verdoso por última vez como muy bien sabía. Todas las personas con las que había hablado le habían dicho que al menos el sufrimiento había pasado, que ya no tendría que volver a ese lugar, que su abuela descansaba en paz y que ya no tenía que soportar esa carga económica. Pero ella solo sentía un enorme vacío: la persona a quien más había querido ya no estaba.

—Ahora no tengo a nadie —se dijo al entrar en el coche. Apoyó la cabeza en el volante un momento mientras inspiraba hondo—. Vamos, Thea, ya te sobrepondrás. Todo el mundo lo hace.

Su teléfono comenzó a sonar. Lo miró un instante antes de decidir si lo cogía. Después volvió a tomar aire.

—¿Diga?

—Thea, soy Luke.

—¡Ah, Luke, hola! ¿Cómo van las cosas?

—Fatal. —Nada de «¿Cómo estás, Thea?», se percató—. ¿Sabes lo que ha pasado?

—No. Acabo de salir del funeral de mi abuela.

—Claro. Da igual, la cosa es que esto es un puto caos. Han hecho el anuncio oficial: Minnie ha adoptado a un niño.

—Genial —soltó Thea, muy consciente de la falta de compasión de Luke. Nunca se le habían dado bien esas cosas. Imbécil. ¿Qué había visto en él?—. Eso quiere decir que no os enviamos en balde.

—Pues al final resulta que sí hemos venido para nada. Porque Minnie se ha largado del país con el bebé.

—¿¡Que se ha ido!?

—Sí. Al parecer se escabulló anoche en su jet privado. Nadie ha conseguido sacarles ni una puñetera foto. No sabemos dónde están. Y nos encontramos aquí empantanados sin nada que hacer.

30

Tan solo un mes antes a Poppy se le habría partido el corazón
si Luke la hubiera llamado desde la oficina para decirle que esa
misma noche se iba a Guatemala. Sin embargo, en esa ocasión
se lo tomó genial. Estaba claro que iba a echarlo de menos,
pero tenía a Brigita para soportar las cargas de cada día. A la
niñera le gustaba tanto comentar las monerías de Clara que en
ocasiones resultaba hasta cansina. Además, por las noches siempre había una fiesta a la que acudir, arropada por su siempre
fiel compañera Meena.

—¿Cuánto tiempo vas a estar fuera? —preguntó mientras
se limaba las uñas, para lo cual había puesto el manos libres.

Todavía no era capaz de arreglarse el pelo y de maquillarse con tanto arte como su amiga, pero unos días antes había
ido un spa en South Kensington para una sesión en una cabi-
na de bronceado y estaba comenzado a usar más productos de
maquillaje.

—Una semana quizá. —Hubo una pausa y después—: Lo
siento.

—No pasa nada —lo tranquilizó ella con voz cantarina—.
Es tu trabajo.

—Pasaré por casa un minuto para recoger unas cuantas
cosas. Y para despedirme de Clara y de ti.

—Vale —dijo ella—, pero no tardes mucho porque me iré
en cuanto esté en la cuna.

—¿Vas a salir? ¿Otra vez?

Una nueva oportunidad para contarle lo de la columna, aunque no quería hacerlo por teléfono. Así que se limitó a contestar:

—Sí. Nos vemos dentro de un rato.

Claro que en realidad no lo vio, porque Luke cogió un atasco y Meena ya había pasado a recogerla en un taxi antes de que él llegara a casa.

—¿Adónde vais esta noche, chicas? —les preguntó Abdul, el taxista somalí que ya las había llevado en un par de ocasiones y que parecía vivir a través de ellas.

—A la presentación de un libro. —Poppy entrecerró los ojos para leer lo que ponía en la invitación—. Va de la historia de los sombreros.

—¡Mierda! Eso parece un tostón, ¿no? —preguntó Meena con cierta alarma.

—No, la escritora es lady Emmeline de la Vere, así que supongo que estará lleno de gente con clase.

—¡Demos gracias a Dios! —replicó Meena con fingido alivio.

La timidez de Poppy disminuía conforme iba saliendo. Se sentía importante cuando los porteros la invitaban a pasar nada más sacar su invitación, y las dos o tres o cuatro copas de champán que tomaba la ayudaban a sentirse más segura y a relajarse. En cuanto entraron en la antigua cervecería situada en Brick Lane, vio a Charlie en la barra y fue directa a hablar con él.

—Tú otra vez —la saludó mientras le daba un par de besos—. Estás empezado a ser un adorno más de estas fiestas, como las hermanas Geldof o Sienna Miller… que están en todas partes. Vas a tener que hacer algo escandaloso para que pueda escribir sobre ti.

—Haré lo que pueda. —Le alegraba que Charlie ignorara que era la zorra. Aunque no duraría mucho.

Esa noche, como cualquier otra, ojeó la estancia en busca de Toby; pero como siempre fue en vano. No le había contestado al último mensaje y había tenido que hacer un esfuerzo sobrehumano para no enviarle otro. Se reprendió por ser una tonta. Estaba comportándose igual que su madre con sus frecuentes enamoramientos. Lo que tenía que hacer era concentrarse en ese trabajo tan glamouroso en lugar de enredar las cosas.

Así que se bebió tres cócteles de color rosa con Meena (según el barman llevaban una pizca de guaraná… sabría Dios lo que era eso) y después fueron a la pista de baile, donde se colocaron junto a un chino muy bajito que llevaba un corsé y una chica negra enorme con unos *leggings* dorados.

—¡Estas últimas semanas han sido divertidísimas! —gritó Meena para que la oyera por encima de «Billie Jean»—. ¿Cuándo publican la primera columna?

—¡Mañana!

—¡Oooh! Qué ganas tengo de leerla. Después recibiremos muchas más invitaciones, ¿a que sí?

«Yo las recibiré», pensó Poppy, aunque no quiso ser tan borde como para corregir a su amiga. Además, de todas formas no iría a ningún sitio sin Meena. De repente, sintió una cálida mano en el hombro y se volvió para ver quién era.

—¡Hola! —exclamó con la esperanza de no haber estado bailando como un pato mareado.

—Hola. —Toby las saludó con un par de besos para cada una—. ¿Cómo estás, guapa? Increíble, por lo que veo.

Poppy sintió un repentino nudo en la garganta.

—Estoy bien —gritó para hacerse oír—. ¿Y tú, qué tal?

—Muy bien.

Toby tenía una expresión que le recordó a Clara el día que probó el helado por primera vez. Una expresión que decía: «¿Por qué has tenido esto escondido durante tanto tiempo?».

—Vamos a tomar algo.

Poppy miró a Meena, pero esta se limitó a despedirse de ella con la mano y siguió bailando. Así que siguió a Toby en dirección a la barra, sorteando la muchedumbre.

—¿Champán?

—En realidad, esta noche voy de cócteles. —Sonrió con la esperanza de parecer sofisticada.

—¿En serio? —Miró con recelo la bebida de color rosa—. Un poco afeminado para mi gusto. Creo que seguiré con el champán.

Brindaron y sus miradas se encontraron sobre las copas. Poppy creyó que se le iba a salir el corazón por la boca.

—¿Has estado muy ocupado? —le preguntó.

Toby alzó una ceja.

—Sí. Ya sabes, lo de siempre. Hace calor aquí dentro, ¿no te parece? ¿Salimos?

—Vale.

Casi hipnotizada, Poppy lo siguió hasta llegar a una terraza. Bajo ellos, Brick Lane era un calidoscopio de señales de neón, contenedores de basura hasta arriba, taxis y chicas con tacones de vértigo. Se dio cuenta de que estaba más borracha de lo que pensaba.

—Bueno, guapísima mujer casada… —dijo Toby cuando se inclinaron sobre la barandilla de hierro—. He estado pensando en ti.

—¿Y por qué no has dado señales de vida? —le soltó.

Él se echó a reír.

—Estoy aquí, ¿no? Es que no sabía si querrías verme o no. Lo digo porque estás casada y eso…

—Con un marido al que no veo nunca. —La mala leche que rezumaban sus palabras la sorprendió.

Toby meneó la cabeza con fingida indignación.

—Eso es horrible. Si fueras mi mujer, te tendría encerrada en una jaula. Y no te quitaría el ojo de encima jamás.

Poppy sintió un nudo en el estómago cuando lo vio girarse para mirarla a los ojos.

«Va a pasar —pensó—. Pero estoy casada. Aunque es tan guapo… Y encima de mi edad. Pero estoy casada.»

—¡Hola, chicos! —gritó Meena—. ¡Llevo un rato buscándoos!

—¿Estás bien? —preguntó Poppy.

—Genial, un poco… bleeeggg.

Y los zapatos de Poppy y de Toby acabaron manchados de vómito fucsia.

—¡Mierda! —dijo Meena entre risillas mientras se daba la vuelta—. Lo siento.

Nerviosa, Poppy miró de reojo a Toby, pero él se estaba riendo.

—¿Estás bien, cariño?

—Muerta de la vergüenza. —Mentira, estaba tan borracha que ni sabía lo que era eso.

—Tranquila. A todos nos ha pasado alguna vez.

Poppy lo miró, completamente embelesada. Casi todos los hombres estarían echando humo por las orejas después de que les vomitaran en los pies. Desde luego, Luke se estaría subiendo por las paredes.

—¡Brrrarrrghh! —gritó Meena mientras la pizza que había comido ese mediodía salía mezclada con trocitos del *thai* en dirección a una maceta que le resultó muy útil.

—¡Madre mía! —Toby se volvió hacia Poppy—. Creo que será mejor que la lleves a casa.

—Me pondré bien —consiguió decir Meena—. Puedo volver sola a casa.

—Bueno, si tú lo dices… —se apresuró a decir Poppy. No quería marcharse precisamente en ese momento.

—No seas tonta —dijo Toby a la vez—. Estás fatal. Yo te llevaré a casa. —Miró a Poppy y preguntó—: ¿Vienes?

Poppy sabía que acababan de hacerle una prueba que no había superado.

—Por supuesto —contestó.

Toby pidió un taxi. El tráfico era fluido, de modo que tardaron solo cuarenta minutos en regresar a Kilburn. Toby, sentado en el asiento del copiloto, se pasó el trayecto hablando con alguien llamado Sergei y luego con un tal Vladimir. Poppy iba detrás con Meena, que estaba dormida como un tronco. Cuando llegaron, tuvieron que zarandearla para despertarla, después la metieron entre los dos en el recibidor y la ayudaron a subir la escalera, cubierta por una desgastada moqueta marrón.

Era muy raro volver al piso, pensó Poppy mientras le parecía estar reviviendo parte de su pasado. Meena no se había buscado otra compañera desde que ella se fue, así que todo estaba prácticamente igual que cuando vivía allí. Los mismos dibujos chillones de inspiración india en la pared, la manta barata en el sofá naranja, las revistas amontonadas en la mesita auxiliar, las cortinas que parecían haber sobrevivido a la matanza de Texas. Y en el fregadero posiblemente las mismas tazas sucias que ella dejó sin fregar el día que se marchó. Hasta ese momento había creído que esa parte de sí misma, la parte despreocupada y libre, había muerto, pero cabía la posibilidad de que acabara de renacer.

—Creo que deberías quedarte esta noche con ella —sugirió Toby una vez que metieron a Meena dentro de la cama en bragas y sujetador, con un cubo al lado por si acaso—. Es posible que vomite mientras está dormida.

—¡No puedo! —exclamó Poppy—. Tengo una niña pequeña de la que ocuparme.

—Ah, vaya. Siempre se me olvida. —Frunció el ceño—. En ese caso será mejor que me quede yo. No es seguro dejarla sola.

Los celos le provocaron un escalofrío que le recorrió la espalda como si fuera una babosa gigantesca.

—Bueno, puedo llamar a la niñera —dijo—. Para ver si puede quedarse toda la noche.

Brigita se mostró tan dispuesta como siempre.

—Claro, mami. Tú sigue y diviértete.

—No me estoy divirtiendo —la corrigió Poppy con arrogancia—. Estoy cuidando de una amiga enferma.

—Lo que sea. Clara y yo estaremos bien.

—Mmm, vale —respondió, deseando como siempre entender mejor a su niñera. Colgó y al volverse vio que Toby se estaba abrochando el abrigo.

—¿Tienes el número de la compañía de taxis? —le preguntó él.

—Hay una parada aquí al lado.

—¿Ah, sí? Genial. Eso me ahorrará horas de espera. —Al ver la expresión alicaída de Poppy, le dio un beso en los labios y después le acarició el pelo con ternura—. Me encantaría quedarme, pero hay gente que me necesita. —Se inclinó para besarla en la mejilla—. Demuestras ser una buena persona al quedarte a cuidar a tu amiga, Poppy.

—Gracias —dijo ella, un poco culpable porque la cosa no se reducía a eso.

Hubo una pausa durante la cual se miraron a los ojos y, después, Toby se inclinó, le tomó la cara entre las manos y en cuestión de segundos estaban besándose con desesperación.

—No puedo hacer esto —dijo Poppy al tiempo que Toby murmuraba:

—Eres preciosa.

Se miraron a los ojos un instante, pero una estridente canción de los OutKast arruinó el momento al sonar desde el móvil de Toby.

—Mierda —dijo él mientras se sacaba el teléfono del bolsillo del pantalón.

Poppy pensaba que iba a apagarlo, pero en cambio contestó.

—Hola, Constantine. Sí. Genial. Bueno, sí, es que estoy ocupado ahora mismo, pero creo que puedo estar ahí dentro de... ¿una hora? ¿Te va bien? —Colgó y se volvió hacia Poppy—. Lo siento, preciosa. —La besó en los labios, pero en esa ocasión con cierta indiferencia—. Me encantaría quedarme —repitió—, pero me están esperando. Voy al baño un momento y me piro.

Poppy se sentó en el sofá. De repente, le dio frío, así que

se echó por los hombros la espantosa manta de pelo sintético de Meena.

Toby tardó un buen rato. Cuando volvió, le pareció distinto, más brusco quizá, más arrogante.

—Mierda, tengo que irme ya.

Había escuchado las mismas palabras de labios de Luke en muchas ocasiones. Sin embargo, y en vez de discutir, sonrió como si fuera una chica valiente.

—Nos vemos —dijo Toby mientras agarraba el picaporte de la puerta—. Te llamo mañana. Cuídate y échale una ojeada a Meena.

Y se marchó, dejando a Poppy sin otra cosa que hacer que refrescarse la cara en su antiguo cuarto de baño. El grifo que Luke arregló en tiempos volvía a gotear y las telarañas colgaban del extractor del rincón porque ya no estaba ella para limpiarlo.

Entró en su antigua habitación, que parecía haberse convertido en el vestidor de Meena, apartó un montón de ropa de su antigua cama y se echó sobre el edredón, que olía un poco a humedad, otro fósil de su pasado. Era tarde, pero le costó dormirse. Le dolía la cabeza por los efectos del alcohol y porque no paraba de dar vueltas a lo que había hecho.

Estaba casada. No podía besar a otros hombres. Pero también era increíblemente infeliz —y esa era la primera vez que lo reconocía sin tapujos—. El hombre que había creído su príncipe azul la había desatendido durante tanto tiempo que se sentía como la Bella Durmiente en su torre. Pero un nuevo príncipe había llegado al castillo y su beso la había hecho despertar a un mundo que había creído perdido, a la posibilidad de que otro la amara.

31

Dos borrachos peleándose bajo la ventana despertaron a Poppy alrededor de las siete. Gimió e intentó abrir los ojos, pero descubrió que unos duendecillos parecían habérselos pegado con cola de zapatero por la noche. Salió de la cama y fue a la habitación de Meena. Su amiga estaba acurrucada bajo una manta, con el rímel corrido y el pelo enmarañado, roncando ligeramente. No tenía muy buen aspecto, pero había sobrevivido a la noche.

Mientras se duchaba, Poppy reparó en las ennegrecidas juntas de los azulejos, en el agua amarillenta y en las manchas de humedad del techo. De repente, se sintió desesperada por volver con Clara al elegante y limpio Maida Vale. A casa.

Se puso la ropa de la noche anterior a toda velocidad y, tras dejar una nota a Meena, bajó la desvencijada escalera todo lo deprisa que le permitieron sus tacones y salió a Kilburn High Road, una calle repleta de establecimientos que vendían champú y toallitas de bebé a precio de saldo, frutas y verduras pasadas y ropa sintética ajustada.

De camino a la parada del autobús se debatió entre el sentimiento de culpa por su comportamiento de la noche anterior y una fantasía sobre una vida muy diferente a la normal y a la que por fin tenía acceso. Lo que había hecho estaba mal, pero al mismo tiempo había sido maravilloso. Maravillosos besos con un hombre maravilloso, un hombre que no había vivido el apogeo de los Beatles y al que no le faltaban pocos años para jubilarse.

Poppy se paró en seco, dio media vuelta y retrocedió los pocos pasos que la separaban del quiosco de prensa que acababa de pasar. Allí, en un estante, entre los ejemplares de *Closer* y *Now*, estaba la edición semanal de *Wicked*. Una enorme fotografía de Jordan copaba la portada. «La agonía de mi bebé», rezaba el titular. Debajo había una imagen más pequeña de dos concursantes de *Factor X* («Kelly y Nargess: nuestra lucha») y abajo a la izquierda había una minúscula foto suya guiñando un ojo justo como el fotógrafo de *Wicked* le había pedido que hiciera. «Presentamos a nuestra nueva columnista: la zorra contraataca.»

La miró embobada. No sabía qué pensar. ¿Habían hablado de llamarla «la zorra»? De todas formas… «nuestra nueva columnista». Cogió un ejemplar con las manos temblorosas.

—¡No! —gritó el quiosquero, un indio—. Nada de ver.

—¡Lo siento!

Le pagó la libra con veinte y agitó la revista delante del hombre con la esperanza de que reparase en el parecido entre la refulgente sirena de la portada y la persona que tenía enfrente, que parecía más una puta barata que volvía a casa tras una larga noche de trabajo. Como era de esperar, no se fijó. Pensó en gritar «¡Soy yo! ¡Soy yo!», pero había muchos locos sueltos por Kilburn High Road y sabía que la creerían una más.

En la parte alta del autobús, leyó la columna y la releyó. Se quedó de piedra. Todos los comentarios que le había hecho a Migsy sobre la ropa espantosa que llevaba la gente estaban allí escritos. No sabía que Migsy iba a publicar todo lo que le contó, creía que solo había sido un cotilleo entre amigas. Y todas las barbaridades que había dicho sobre Hannah estaban ahí, impresas. Sabría Dios cómo pensaba vengarse. Se estremeció, nerviosa, aunque al mismo tiempo le encantaba ver su fotografía, sus palabras impresas. Vale, no había sido muy benévola con la gente, pero era una escritora con algo publicado. Se preguntó qué pensaría Luke. Y su madre. Y Meena. Y Toby.

—Tienes mal aspecto, mami. ¿Te ha pegado algo tu amiga? —Brigita se volvió hacia Clara, que estaba sentada en su trona comiendo ella solita su papilla de cereales y plátano—. Vamos, Clara, termina de desayunar para ir al museo.

—Buuu —dijo Clara.

—¿El museo?

—El museo de Ciencias. Es nuestro lugar favorito, ¿verdad, Clara? Le enseño todo sobre el sistema solar: Mercurio, Venus, la Tierra, Marte, Júpiter, Saturno, Urano, Neptuno y Plutón. —Llenó la taza de Clara con agua del grifo—. ¿Y cómo está Luke? Acabo de oír en las noticias que Minnie Maltravers ha adoptado a un bebé guatemalteco. ¿Crees que le hará alguna entrevista? Esa mujer es mi ídolo. Divina de la muerte, ¿no crees?

—No lo sé —contestó Poppy—, no he tenido noticias suyas. —Y ni siquiera se había dado cuenta, pensó con cierta sorpresa. Normalmente el silencio de Luke mientras estaba fuera la volvía loca. Rebuscó en su bolso—. Mira esto.

Brigita leyó la columna en silencio. Acto seguido, levantó la vista y sonrió a su jefa.

—¿De verdad has escrito esto? No sabía que eras tan lista. Mira, Clara, mira. ¡Y qué foto tan bonita lleva! Es increíble lo que pueden hacer con las luces y el ordenador.

—Plátano.

—Se pide por favor —reprendió Brigita a la niña.

Y Poppy dijo al mismo tiempo:

—Creo que voy a echarme un rato, si no te importa.

—Claro, mami. Te hace falta dormir. Mira qué ojeras tienes. Voy a llamar a mis amigas para que compren *Wicked*. Y tengo que mandar una copia a mis padres. Se van a quedar alucinados. Estoy trabajando no para una, sino para dos personas famosas. Me siento honrada.

—No seas tonta. —Poppy se echó a reír, pero estaba encantada de que de repente la pusieran a la misma altura que a Luke—. Te veré luego, Clara.

—Buuu.

Se durmió y se despertó una hora más tarde. Al encender el teléfono descubrió que tenía dos mensajes de voz. Uno era de una enloquecida Meena, que había visto la columna.

«¡Me encanta, me encanta, me encanta! Es para partirse, Poppy, mucho más divertido que las gilipolleces que suelen escribir sobre los famosillos. Y mil gracias por llevarme a casa anoche. Te debo la vida.»

El siguiente era de su madre.

«Hola, Poppy. He visto la columna. —Una pausa—. No es lo que tenía en mente cuando te mandé a Brettenden House, pero no deja de ser un trabajo, y algunas partes son muy graciosas. Hablaremos pronto. Adiós. Ah, por cierto, me voy a Marsella para mi fin de semana en el spa. Cruza los dedos. Nunca se sabe, a lo mejor vuelvo con un nuevo padre para ti.»

En circunstancias normales a Poppy le habría cabreado semejante mensaje, pero en ese momento, con la cabeza puesta en Toby, ni siquiera reparó en las palabras de su madre. Se preguntó por qué no la habría llamado Toby. Recordó lo que siempre le había dicho a Meena en esas situaciones, que seguramente se estaría haciendo el duro. O que estaría trabajando. Ese trabajo suyo como asistente personal debía de ser muy exigente porque los clientes ricos requerían de sus servicios las veinticuatro horas del día durante los siete días de la semana. Volvió a quedarse dormida. Cuando se despertó de nuevo, eran las cuatro de la tarde y en el teléfono tenía un mensaje de voz de su agente, Bárbara.

«Querida, una columna brillante. —Una carcajada—. No sabía que llevabas eso dentro con la pinta tan dulce e inocente que tienes. El teléfono no para de sonar con ofertas. Llámame.»

La llamó. Bárbara estaba ocupada por la otra línea; pero en esa ocasión Jenny, la recepcionista, sabía quién era y concertó un almuerzo para la semana siguiente.

Acto seguido, llamó a Migsy.

—Revista *Wicked*, ¡Michelle al habla!

—Migsy… Esto, Michelle, soy Poppy.

Hubo una minúscula pausa, apenas una décima de segundo, antes de que Migsy exclamara:

—¡Poppy! No paramos de hablar de ti y de lo genial que eres. La columna ha sido un bombazo. Los lectores llevan escribiéndonos todo el día para decirnos lo mucho que les gusta.

—Dijiste que me la enseñarías antes de publicarla.

—¿Cómo? ¿No recibiste mi correo electrónico? Con razón no me respondiste.

—No me enviaste ningún correo electrónico.

—¡Claro que sí! ¡No me digas que no te llegó! Llevamos una racha imposible con nuestro servidor de correo. Pero no hay ningún problema, ¿verdad?

—Bueno… —Poppy no sabía qué hacer. Quería continuar con la columna, pero tenía que hacerle ver a Migsy que sabía que la había engañado—. Es que no sabía que ibas a publicar todas las críticas.

—¿Qué pensabas que iba a hacer? —preguntó Migsy a la defensiva.

—No lo sé… Creí que nuestra conversación era privada. Creí que solo ibas a… bueno, que solo ibas a mencionar a la gente que había visto.

Migsy chasqueó la lengua.

—No sé de dónde has sacado esa impresión. Por supuesto que nos interesan tus opiniones. Eres una mujer fascinante.

—Pero no dije todas esas cosas. Quiero decir… ¡has puesto esas palabras en mi boca!

—¡Pero me diste la razón!

La resaca le impedía discutir.

—No vas a volver a hacerlo, ¿verdad? —preguntó con voz débil.

—Claro que no. Dios, siento mucho si ha habido algún malentendido, pero como se suele decir, bien está lo que bien acaba, porque ahora eres una estrella. Y ya que estamos, ¿qué te parece que negocie un aumento de sueldo en tu nombre? Quinientas libras por columna.

—¡Uf!

—O seiscientas. —Migsy había malinterpretado su sorpresa.

—Vale —dijo Poppy.

—Genial. Bueno, tengo que dejarte, pero mañana por la mañana recibiré un montón de invitaciones para las próximas fiestas. Te volveré a llamar el jueves a las once para el informe. Pero de verdad que lo has hecho bien, Poppy. Lo has hecho estupendamente.

Poppy se quedó mirando el auricular. No sabía muy bien qué pensar. Seiscientas libras a la semana era una oferta muy tentadora, y parecía que a todos les había encantado la columna hasta el momento. Sí, había empezado siendo un poco cruel, pero a ella la habían despellejado en los periódicos y había sobrevivido, ¿no? ¿Por qué no iba a aguantar otra persona los golpes?

Encendió la tele y vio el final de una película de sobremesa antes de cambiar a Sky News. Un reportero estaba delante de una chabola medio derruida en algún lugar caluroso.

«Eso es, Elsa, puedo decirte que se ha confirmado la noticia de que Minnie Maltravers ha adoptado a un bebé guatemalteco de nueve meses llamado Cristiano Morales. Hasta donde hemos podido averiguar, su madre murió durante el parto y se desconoce la identidad del padre. Sus abuelos lo criaron un tiempo; pero después, incapaces de soportar la carga, lo dejaron en un orfanato. Se rumorea que Minnie Maltravers ya ha dejado Guatemala. Algunas fuentes aseguran que ya ha regresado a Escocia, donde su marido Max y ella...»

Así que eso era lo que había estado haciendo Luke. Debería haber visto más el *Informativo de las Siete y Media*. Poppy se quedó de piedra por la indiferencia que de repente sentía hacia su marido. Se había pasado casi tres años pensando solo en él y en el modo de llamar su atención, pero en ese momento empezaba a enfadarse por lo mucho que Luke la había desatendido.

Cogió el montón de invitaciones que tenía junto a la cama y, mientras las ojeaba, levantó el teléfono.

—Meena, soy yo. Tómate algo para la resaca y un Red Bull porque esta noche salimos de juerga otra vez.

32

A pesar de que Minnie se había escabullido en plena noche, la noticia de la adopción había corrido como la pólvora. La prensa mundial tomó por asalto el pueblecito emplazado en medio de la selva donde había nacido Cristiano Morales con el resultado que era de esperar. El lunes por la mañana, la tía de Cristiano estaba encantada de decirle a cualquiera que le pusiera un billete de cien dólares por delante lo contenta que estaba por que su sobrino pudiera crecer junto a una de las mujeres más ricas del mundo. El martes cambió de opinión e insistía en que era una tragedia que los gringos hubieran arrancado a Cristiano del seno de su familia.

Entretanto, un montón de mujeres despechadas a las que se les había negado el permiso para adoptar a un niño guatemalteco saltaron indignadas. El asedio a los psicólogos por parte de los periodistas fue generalizado en todo el mundo, ya que se buscaba la opinión profesional sobre el carácter de Minnie y las posibilidades de que una persona tan hedonista pudiera convertirse en una buena madre. La prensa mundial discutía las ventajas y las desventajas del asunto. Salvo el *Informativo de las Siete y Media*, que iba por libre.

El jueves por la noche Thea estaba sentada en realización —la sala de operaciones del programa, por así decirlo— con la vista clavada en la hilera de pantallas. Bernie, el realizador habitual del noticiario, sufría de impétigo, de modo que Dean había decidido que Thea lo sustituyera.

—Lo has hecho antes, ¿no?

—Por supuesto —mintió ella, decidida a impresionarlo.

La experiencia había sido una descarga continua de adrenalina, pero las cosas iban según lo previsto. Habían superado el primer tercio del programa después de hablar sobre la pugna presidencial en Rusia, sobre la reducción de las emisiones de dióxido de carbono y sobre el asesino en serie alemán condenado a cadena perpetua por los asesinatos de catorce prostitutas. En ese momento estaban en la pausa publicitaria.

Algunas pantallas mostraban la imagen de Marco y de Emma mientras las chicas de maquillaje los retocaban. En otra se veía un montón de basura, la imagen inicial del reportaje de Luke desde Guatemala, que era la siguiente noticia.

—Vale, Marco, Emma —dijo Jayne, la ayudante de realización, cuyo trabajo era controlar cada segundo del programa—. Entramos en tres, dos, uno, ¡en el aire!

Emma giró su silla hacia la cámara.

—Buenas noches y bienvenidos de nuevo al *Informativo de las Siete y Media*. Nos vamos a Guatemala con un reportaje de Luke Norton, el tercero de la serie especial que esta semana estamos dedicando a los niños de la calle guatemaltecos.

Hilary pulsó el botón y el gigantesco montón de basura llenó la pantalla. La cámara se movió para enfocar a dos preciosos niños vestidos con harapos que rebuscaban entre la inmundicia. Al instante se oyó la voz de Luke:

—En este montón de basura, justo a las afueras de Ciudad de Guatemala, Pablo y su hermana, Juanita, de seis y ocho años respectivamente, intentan sobrevivir. Llevan dos años sin saber nada de sus padres, desde que acabó la cruenta guerra civil que destrozó el país...

Thea se reclinó en la silla con una sonrisa. Otro reportaje que iba sobre ruedas. Dos más y habría cumplido su parte del trato, de modo que Jake Kaplan tendría que cumplir la suya. Después de la desaparición de Minnie, había pasado prácticamente horas hablando con él por teléfono. Jake le había asegurado que, aunque Minnie no estuviera en Guatemala, la cobertura mediática la había horrorizado y que se estaba planteando la posibilidad de conceder una entrevista para defenderse. De modo que lo mejor que podía hacer el equipo del *Informativo de las Siete y Media* era seguir donde estaba.

«Los asesores de Minnie están encantados con el trabajo de tus chicos —le había dicho Jake esa misma tarde—. Y les encanta que, en lugar de poner en tela de juicio su decisión, seáis el único equipo que está mostrando el maravilloso trabajo que hace al ayudar a esta pobre gente.»

Thea sonrió al recordar el sarcasmo con el que Jake pronunció esa última parte.

—Por lo visto, conocieron a Luke en persona y les ha parecido un tío encantador —siguió Jake—. Me han asegurado que si habla con alguien, será con él. —Una pausa—. Y con Martin Bashir.

—¿¡Martin Bashir!? —gritó Thea con tanta fuerza que se produjo un eco en la línea. Seguro que la habrían oído en la luna, y con más razón en Ciudad de Guatemala.

—Sí, Martin Bashir, de ABC —contestó Jake con timidez—. A Minnie le gusta porque fue él quien entrevistó a la princesa Diana. Pero es una cadena estadounidense. Vosotros estáis a la cabeza de los medios británicos.

—Nunca has mencionado nada sobre distinguir entre medios británicos y medios estadounidenses.

—Me he enterado hace veinte minutos más o menos.

Por la mente de Thea pasó la imagen de la cabeza de Jake rodando y después flotando en aceite hirviendo.

—¡Joder, me debes la exclusiva! —masculló.

De todas formas los asesores de Minnie estarían encantados con el reportaje de Jake que estaban emitiendo en ese momento, concluyó.

Luke exhibía el estilo del periodista más clásico: brevedad, compasión y una pizca de furia hacia un mundo que solo se interesaba por los más pobres cuando el nombre de alguien como Minnie se relacionaba con ellos. Mientras escuchaba a María, una niña de diez años que vivía en una chabola hecha con lonas y cuya única afición en la vida era la de esnifar pegamento, Thea se percató de que el silencio inundaba la redacción. Sus compañeros estaban conmovidos por lo que veían. Solo uno parecía inmune al hechizo de Luke.

—¡Me cago en la puta! —bramó Dean justo detrás de Thea, sobresaltándola. A diferencia de Chris Stevens, que siempre veía el programa en su despacho acompañado por un vaso de whisky, Dean tenía la molesta costumbre de aparecer en la redacción en cualquier momento y de soltar críticas a diestro y siniestro—. Thea, esto me sigue oliendo a chamusquina. Somos los únicos que no debatimos el tema de Minnie. Los únicos que estamos haciendo reportajes. Como no consigamos la entrevista para respaldar todo esto, nos convertiremos en el hazmerreír de la profesión.

—Lo sé, Dean —le aseguró Thea en voz baja para no molestar a los demás—. Pero esto forma parte del plan. No podemos abandonar ahora porque eso supondría haber tirado por tierra el trabajo de todos.

—¿Qué dice tu contacto en Niños de Guatemala?

Thea respiró hondo y le contó la última conversación que había mantenido con Jake. Como era de esperar, a Dean no le hizo ni pizca de gracia.

—¿Me estás diciendo que esa imbécil va a hablar primero con Bashir?

—No lo sé. Espero que no. Depende del país donde se encuentre en ese momento.

—No debe hablar antes con Bashir —sentenció Dean, enfatizando cada palabra con un movimiento del dedo índice—. Quiero la exclusiva mundial. —Y salió refunfuñando de la oscura y estrecha estancia.

—Bueno, creo que el reportaje es muy bueno —dijo Jayne, sin apartar los ojos del cronómetro—. Deberíamos seguir emitiéndolos independientemente de lo que haga o diga Minnie.

—Gracias, Jayne —le dijo ella justo cuando su móvil comenzó a sonar.

—¿Sí?

—¡Thea! —gritó Greg Andrews, el realizador del equipo de Westminster—. Tengo un bombazo. El ministro de Interior va a dimitir dentro de veinte minutos.

—¿¡Qué dices!? —Thea se puso en pie de un brinco con el corazón a doscientos. A lo largo de los dos últimos días se habían producido unas cuantas fugas en diferentes cárceles. Las peticiones de dimisión habían sido unánimes, pero el gobierno insistía en que no se iba a producir—. ¿Estás seguro de que no se trata de un rumor?

—Sí, pero vamos a confirmarlo de todas formas. Te llamo ahora.

—¡Mierda! ¿Tenéis algo preparado?

—Sorprendentemente, sí.

—¡Os quiero!

En teoría, los chicos que se encargaban de las noticias políticas se pasaban las tardes tranquilamente, preparando reportajes sobre las carreras de los políticos más veteranos, con el fin de tenerlos preparados precisamente para ese tipo de circunstancias. En la práctica, les traía sin cuidado el tema y preferían pasar el rato en algún bar o de compras, aunque por una vez en la vida se habían mostrado diligentes. Thea le dio gracias a Dios, aunque no era creyente.

Con la boca seca, llamó a redacción y pidió una foto del ministro de Interior para mostrarla de fondo cuando Marco leyera la noticia. Mientras hablaba con Bill, el redactor encargado de ese tipo de noticias, echó un vistazo a las páginas web de la competencia. No había nada, pero eso no quería decir que no estuvieran al tanto. En el estudio Marco hacía una conexión en directo con el reportero encargado de la sección cultural, que acababa de comunicar el nombre de los finalistas para un premio literario. El plan inicial era acabar el programa con una noticia sobre un perro que se había caído por un precipicio y al que habían encontrado con vida tres meses después. Pero no era eso lo que ella buscaba. Quería una exclusiva de las de toda la vida. Miró el reloj. ¿Dónde estaba Greg? Marcó su número. Comunicaba. Bien.

—Cinco para el final, Thea… —la avisó Jayne.

Thea llamó de nuevo a Greg.

—Por los pelos, pero lo tenemos. Acaba de salir… ¡Gordon, ponte!

Hubo una serie de ruidos y después se oyó la voz del reportero encargado de la sección de política.

—Confirmado. Se va.

—¿Seguro?

—Al cien por cien. Pero Sky también lo sabe. Ponme en directo ahora mismo.

—En directo en cuarenta segundos. Directo desde Westminster en cuarenta segundos —anunció con tranquilidad Jayne al estudio—. Marco, última hora en diez.

A escasos kilómetros de allí, Greg tecleaba la información preliminar en el equipo. Marco comenzó a leerla en el autocue antes incluso de que Greg hubiera llegado al final.

—Y desde Westminster nos llega una noticia de última hora. Según ha sabido el *Informativo de las Siete y Media*, el ministro de Interior está a punto de presentar su dimisión. —En pantalla y bajo la imagen de Marco apareció una franja roja donde podía leerse lo mismo que él estaba diciendo.

«Gordon, Gordon, por favor, que esto sea cierto», pensó Thea. Si se equivocaban, su trabajo quedaría en la cuerda floja.

—Y conectamos con Gordon Cray, nuestro corresponsal en Westminster, en directo. Gordon, eres el primer periodista en confirmar…

—Exacto, Marco —lo interrumpió el larguirucho Gordon, sonriendo como si acabara de tocarle la Primitiva.

Thea se imaginó el cabreo en la BBC, las discusiones en ITN, las voces en Sky. No había nada mejor que saber que te habías adelantado a la competencia. Se imaginó las broncas en las redacciones de los rivales, los gritos de «¿¡Por qué no lo hemos conseguido nosotros!?», y envió un beso a los compañeros que en esos momentos estaban en pantalla.

—Te quiero, Gordon Cray —susurró—. Quiero tener un hijo tuyo. —Echó un vistazo al reloj rojo del estudio. Les quedaban cuatro minutos. Se abrazó la cintura—. Creo que acabo de redimirme —murmuró con una sonrisa deslumbrante.

—Un trabajo fantástico —dijo Dean, dando una palmadita a Thea en la espalda—. ¿Qué te parece la idea de convertirte en directora del programa de ahora en adelante?

—Mmm… —murmuró ella sonriendo. La proposición no le interesaba a pesar de que, técnicamente, era un ascenso. Los directores se pasaban el día detrás del escritorio, tragándose todos los marrones hasta que acababan con el trasero dormido. Así que cambió el tema—: ¿Qué te pido?

—No seas tonta, a esta invito yo.

—Gracias, pues una copa de tinto —dijo.

Estaban sentados alrededor de la pulida barra del Bricklayers, el pub favorito de los miembros del equipo. Antes de que Thea se marchara a Nueva York, las noches solían empezar en ese lugar con unas copas antes de trasladarse en grupo al Groucho o a Soho House. Desde su regreso solo había ido un par de noches y tampoco había estado mucho rato. En esa ocasión, sin embargo, Dean había anunciado que los invitaba a todos a una ronda, así que el local estaba a rebosar. Emma Waters había dicho que por una vez y sin que sirviera de precedente se perdería el momento de acostar a sus hijos. Marco había llamado a Stephanie y le había dicho que no lo esperase levantada. E incluso Roxanne se había dignado hacer acto de presencia y estaba bebiendo Perrier en un rincón mientras hablaba con Rhys, que prácticamente babeaba por la oportunidad de hacerle la pelota para congraciarse con ella.

Copa en mano, Thea se volvió en el taburete para observar a sus compañeros, que estaban riendo, cotilleando y felicitándose los unos a los otros por el éxito. No había nada mejor que ese espíritu de equipo después de haber trabajado juntos para conseguir un bombazo. Era una lástima que no fuera allí más a menudo. En esos momentos se sentía en la gloria, igual que cuando pasaba una noche con Luke.

—Los hemos dejado en ridículo a todos —repitió Dean por enésima vez.

—Es increíble que estuviéramos tan preparados —comentó el vago de Bryn Darwin—. No es normal en nosotros.

—¿Os acordáis de lo de la reina madre? —preguntó Emma Waters con voz alegre.

—¡Dios!

Todos estallaron en carcajadas. La muerte de la reina madre había sido el acontecimiento más preparado en la historia del periodismo británico. Los especiales sobre su vida llevaban décadas listos, y todos los años se hacía una reunión extraordinaria para planear la cobertura de la noticia en caso de que se produjera.

—Y tuvo que pasar un puñetero Sábado Santo, cuando solo había tres personas en la redacción. —Jayne se echó a reír entre dientes—. Teníamos preparado un traje negro masculino en el armario para el presentador que tuviera que dar la noticia…

—Pero el único presentador, en masculino, que estaba presente era yo y acababa de romperme el brazo después de hacer el reportaje sobre el reclutamiento militar. —Bryn sonrió de oreja a oreja.

—Así que la china me tocó a mí y resulta que iba vestida de rosa chicle —añadió Emma, que estaba como un tomate porque ya iba por su tercer gin-tonic—. Más inapropiado, imposible.

—Y después nos pusimos a mandar mensajes a los buscas de todo el mundo y el único que contestó fue Greg Andrews. Como pensé que se estaba ofreciendo a hacer un directo, le tomé la palabra y resultó que estaba en un parque de atracciones con su familia —dijo Sunil—. Acabó haciendo un directo al lado de la jaula de los monos.

—¡Un desastre! —exclamaron unos cuantos al unísono.

—Hablando de desastres —dijo Marco, que parecía molesto—. ¿Habéis visto esto? —Cogió el maletín y sacó una revista femenina con una portada chillona llena de fotos de famosos de tres al cuarto.

—¿*Wicked*? —dijo Thea con desdén—. Puede que no te lo creas, pero esta semana no lo he leído.

—Pues deberías haberlo hecho. —Como si fuera un mago que sacara un conejo de la chistera, Marco abrió la revista por la página de la columna de Poppy—. ¡Tachán! «La zorra contraataca». Desternillante. La opinión de la señora Norton sobre la falta de estilo de Gwyneth, sobre la pérdida de tiempo que supone enseñarle a su hija a no usar pañal y, lo mejor de todo, sobre la trasnochada y malévola Hannah Creighton.

—Déjame ver. —Dean agarró la revista y ojeó el artículo por encima. Después, la estampó sobre la barra—. ¡Me cago en la puta! Esto es lo único que nos hacía falta. La mujer de Luke entrando al trapo de Hannah, que ya os digo que no va dejar pasar esto, claro.

—No tiene nada que ver con nosotros —señaló Thea, obligada en cierto modo (aunque no sabía por qué) a defender a Luke—. Poppy no tiene ninguna relación con el programa.

—No, claro. Ninguna relación. Solo es la mujer del presentador estrella. —Y echando mano de un ridículo falsete añadió—: «No sabía lo que se podía hacer con unas cortinas y una máquina de coser hasta que vi el vestido naranja que llevaba Denise». ¡La Virgen Santa! Espero que le encarguen el prólogo del libro de Luke. ¿De qué iba, por cierto? Ah, de la historia de los Balcanes.

—La pobre se aburre —dijo Marco—. Al fin y al cabo, Luke pasa mucho tiempo fuera.

Todos rieron entre dientes. Thea volvió a sentir una nueva oleada de compasión por Poppy. En ese momento Roxanne le dio unos golpecitos en el hombro.

—Thea, perdona, peo me gustaría preguntarte una cosa. ¿No habrás estado trabajando en alguna historia religiosa últimamente?

—¿Religiosa? No, la verdad es que no.

—¿Nada que tenga que ver con el obispo de Bellchester?

—Que yo recuerde, no. —Antes de que pudiera preguntarle por qué, notó la vibración del móvil, que tenía guardado en el bolsillo—. Vaya, perdona. —Un número con prefijo +502. Guatemala—. ¿Sí? —gritó para hacerse oír por encima de la música y de las voces de sus compañeros.

—¿Thea Mackharven? —le preguntó una voz femenina con acento yanqui. Una voz muy nasal. Y tan seria que parecía no haberse reído más o menos desde la época en que se hundió el *Titanic*.

—Sí.

—Por favor, espere un momento, Leanne Martines quiere hablar con usted.

«¿Leanne Martines?», se preguntó.

—¿Thea? —dijo otra voz femenina, también nasal y con una nota recelosa—. Soy Leanne Martines, la asistente personal de Minnie Maltravers. Queríamos felicitarlos por el gran trabajo que han hecho e informarles de que a Minnie le gustaría concederles una entrevista el sábado para dejar claros los motivos que la han llevado a adoptar a Cristiano.

Thea creyó que iba a darle un infarto por la alegría.

—¡Eso es genial! —gritó.

Dean soltó la jarra de cerveza en la barra con fuerza.

—¿Lo tienes? —articuló con los labios.

Ella asintió con la cabeza y levantó una mano para silenciarlo al caer en la cuenta del detalle principal.

—Esto… ¿El sábado? ¿Pasado mañana?

—Sí, el sábado. Sé que la noticia les llega con poca antelación, pero es el mejor momento para Minnie. Está deseando acallar todos esos maliciosos rumores antes de que acaben dañando para siempre al pequeño Cristiano. A las cinco de la tarde. En el hotel Balmoral.

—¿El hotel Balmoral? ¿Eso no está en Escocia?

Leanne soltó una risilla irónica.

—Diez puntos por su capacidad deductiva, señorita Mackharven. Allí se encuentra Minnie en estos momentos. Será mejor que saque a su Luke Norton de Guatemala ahora mismo y lo meta en el primer avión con rumbo a Edimburgo.

33

Eran las siete de la mañana del sábado y Thea estaba de pie frente al mostrador de British Airways, en la Terminal 1, golpeando el suelo con la punta de un pie sin parar. A su lado estaban Rhys, el bicho raro, que acababa de bostezar, y George, el cámara.

—¿Dónde coño está Luke? —masculló mientras miraba el reloj por enésima vez en cinco minutos—. Vamos a perder el avión.

—El avión procedente de Miami acaba de aterrizar —la tranquilizó Rhys—. Lo más probable es que siga dentro, porque no habrán abierto ni la puerta.

Thea tomó un sorbo de café con leche y se preguntó si le daría tiempo a ir a buscar otro. Desde la llamada del jueves por la noche habría dormido tres horas como mucho, ya que estaba ultimando con Leanne los preparativos para la entrevista de Minnie. Las negociaciones para lograr la paz en Oriente Medio eran cosa de niños al lado de la lista de requisitos que la modelo exigía.

—¿Por qué el hotel Balmoral? —había preguntado Thea—. ¿El castillo de Minnie no está cerca de Inverness? ¿Por qué no lo hacemos allí directamente?

—Porque el viernes por la noche tiene que estar en Edimburgo —le contestó Leanne—. Hope Scott celebra su cumpleaños en el Balmoral y ella se alojará allí, lo que significa que estará en el hotel a la mañana siguiente y así no tendréis que preocuparos por que aparezca o no para la entrevista.

Thea sintió un nudo en el estómago.

—¿Debería preocuparme?

—No, no, en absoluto —se apresuró a contestar Leanne—. Pero ya sabes, los coches sufren averías o se topan con atascos. Saber que Minnie ya está en el lugar de la entrevista es motivo de tranquilidad para todos. —Carraspeó como si fuera el típico policía de una película en blanco y negro a punto de testificar—. Y ahora pasemos a otro detalle. Minnie solo aceptará la luz de las velas para la entrevista.

—Sí, ya está preparado.

—Llevará un traje de Bing Parsons y le gustaría que Luke llevara otro.

—Desde luego —aceptó Thea con voz alegre mientras hacía malabarismos mentales para encontrar la manera de que el diseñador de moda les prestara un traje.

—¿Peluquería y maquillaje?

—Sí, está todo listo —respondió con dulzura. Minnie tenía muy claro quién podía tocar su famoso rostro y su melena—. Carlo ya viene desde Nueva York para peinarla, como ella ha solicitado. —En primera clase, pensó. Otra pesadilla para el presupuesto—. Y hemos convencido a Belinda, la famosa maquilladora, para que viaje hasta Edimburgo en tren; irá en coche cama. Al parecer, su embarazo está demasiado avanzado para volar. —Así que había cuadriplicado sus ya de por sí estratosféricas tarifas.

Advirtió a Dean de que la entrevista iba a costarles el presupuesto de un mes cuando la llamó por enésima vez la madrugada del viernes al sábado.

—Sí, pero las cifras de audiencia serán para cagarse y vamos a ganar un montón de premios. —De fondo, Thea oyó que Farrah decía algo—. No pasa nada, cariño, vuelve a dormirte —dijo Dean—. Gasta lo que sea necesario. —Hubo una pequeña pausa antes de añadir—: Tendrás que recortar los gastos de hotel y de avión del equipo, obviamente. Lo más barato que puedas encontrar.

—Reservaré en un cámping.

—Buena idea. —Otro brevísimo silencio antes de que Dean añadiera—: No estoy de broma, Thea.

—Ni yo tampoco.

En ese momento Rhys dijo:

—Creo que deberíamos facturar.

—No podemos irnos sin Luke.

—Pues tendremos que hacerlo. Que coja otro avión.

—Luke está haciendo lo mismo que suele hacer Minnie —dijo George después de bostezar—. Recuerdo que uno de mis colegas fotógrafos hizo una vez una sesión con ella en Ciudad del Cabo para *Vogue*. Por lo visto los tuvo cuatro días esperando hasta que apareció.

—¿¡Cuatro días!?

—Así que… ¿para qué tantas prisas? —Rhys sonrió—. Luke podrá ir a Edimburgo en bici si quiere. Así reducirá su huella ecológica.

—Llamaré a unas cuantas agencias inmobiliarias y les diré que nos enseñen algunas casas ya que vamos a pasarnos el resto de nuestras vidas allí.

George y Rhys se echaron a reír. Thea no. Aquello no tenía ni pizca de gracia. Tenían que coger el avión y Luke tenía que acompañarlos. En ese momento lo vio acercarse a la carrera por el pasillo, tirando de la maleta como si fuera un perrito faldero. Alexa iba justo detrás. A Thea le encantó ver la mala cara que tenía después de una noche en el avión.

—¡Por Dios! Espero que podáis ponerme café en vena ahora mismo —les dijo Luke a modo de saludo—. Llevo veinticuatro horas volando. Guatemala-Miami, Miami-aquí. Una puta pesadilla.

—Merecerá la pena —le aseguró Thea—. Vamos, tenemos que facturar.

—¿En turista? —preguntó Luke con recelo.

Thea esbozó una sonrisa deslumbrante.

—Pues sí. Business estaba completo.

—¡Madre mía! Acabo de cruzar el Atlántico en turista. Seguro que Jeremy Paxman no viaja como si fuera ganado.

—Solo es una hora de vuelo —le recordó ella para aplacarlo un poco, pero Luke la ignoró y echó a andar hacia el mostrador.

Sí, el vuelo era solo de una hora, pero desgraciadamente Thea no contaba con la hora y media que tuvieron que esperar en Heathrow por problemas técnicos. Para colmo, como habían tardado tanto en facturar y en subir al avión, ni siquiera estaban sentados juntos. Luke estaba al fondo, hojeando el grueso dossier que Rhys había elaborado sobre Minnie, y los demás estaban dormidos en la parte delantera. Sentada entre tres asesores financieros muy corpulentos que iban a ver un partido de rugby y que ya estaban calentando el ambiente bebiendo cervezas, Thea intentaba respirar con normalidad, pero el corazón le latía a mil por hora. Se suponía que debían estar a las diez en el hotel porque así contarían con tiempo de sobra para prepararlo todo antes de la entrevista, que sería a la una. ¿Y si llegaban tarde? Con disimulo, sacó el móvil y mandó un mensaje a Leanne. El tercero de la mañana.

Seguimos sin movernos. Deberíamos llegar a las doce como muy tarde.

La respuesta llegó poco después.

Lo entendemos. A Minnie no le importa esperaros.

Cuando por fin llegaron a Edimburgo, a las once y media, Thea estaba de un humor de perros, que empeoró después de la media hora de espera en la cola para conseguir un taxi.

—¿No podías haber reservado una limusina? —se quejó Luke.

—Estaban todas ocupadas —mintió ella. Se le había olvidado por completo. ¡Dios! ¿Estaría perdiendo la memoria como su abuela?—. ¡Ah, mirad! Nosotros somos los siguientes. Al Balmoral —le dijo al taxista mientras subían.

—Menos mal que por lo menos nos alojamos en un sitio decente —refunfuñó Luke.

—Mmm… —murmuró Thea mientras el taxi se ponía en marcha—, en realidad no nos quedaremos en el Balmoral. Allí es donde haremos la entrevista.

—¿Y dónde nos alojamos? Si no recuerdo mal, la última vez me quedé en el Scotsman. No está mal. Y el Sheraton tampoco.

Thea cerró los ojos y apoyó la cabeza en el pegajoso asiento de vinilo.

—Hemos reservado en el Hootsmon.

—¿Dónde?

—En un hotel llamado Hootsmon. Está a las afueras, en un sitio muy tranquilo. En la página web parecía muy bonito.

George y Alexa se miraron justo en el momento en que Luke explotaba.

—¡El Hootsmon! ¡Joder, Thea!

—Lo siento, Luke. Sé que no es lo ideal, pero todo lo demás estaba reservado. Por lo visto hay un partido de rugby importante. Y no se nos permite gastar más de setenta y cinco libras por cabeza.

—Y la gente se cree que nuestro trabajo es glamouroso… —replicó Luke de muy mala leche.

—Piensa en todas las entregas de premios a las que asistiremos después de esto. Eso sí que será glamouroso.

—Odio las entregas de premios.

A Thea le dolió el comentario. ¿Le estaba diciendo que odiaba la noche de los BAFTA? Desterró la idea al fondo de su mente mientras el taxi aparcaba junto al hotel. En la suite donde iba a realizarse la entrevista reinaba un caos absoluto. En un rincón de la habitación había un hombre subido a una escalera que intentaba colocar una vaporosa cortina de satén mientras una chica japonesa, con trenzas y unos shorts ajustadísimos, le gritaba desde abajo:

—Izquierda, izquierda. Un poco a la derecha. No, a la izquierda otra vez.

Dos chicas jóvenes eran las encargadas de distribuir un sinfín de candelabros de marfil.

—¿Qué es esto? ¿El vestidor de Blancanieves? —preguntó Luke.

—Es el acuerdo al que hemos llegado. Minnie no tiene ni voz ni voto sobre las preguntas que vas a hacerle, pero a cambio decide dónde y cómo.

—Me cago en la puta —masculló Luke entre dientes—. Del asedio de Sarajevo a esto…

En el dormitorio que comunicaba con la sala de estar, la embarazadísima maquilladora estaba hablando por teléfono. Un hombre negro con el pelo cortado al estilo militar que Thea reconoció como el peluquero —siempre eran los que peor llevaban el pelo— estaba colocando una selección de pelucas y extensiones. Las estilistas, dos mujeres tan delgadas que si se ponían de perfil serían invisibles, ojeaban los vestidos que colgaban de un perchero con mucha urgencia. Una mujer vestida con vaqueros y con una camiseta de manga corta de la muñeca Barbie corrió hacia ella con una mirada aterrada —expresión que Thea descubriría que era la marca habitual de todos aquellos obligados a tratar con la legendaria Minnie Maltravers— y le tendió una mano huesuda.

—¿Thea? Soy Leanne —dijo, hablando tan rápido como si fueran a contrarreloj—. Me alegra conocerte en persona.

—¿Va todo bien? Siento mucho llegar tan tarde.

—No pasa nada. Es que Minnie está un poco resfriada, así que sigue en la cama. Pero bajará dentro de media hora. Las cosas aquí están más o menos preparadas, de modo que podréis empezar en cuanto llegue.

Pasaron dos horas. Los productos de maquillaje estaban

dispuestos; la elección de vestuario y complementos, lista; las velas, en su lugar. Luke y Thea habían repasado las preguntas una y mil veces. Leanne regresó a las tres de la tarde. Thea estaba al borde del colapso.

—Ya. Dentro de poco empezamos. Minnie acaba de pedirme que salga a comprarle un camisón de algodón y la trilogía de *El señor de los anillos*.

—¿*El señor de los anillos*? —preguntó Thea, incapaz de disimular la incredulidad.

El pánico se adueñó de la mirada de Leanne.

—Olvidad lo que he dicho —les pidió—. Minnie me matará.

—Claro —accedió Thea con naturalidad, aunque se guardó la anécdota a sabiendas de que sería tema de conversación en numerosas cenas durante años.

—Minnie está agotada —dijo la asistente—. La maternidad le está resultando todo un desafío. Todas esas noches sin pegar ojo…

George resopló.

—Todas esas noches sin pegar ojo, dando de comer al pequeño Cristiano —siguió Leanne.

—¿No tiene una niñera que se ocupe de eso? —preguntó George.

Leanne respiró hondo.

—No. Minnie es de esas personas que se implican personalmente en todo. Por eso asistió anoche al cumpleaños de Hope. Necesitaba soltarse el pelo. Un sentimiento que cualquier madre comprendería. Así que ha decidido quedarse un rato más en la cama.

—Pobre —replicó Thea con voz almibarada—. ¿Bajará pronto?

—Bueeeeno… Como he dicho antes, se siente un poco mal. Hemos mandado llamar al médico. Pero ¡no os preocupéis! —gritó Leanne al ver la cara que puso Thea—. En cuanto la reconozca, Minnie bajará. No es nada serio. Solo lo hace por precaución.

Así que esperaron y esperaron. Pidieron unos sándwiches, sushi y pizzas. Vieron el partido de rugby en una de las pantallas planas de la suite. La maquilladora embarazada se echó un rato en la cama del dormitorio, aduciendo sufrir falsas contracciones.

—Supongo que seréis conscientes de que si me pongo de parto, el Canal 6 tendrá que pagar mi estancia en el mejor hospital de Edimburgo.

—Por supuesto —respondió Thea con voz melosa.

—¿Os apetece saber qué dice vuestro horóscopo? —preguntó Alexa, que cogió el *Daily Mail*—. Luke, ¿cuál es el tuyo?

—Acuario —contestó Thea antes de poder contenerse. La pareja perfecta para ella, que era Libra. Todos se volvieron para mirarla.

—¿Cómo lo sabes? —preguntó George con sorna.

—Hemos pasado años aburridos viajando por el mundo —contestó Luke, restando importancia al tema—. Ah, hola, Leanne. ¿Alguna novedad?

—Sí, me temo que a Minnie le sigue doliendo un poco el estómago, pero en cuanto el ibuprofeno le haga efecto, bajará.

Media hora después Minnie sufría de terribles dolores menstruales. Al cabo de otra media hora era una intoxicación alimentaria.

—¡Pero no os preocupéis! —volvió a gritar Leanne, mientras un sonriente George hacía un gesto para que comenzaran a recoger todas las cosas—. De verdad que está deseando hacer la entrevista. Bajará dentro de un minuto.

—Modelos… —dijo Luke con tono apesadumbrado. Se había puesto un ajustado traje de Bing Parsons en un horroroso tono verde que combinaba a la perfección con las bolsas que tenía bajo los ojos—. Están todas como cabras. Y sabe Dios que sé bien de lo que hablo, que para eso estoy casado con una.

Thea lo miró y se preguntó si habría leído la columna de Poppy en *Wicked*. Sin embargo, ese no era el momento de averiguarlo.

Leanne volvió a aparecer a las seis y media.

—Ya viene —anunció como si se refiriera a un batallón de tanques enemigos a punto de entrar en un pueblo.

—Aquí estoy —dijo una voz tan aguda que parecía sacada de unos dibujos animados. Todos volvieron la cabeza hacia la puerta, donde se encontraba una de las bellezas más legendarias del planeta vestida con un chándal morado, con la cabeza gacha y con una mano sobre la boca. Minnie Maltravers se sonó la nariz con un pañuelo de lunares morado y después alzó la vista, deslumbrándolos a todos con sus preciosos ojos violeta—. No me encuentro bien —anunció al tiempo que se abalanzaba hacia Carlo, el peluquero, con los brazos extendidos.

—¡Ay, pobrecita! —Se saludaron con un par de besos en las mejillas—. ¿Te apetece que te dé uno de mis masajes capilares?

—Sí, porfaaaaa...

—¿Qué le pasa? —preguntó Thea a Leanne en voz baja, mientras Minnie se dejaba caer en un sillón y Carlo comenzaba a masajearle el cuero cabelludo, enterrando los dedos en su rubia melena.

—En fin, ya sabes lo que pasa con el aire acondicionado de los hoteles. Resecan tanto el aire que parece el desierto del Sahara. Y además introducen bacterias a mansalva. Pobre Minnie.

Thea miró fascinada a la persona que se había convertido en el centro de atención. Siempre se había imaginado a Minnie Maltravers como a una diosa altísima, pero como solía suceder con los famosos, en realidad era muy bajita. Su ego, al contrario, era gigantesco. Una vez que Carlo acabó con el masaje, la diva comenzó a ojear la selección de vestuario con desdén y al final dijo que no se pondría ninguno.

—Odio el rojo —murmuró—. Y Bing lo sabe. ¿Por qué coño ha traído tantos vestidos rojos? Ahora no sé si llevar un modelo de Bing. Debería llamar a Marc y preguntarle si tiene algo para mí.

Después de muchos halagos, acabaron por convencerla de que se pusiera un vestido de terciopelo violeta que hacía juego con sus ojos. El siguiente paso: las joyas.

—¡Pero esto es todo de Tiffany! ¡Nunca llevo nada de Tiffany! —Se volvió hacia Leanne—. Sube a mi habitación y trae mi collar de Bulgari —masculló.

Eran casi las siete. Cuando Minnie por fin estuvo maquillada y peinada, y permitió que Alexa la acompañara al sillón donde se le haría la entrevista, Thea estaba tan agotada como si llevara una semana sin dormir.

Luke se sentó en su sillón, se enderezó la corbata y esbozó la legendaria sonrisa Norton. Minnie lo miró como si no lo viera. Luke carraspeó.

—Vale —dijo Thea—. Luces, cámara…

«Ring, ring. Ring, ring.»

—¡Ay, Dios mío, tengo que atender esa llamada! —Minnie corrió hacia el otro extremo de la estancia y le arrebató el móvil a Leanne de las manos—. ¡Hoooola! Hola, cariñín. Sí, estoy genial. El bebé está adorable, gracias, ¡sí! Lo sé, lo sé. Se parece un poco a mí. ¿A que es extraño? Aunque, eso sí, cambiar pañales es lo peor. Vale, sí, Rosalita se encarga de eso casi siempre pero… Ah, ajá. Vale, ajá. ¿Te has enterado de lo de Lily? Ajá. Ajá.

El resto de los presentes miraron el reloj, pero Minnie parecía ajena a todo. Pasaron diez minutos y después quince. La cháchara continuó hasta que de repente Minnie preguntó:

—¿Nicole? ¿Va a venir? Pero ya sabes lo que pienso de ella. Ni hablar. —Y tiró el móvil al suelo—. Puñetera Nicole… —dijo a nadie en particular. Y nadie se atrevió a abrir la boca. Minnie se puso en pie y se marchó al dormitorio—. Tengo una jaqueca… Necesito echarme un rato.

—No te preocupes —le dijo una aterrorizada Leanne a Thea—. Voy a hablar con ella.

Tardó media hora en volver. La conversación se llevó a cabo a grito pelado, y cuando volvió, Leanne parecía estar agotada.

—Le gustaría hablar con vosotros un momento —les dijo a Thea y a Luke.

Cuando entraron en el dormitorio, vieron a Minnie acurrucada en un sillón. Se había cambiado el vestido de veinte mil dólares por un albornoz. Al verlos, soltó un gemido.

—¿Tengo que hablar con ellos ahora? Me encuentro fatal.

—No, no, Minnie, por supuesto que no —contestó Leanne con la misma sinceridad que un ginecólogo a punto de utilizar un espéculo congelado. Se volvió hacia Thea y Luke—. ¿Os importaría esperar fuera otra vez?

Salieron del dormitorio como cualquier lacayo de la corte del rey Sol.

—Esto pasa de castaño oscuro —masculló Luke.

Leanne reapareció.

—Thea, Luke, no sabéis cómo lo siento. Minnie no quiere hacer la entrevista ahora mismo. Lleváis tanto esperando que cree que no vais a ser benévolos con ella.

—¿Cómo dices? —preguntó Luke, mientras George se llevaba una mano a la boca para contener la risa.

—Sí, está enfadadísima por haberos hecho esperar tanto. Pero os concederá la entrevista. Pronto.

—¿Cómo de pronto? —preguntó Thea—. ¿Mañana?

Leanne se removió, incómoda.

—En realidad, mañana se va con Max y el pequeño Cristiano a Barbados.

—Así que no hay entrevista que valga.

—¡No! Sí que la habrá. Solo tenemos que buscar la fecha.

Minnie se asomó de repente por la puerta.

—Huy, perdón —susurró—, pero es que estoy fatal, fatal. Haré la entrevista. Os lo juro de verdad. Siempre cumplo mis promesas, ¿a que sí, Leanne? Por cierto, ¿puedes reservar mesa para Max y para mí en el Rhubarb esta noche?

—Claro, Minnie —respondió la aludida de inmediato—. ¿A qué hora?

Minnie bostezó.

—A las nueve, creo. Y llama al Witchery para decirle que nos pasaremos por allí.

—Pero si son casi las nueve —señaló Leanne.

Thea le lanzó una mirada compasiva. ¿Cuál era el dicho que siempre repetía su abuela sobre que siempre había alguien más agobiado que uno mismo?, se preguntó en silencio.

—Bueno, pues a las diez.

—¿No podrías hacer la entrevista antes de ir a cenar? —preguntó Thea por si colaba—. Solo nos llevará media hora.

—Lo siento. —Minnie se encogió de hombros y les regaló una sonrisa encantadora—. Tendremos que posponerlo. ¿Qué tal la próxima vez que esté en Londres? Iremos dentro de poco, ¿no, Leanne?

—Sí —contestó la asistente.

Minnie salió de la estancia y Leanne la siguió después de disculparse ante ellos con un hilo de voz.

34

Thea le dio la noticia a Dean desde el dormitorio de la suite Balmoral, mientras el resto del equipo desmontaba las luces y las cámaras que no habían utilizado, empaquetaban los candelabros y doblaban las sábanas blancas.

—Hago venir a gente de todo el mundo para entrevistar a Minnie Maltravers y te deja plantada. ¿Te estás cachondeando de mí, Thea?

—No se encontraba bien —insistió ella—. De verdad que lo hemos intentado, Dean. Lo hemos intentado de todas las maneras habidas y por haber. Pero no ha querido colaborar. Dice que la hará en Londres.

—¿Y cuándo la hará en Londres?

—No lo sé. Algún día de la semana que viene, dice su ayudante personal. Con suerte. —La última frase fue un susurro.

—Mejor que lo haga, Thea. Porque esto es una mierda. Arréglalo de una puta vez. O atente a las consecuencias.

Su ánimo no mejoró cuando el taxi llegó a las puertas del hotel Hootsmon alrededor de las once. Al ver el sitio web del hotel, Thea imaginó un establecimiento de primera con decoración minimalista y elegante. Pero lo que descubrió fue un edificio anticuado en las afueras de la ciudad con un vestíbulo lleno de ramos de flores casi marchitos y el fuego encendido en la chimenea, aunque era una cálida noche de mayo. Al entrar fueron recibidos por los acordes del éxito de los sesenta «Hi ho, silver living», que se colaban a través de unas antiquísimas puertas cortafuegos.

—Es una boda —les explicó una recepcionista ya mayor, que parecía sacada de un libro de Agatha Christie—. Espero que los avisaran. Porque la cosa puede resultar un poco ruidosa.

Luke gimió y se golpeó la frente con el puño. George se frotó las manos con alegría.

La recepcionista lo fulminó con la mirada por encima de las gafas antes de mirar Thea.

—Su ducha es un poco temperamental —le advirtió al tiempo que le daba la llave de latón que llevaba una lámina de madera tan grande que podría usarse como arma—, pero aun así es una habitación muy acogedora.

—¿Hay minibar en las habitaciones? —le preguntó George.

—No, señor. Este es un establecimiento familiar. Nada de minibar. Aunque el bar está abierto para la fiesta. Eso sí, le pido amablemente que deje claro que no es un invitado, de modo que tendrá que pagar sus bebidas.

—Por supuesto. —George esbozó una enorme sonrisa—. ¿Alguien quiere tomarse una copa?

—Vale —dijo Rhys, apuntándose.

Luke, Alexa y Thea negaron con la cabeza.

—La verdad es que yo estoy deseando meterme en la cama —dijo Luke.

Cuatro horas más tarde, Thea se despertó al oír el aviso de un mensaje de texto. Se dio la vuelta en la cama y miró la radiodespertador. Las 3.02. La tenue luz que se filtraba por la persiana no era suficiente, de modo que se puso a buscar el móvil a tientas.

M nteré dl marrón. Lo sient muxo. Aqí stoy si qiers hablar. Sguro q lo arrglamos. Jake. Bss

Tiró el móvil al otro lado de la habitación. ¡Puto enano incompetente! Debería haber supuesto que iba a pasar algo así. Debería haberlo evitado de algún modo. Claro que la culpa solo la tenía ella por haber sido tan boba para creer que alguien tan joven, tan inexperto, un tipo que podría haber hecho de hobbit en *El señor de los anillos* podía organizarle una exclusiva.

Se recostó en su almohada de poliéster llena de bultos y cerró los ojos, pero las imágenes de la entrevista fallida no dejaban de atravesarle la cabeza como un rayo. Era inútil. No volvería a conciliar el sueño. El vuelo salía a las ocho, tenían que estar en el aeropuerto a las seis. En la planta baja seguían sonando las gaitas. Podía bajar para ver qué se cocía en vez de quedarse allí muerta de asco. Soltó un taco mientras se ponía los vaqueros y la sudadera, y recorrió el pasillo para llegar al decrépito ascensor.

La fiesta de la boda estaba en pleno apogeo. Había cuerpos tirados por los sofás, por los sillones, por el suelo… Thea pasó por encima y se encaminó hacia la biblioteca, donde tres hombres vestidos con kilt bailaban vigorosamente con Alexa y otra mujer que llevaba un desafortunado vestido amarillo. En uno de los rincones había un reproductor de CD en el que sonaba una versión de «Scotland the Brave», a cuyos acordes los bailarines daban palmas y movían los pies.

—Muy bien —gritó uno de los hombres. Los tres estaban colorados como tomates—. Caballeros. Las manos derechas sobre los hombros de las damas. Las manos izquierdas al frente. Cuatro pasos hacia delante, eso es…

—¡Holaaaaa! —exclamó Alexa al verla—. Únete al grupo, Thea. ¡Todo el mundo a mover el esqueleto! ¡Salsa!

—Ya no estás en Guatemala.

—Joder, no, no lo estoy. ¡Arriba, arriba! —Hizo sonar unas castañuelas imaginarias.

—Creí que ibas a acostarte. —Thea fue incapaz de contener la risa.

—Me convencieron para que no lo hiciera.

—Qué alegría verte —dijo una voz tras ella. Un colorado aunque mucho más contento Luke estaba recostado en un sillón, con lo que parecía una enorme copa de whisky escocés en la mano.

—Pensaba que ibas a acostarte. ¿Soy la única carca que cree que unas cuantas horas de sueño nos vendrían bien?

—Eso parece. El resto decidimos que sería descortés no brindar por la feliz pareja.

—¿Y dónde está?

—Los novios se fueron de luna de miel a medianoche. —Luke soltó una carcajada.

—Normal. —Thea contempló la ruina del lugar—. ¿Dónde está Rhys?

—Con la cabeza metida en el inodoro. Estos jóvenes de hoy en día ya no tienen aguante.

—¿George?

—En la cama con una de las madrinas.

—¿Con una madrina? ¿No querrás decir con una de las damas de honor?

—No, con una de las madrinas. Con la hermana mayor de la novia, casada, por cierto. Su marido está allí. —Señaló con la cabeza un diván donde yacía un hombre con barba pelirroja en estado comatoso.

—¡Madre mía! —Thea empezó a reírse.

—Me gusta verte reír de nuevo. —Señaló el bar con la cabeza. Nadie lo atendía—. ¿Te apetece una copa?

—Sí, creo que esto se merece una copa... Bueno, no sé, mejor que sea una piña colada. —Le sonrió mientras Luke llenaba un vaso hasta la marca que indicaba una parte de whisky.

—Eso es una ridiculez —dijo él—. Mejor doblemos la cantidad. No, lo siento, mejor triplicarla. —Le tendió el vaso lleno hasta el borde y levantó su copa—. ¡Salud!

—¡Salud!

Brindaron. A la mente de Thea acudieron los recuerdos de otros bares, de otras noches desfasadas, de otras rondas de whisky doble. Tragó con dificultad.

—Buena suerte para la parejita feliz —dijo Luke—. Que tengan más suerte que yo. —Señaló las puertas francesas—. ¿Te apetece que salgamos? Podríamos tomar un poco de aire fresco.

—¿Por qué no?

Luke abrió las puertas y ella lo siguió a la terraza. El Hootsmon se encontraba en una colina. Las retorcidas agujas de las iglesias de Edimburgo se extendían bajo ellos en la madrugada primaveral, confiriendo un toque etéreo a la ciudad. Se apoyaron en la balaustrada.

—Joder, creía que nunca íbamos a quedarnos a solas —musitó Luke.

A Thea se le secó la garganta de golpe a pesar del whisky.

—Ha sido un día muy ajetreado.

—Y tanto. —Luke sonrió—. Una semana ajetreada. De locura. Aunque he disfrutado de lo lindo. Echo de menos mi vida en la carretera, ir de un lado para otro sin saber dónde vas a acabar por la noche. —Hizo una pausa—. Pero soy consciente de que mis días como reportero ambulante se han acabado. Me estoy haciendo mayor.

«Solo eres tan mayor como te sientes», pensó Thea con repentina crueldad, pero en voz alta dijo:

—No eres viejo. ¿Cuántos años tienes? ¿Cuarenta y cinco?

—Cincuenta y uno. —La mentirijilla piadosa de Thea le levantó la moral—. Eso ya no se considera mayor, ¿verdad?

—Claro que no. John Simpson tiene sesenta y tres más o menos y sigue subiendo como la espuma.

Comprendió que no debería haber dicho eso. Luke odiaba a su rival de la BBC. Lo vio fruncir el ceño.

—Bueno, yo no diría tanto. Los reportajes que hizo hace poco desde Sudamérica no fueron lo que se dice deslumbrantes.

—Tienes razón —se apresuró a decir—. Me refiero a que sigue trabajando como siempre y a que nadie habla de sustituirlo.

—¿A qué te refieres? ¿Están pensando en sustituirme?

Dios, no debería haberse metido ese lingotazo de whisky.

—No, no, nada de eso, Luke. Tú eres el alma del *Informativo de las Siete y Media*. Sería impensable que siguiera sin ti al frente.

—Mmm. —Luke frunció el ceño antes de volver a mirarla—. Como en los viejos tiempos, ¿no? Tú. Yo. Un hotel. Un reportaje.

—Esto…

—¿Hay alguien especial en tu vida ahora mismo? —le preguntó con la vista clavada en la verde pradera del Sillón de Arturo. Antes de que pudiera contestarle, prosiguió—: Me resulta increíble que sigas soltera. Una mujer tan atractiva como tú…

—Me gusta mi situación. —Se encogió de hombros—. Ya lo sabes.

La fatiga se apoderó de ella, una fatiga que nada tenía que ver con la hora y sí mucho con lo cansada que estaba de fingir, de tener que actuar como si Luke no le importase nada cuando el hecho de estar a su lado la ponía a cien, y también con el hecho de que llevaba unas sosas bragas negras de Marks & Spencer.

—¿Qué te parece la nueva columna de tu mujer? —preguntó, desesperada por cambiar el rumbo de la conversación.

—¿Cómo dices?

—Ya sabes, la de la revista *Wicked*.

—¿Qué columna?

—Ah, supongo que no la has visto. Estabas en Guatemala. No es nada —se apresuró a decir—. Pregúntale a Poppy.

Luke se volvió para mirarla.

—Ya no le pregunto nada a Poppy. Nuestro matrimonio es una farsa, Thea. El peor error de mi vida.

Tragó saliva al escucharlo.

—Te he echado muchísimo de menos. Lo sabes, ¿verdad? —preguntó Luke en voz baja al tiempo que le tomaba la cara entre las manos.

—Yo… —murmuró ella, mirándolo a los ojos. Tenía la sensación de que le habían dado la vuelta y de que se le habían taponado los oídos.

Una voz a su espalda rompió el silencio.

—¡Minnie Maltravers es una gilipollas!

Se separaron dando un brinco exagerado.

—¡Es lo peor de lo peor! ¡Una soplapollas!

—¡Maldita sea, George! Nos has dado un susto de muerte. —Luke tenía la cara como un tomate.

—«La teta izquierda le cuelga hasta la cintura» —canturreó George, una elección muy acertada ya que era una popular tonada escocesa—. «La teta derecha le cuelga hasta la rodilla.»

—George —dijo Thea—, creo que deberías irte a dormir la mona.

—«Si la teta izquierda y la teta derecha fueran iguales, le daría con el pito.» —Se dejó caer en un sillón de forja mientras se limpiaba las lágrimas.

Thea y Luke se miraron. Sonrieron.

—Igual que en los viejos tiempos —comentó Luke.

Acto seguido, como a cámara lenta, se inclinó hacia ella, le puso la mano en el brazo y le susurró al oído:

—Creo que en mi habitación estaremos más tranquilos.

35

Como Brigita tenía libres los sábados, Poppy los dedicaba a tareas como ir de compras. Sentaba a Clara en su cochecito y salía rumbo a Tesco, aunque antes se detenía en el cajero automático de la puerta para sacar el fajo de billetes necesario para pagar a Brigita al final de cada día. Pensó un instante en Luke, que seguramente estaría en Escocia charlando con Minnie. Cuando la llamó para decirle que esa sería su siguiente parada, Poppy se había dado cuenta de que su corazón había desarrollado una especie de doble rasero. La tristeza que la asaltó apenas era una leve brisa comparada con el vendaval que había soportado durante tanto tiempo.

Mientras daba vueltas a ese asunto, sacó la tarjeta de Luke de su cartera. Y se le ocurrió algo. Guardó esa tarjeta y sacó la suya propia, que llevaba sin usar desde que comenzó a vivir con él. El banco acababa de mandarle una nueva, pero todavía estaba sin estrenar. ¿Qué sentido tenía hacerlo cuando sabía que en su cuenta solo había 19,11 libras? Claro que eso ya habría cambiado. Metió la tarjeta en el cajero, marcó su número PIN y eligió la opción que le permitiría ver el saldo.

Hay 419,11 £ en su cuenta

Vale, no era bastante dinero para jubilarse. Pero la semana siguiente, cuando le subieran el sueldo, habría 1.019,11 libras. Y a la siguiente 1.619,11. Y a la siguiente… Aunque las matemáticas no eran lo suyo, se hacía una idea. Después de haber dependido de Luke por completo, por fin tenía un poco de dinero propio. Empezó a darle vueltas la cabeza como si hubiera pasado demasiado tiempo en una sauna.

—Mamiiiiii, vamos.

—Vale, cariño.

Empezó a deambular por Tesco y se dio cuenta, demasiado tarde, de que se había olvidado la lista de la compra. A ver, ¿qué quería Brigita que comprase? Cereales para Clara, tachado. Guisantes congelados ecológicos, tachado. Patatas, tachado. Brigita era una máquina haciendo purés de patatas y verduras, unas comidas que incluso el cocinero más exigente encontraría fastidiosas, pero que a Clara le encantaban.

—¿Mamiiiiii?

—¿Sí, cariño?

Poppy se detuvo en la zona de revistas. Daisy McNeil estaba en la portada de la puñetera *Elle*. ¿Y dónde estaba *Wicked*? En el estante más bajo, al fondo, donde nadie que fuera más alto que Clara podría verla. Tras mirar por encima del hombro, cogió tres ejemplares y los puso en el estante superior. Se apartó para admirar su trabajo. Tal vez luego fuera a los almacenes Martin, que estaban al lado, para hacer lo mismo, y por la tarde podría bajar hasta WH Smith en Paddington…

—¿Mamiiiiii? Tengo pis.

—Espera un momento, corazón. Ahora mismo nos vamos. —Echó a andar hacia la línea de cajas a la carrera, pero en ese momento oyó:

—¡Hola!

—¡Ah, hola! —Era aquella madre tan desagradable con la que se había cruzado aquella fría mañana de enero, cuando estaba tan baja de moral.

—¿Cómo estás? —preguntó la mujer, con mucha más amabilidad que la última vez.

—Bien.

A su hijo le llegaban los mocos a la barbilla. Poppy lo miró con desdén. ¿Por qué los hijos de los demás nunca eran tan guapos como los propios? Ni de lejos, vamos.

—Te vi en *Wicked* la semana pasada. Qué… Esto… Qué escandaloso.* —La mujer se echó a reír—. Bueno, no la compré ni nada de eso, pero la hojeé mientras estaba en la peluquería y pensé: Yo conozco a esta mujer. Qué divertido. ¿Llevas mucho tiempo haciéndolo?

—Sí, ya llevo algún tiempo —respondió Poppy de mala manera.

—No lo sabía.

Reparó en que la mujer tenía las puntas del pelo estropeadísimas. Todo el mundo debería saber que pasados los cuarenta nadie debería llevar el pelo largo.

—Oye, a lo mejor podríamos vernos —sugirió la mujer—. Algunas de las madres de por aquí tomamos café todos los jueves a las once, en Starbucks. Si quieres unirte al grupo…

—Lo siento —rehusó Poppy—. Pero trabajo los jueves.

—¡Mamiiiiii! —gritó Clara con voz desesperada.

Poppy miró el recién fregado suelo del supermercado y vio una manchita amarilla.

—¡Ay, Clara! —exclamó—. No importa. Será mejor que volvamos a casa enseguida, ¿no? Adiós, me alegro de verte —añadió con desdén por encima del hombro.

Cuando salió a la calle, tuvo que resistir la tentación de agitar el puño en el aire como si fuera una concursante de un programa de televisión.

De vuelta en casa Clara se negó a comer sus espaguetis a la boloñesa.

—¡Pero si es tu plato preferido! —exclamó Poppy, horrorizada porque ese viejo y fiable truco se hubiera quedado desfasado con tanta rapidez como la tendencia de la temporada anterior de llevar amarillos chillones.

* Juego de palabras. *Wicked* significa «escándalo». *(N. de las T.)*

en un puño. Toby la había invitado a salir. Por su cumpleaños. Se regañó al instante. No era una cita de verdad, ella estaba casada. Pero las mujeres casadas podían tener amigos, ¡ni que estuvieran en Afganistán, vamos! Clara se dormiría pronto. ¿Por qué iba a quedarse plantada delante de la tele viendo *American Idol* cuando el resto de las mujeres de su edad del mundo occidental estarían en cualquier otro sitio pasándoselo en grande con sus amigos? Y cuando Luke estaba en Escocia, codeándose con la elegante Thea y con Minnie Maltravers.

Por supuesto que Brigita estaba disponible. Llegó justo después de que Poppy metiera a Clara en la cama y la arropase. Después de haberse mirado en el espejo por enésima vez, decidió ir caminando al restaurante, aunque eso implicaba un tramo peliagudo por un barrio de viviendas sociales y un paso subterráneo que apestaba a orina, porque así podría comprar un regalo a Toby por el camino. Atravesó el puente que cruzaba el canal prácticamente a la carrera. Aunque estaban en mayo, hacía frío y la gente con la que se cruzaba parecía triste y preocupada. A Poppy le dieron pena porque caminaban cabizbajos contra el viento, al contrario que ella, que se mantenía muy derecha y se enfrentaba a los elementos sin temor.

Se devanó los sesos en busca de un regalo para Toby. Nada demasiado caro, porque eso sería un error, sin duda. Entró en el centro comercial Whiteley y fue directa a la librería, donde tantas horas se había pasado mientras Clara dormía en su cochecito. Le compraría un precioso libro con fotos aéreas de la ciudad que a ella le había encantado ojear. Después de sacar su tarjeta, orgullosísima por estar pagándolo de su bolsillo, cogió un bolígrafo del mostrador y escribió en la cara interna de la tapa: «Para Toby, de Poppy, el día de su cumpleaños».

Agradable y sencillo, pensó, pero miró el reloj angustiada. Eran las ocho y cuarto. Con el corazón encogido porque, a pesar de su carrera como modelo, odiaba llegar tarde, recorrió deprisa la atestada Queensway, llena de mujeres ataviadas con el burka, que empujaban cochecitos con niños de seis años dormidos, de turistas americanos que preguntaban si estaban en Notting Hill y de adolescentes que salían de la pista de hielo. El restaurante estaba en una zona tranquila. Vio a Toby nada más abrir la puerta, sentado en un rincón. Saludándola con la mano.

—¡Por fin! Ya podemos pedir.

Toby se levantó con una sonrisa. Otras nueve personas la miraron. No era una cita. Era su fiesta de cumpleaños. Y una de las invitadas era Daisy McNeil.

A Poppy empezó a darle vueltas la cabeza. En parte por la sorpresa y en parte porque no había comido mucho ese día. Abrió el bolso y sacó el libro.

—Para ti —dijo—. Es uno de mis preferidos.

—¡Ah!, gracias —respondió él.

Sin mirarlo, Toby lo dejó encima de un montón de regalos que estaban en el suelo. Poppy se percató de que había dos bolsas de Jo Malone, una de Hermès y otra de Gucci. Se puso como un tomate. ¿Por qué no había sido un poco más espléndida?

—Vamos, siéntate allí. —Toby señaló un asiento libre entre un hombre bastante alto con una chaqueta de montar y un pañuelo verde en el cuello y un hombre moreno con un polo color crema y vaqueros a juego—. Te presento a Freddie y a Andreas. Freddie, Andreas, esta es Poppy.

—¿Señora? —le dijo el camarero—. ¿Qué desea beber?

Echó un vistazo a la mesa con desesperación para ver qué estaban tomando los demás.

—Una cerveza —respondió sin pensarlo mucho y señalando el vaso del moreno.

—Vaya, qué valiente —murmuró Freddie, el de la chaqueta de montar. Poppy reprimió el impulso de golpearle la cabeza con el bolso—. ¿Eres de los nuestros, guapa?

—Lo dudo mucho —terció Andreas, el moreno—. Es preciosa.

Todo el mundo charlaba alegremente. Poppy estudió con la mirada a las otras mujeres. Una asiática casi raquítica estaba sentada a un lado de Toby, riéndose de todo lo que él decía. Al otro lado tenía a una rubia de aspecto escandinavo que miraba con cara de pocos amigos su copa de champán.

Poppy intentó averiguar quién estaba jugando mejor sus cartas, pero Toby no parecía demasiado interesado por ninguna de las dos, ya que cortejaba a la mesa al completo.

«No pasa nada —se dijo ella—. Eres una mujer joven que ha salido a cenar con unos amigos. Eso es lo que hacen las mujeres jóvenes los sábados por la noche. Estás en un restaurante de moda londinense. Y además eres una mujer casada», se recordó. Sin embargo, las palabras de la carta siguieron baiłoteando ante sus ojos.

—Bueno, ¿de qué conoces a Toby? —le preguntó Andreas.

—De vernos por ahí —respondió Poppy al tiempo que se encogía de hombros.

—Poppy tiene una columna en una revista —anunció Freddie—. Es graciosísima. Se llama: «La zorra contraataca». Y despelleja muy bien a la gente. Así que mejor cuida lo que dices, Andresito de mi corazón.

—No soy tan mala. —Se ruborizó. Estuvo a punto de decirle que ella no la escribía en persona, pero decidió que era mejor no hacerlo.

—Pues yo creo que eres perversa. Por eso me encanta.

—Es genial, Poppy —dijo Daisy desde la izquierda de Andreas—. Creí que estabas acabada cuando te casaste. Eso es lo que dijeron en la agencia, vamos. Es que es muy difícil seguir trabajando después de tener niños. Se te estropean las tetas y eso. Así que *chapeau* por haberte reinventado.

—Gracias, Daisy.

—Tengo que decírtelo. Ya no puedo callármelo más. Acabo de conseguir mi primera portada en *Vogue*. ¿A que es genial? Van a sacarme como a una de las integrantes de la nueva hornada de supermodelos.

—Bueno, pero asegúrate de que Poppy no escribe el artículo —soltó Freddie entre risas.

—Yo no me preocuparía mucho, la verdad —dijo Poppy con su sonrisa más dulce—. Daisy no podría leerlo. —Y se quedó muda, asombrada. ¿De dónde había salido eso?

Freddie imitó el siseo de un gato. Toby, que había estado escuchando, echó su preciosa cabeza hacia atrás y soltó una carcajada. Un segundo después, Daisy también empezó a reírse.

—Lo siento, no quería que sonase de esa manera. Yo…

—No pasa nada, Poppy. Sé que solo ha sido una broma.

A partir de ese momento cambió la dinámica. Poppy ejerció de bufón de la corte para entretener a Freddie y a Andreas. Notaba el sudor que se le iba acumulando en la frente mientras hilaba chistes malos con comentarios ingeniosos. Era consciente de que Toby intentaba integrarse en su grupo, pero las dos mujeres que lo flanqueaban luchaban por conseguir su atención. Comprendió que cuanto menos caso le hacía, más la observaba. Y comenzó a pasárselo en grande. Formaba parte de la acción, no como en las aburridas fiestas de trabajo de Luke. La comida estaba buenísima y el alcohol corría sin límites. Lo único que no le gustaba era el afán de los demás por levantarse de la mesa para ir al servicio en grupitos. Cuando regresaban, hacían más escándalo que antes y se limitaban a tontear con la comida sin comer nada. Poppy sabía lo que estaba pasando y no le gustaba en absoluto.

—¿Vas a unirte al club? —le preguntó Freddie cuando Daisy y él se levantaron.

Poppy pensó en Clara, dormida bajo las hadas de su saco de dormir. Pensó en lo escandalizado que se sentiría Luke. Pensó en la película que les habían puesto en el colegio sobre aquella chica de clase media y mejillas sonrosadas que acabó tirada en el suelo de un sucio cuarto de baño mientras se aferraba a una jeringuilla.

—No, gracias. —Sonrió.

—Vamos. —Señaló con la cabeza el suflé de fruta de la pasión que acababan de ponerle a Poppy delante—. No comas tanto.

Para Poppy fue como si la hubieran abofeteado.

—Me gustan las mujeres que disfrutan de la comida —comentó Andreas con un guiño.

Le pitaban los oídos y estaba a punto de levantarse para ir con Freddie al cuarto de baño cuando Toby dijo a su espalda:

—Levanta ese pedazo de culo, Freddie. Quiero hablar con Poppy.

El corazón le dio un vuelco cuando Freddie se levantó y Toby ocupó su lugar.

—Creí que nunca iba a llegar este momento —dijo él en voz baja, solo para sus oídos—. ¿Te lo estás pasando bien?

—Mmm…

Toby se rio al ver su expresión.

—No digas nada. Lo siento, cariño. La mayoría de esta gente es gilipollas.

—¿Y por qué los has invitado a tu fiesta de cumpleaños? —El mundo le parecía cada vez más extraño.

—Trabajo, la verdad. Son contactos, ¿sabes? Mi trabajo consiste en conseguir que la gente esté contenta. Freddie me ayuda a poner a la moda a muchos de mis clientes masculinos y Andreas es… Bueno, digamos que conoce a mucha gente con la que también tengo que tratar.

—¿Y las chicas? —preguntó Poppy mientras miraba a una sonriente Daisy.

—Bueno, las chicas están cañón. Me acompañan a un montón de eventos a los que asisten mis clientes y los mantienen contentos. —Volvió a bajar la voz—. Pero ninguna es tan guapa como tú.

—¡Ah! —Poppy notó que le vibraba el móvil en el bolsillo—. Perdóname un segundo —dijo al tiempo que se lo sacaba con la cara como un tomate. Seguramente sería Luke. Se preguntó qué podía decirle si quería saber qué estaba haciendo. Pero no, era Brigita—. ¿Va todo bien? —preguntó casi a voz en grito y con la otra oreja tapada para oír mejor.

—No lo creo. Clara está vomitando por todas partes. Muy

enferma. Como la niña de *El exorcista*. Quiere a su mamá. Debes volver a casa.

El miedo más atroz la golpeó de repente como si fuera un muro invisible.

—¡Dios mío! Voy enseguida. —Colgó—. Lo siento, pero tengo que irme —dijo en dirección a la mesa.

—¡Cenicienta! —gritó Freddie entre carcajadas—. Si todavía no es ni medianoche. ¿Tu carruaje espera?

—Mi hija no se encuentra bien.

—Dios, críos —resopló Daisy—. ¿Ha comido demasiados postres? Como su madre —añadió entre dientes.

Con el rostro colorado pero la cabeza bien alta, Poppy dio unos golpecitos a Toby en el hombro.

—Lo siento, pero tengo que irme —repitió—. Gracias por una noche tan divertida.

—Te acompaño al taxi. —Toby se levantó.

En el exterior vieron un taxi de inmediato. Poppy se subió con el corazón acelerado.

—Gracias —dijo sin prestarle mucha atención—. Que te diviertas.

—Sin ti no podré hacerlo —le aseguró Toby en voz baja, y se inclinó para besarla suavemente en los labios.

Por un segundo, mientras inhalaba su perfume almizcleño, Poppy tuvo la sensación de haber bebido demasiados cócteles, pero la ansiedad acabó con todas la sensaciones.

—¿Por qué siempre que estoy contigo alguien se pone a vomitar?

Estaba segura de que podría haberle respondido algo ingenioso, pero se limitó a sonreír y a encogerse de hombros.

—A Maida Vale —le dijo al taxista—. Tan rápido como pueda, por favor. Mi hija está enferma.

36

El drama había acabado cuando Poppy llegó al dormitorio de Clara, después de subir la escalera.

—He limpiado el vómito y ahora está dormida como un tronco —le explicó Brigita.

En ese momento Clara se dio la vuelta y gritó:

—Mamiiiiii.

Pero no tardó en ponerse de nuevo boca abajo, dejando el culo en pompa.

—Pero ¿está bien? —preguntó Poppy mientras acariciaba sus suaves rizos rubios.

—Le he tomado la temperatura. Todo bien. Creo que es uno de esos episodios normales en los niños.

La verdad era que parecía estar bien.

—Deberías haberme llamado para decirme que estaba mejor —soltó Poppy, enfadada—. Estaba preocupadísima.

—Yo también, pero tu niña es tuya. Creo que es mejor que estés en casa. —Brigita la miró de una forma que a Poppy no le gustó mucho—. Mejor pasarse que quedarse cortos, eso es lo que digo siempre. De todas formas y ahora que has vuelto, me voy. Volveré el lunes.

De modo que Poppy se metió en la cama sola. Reescribiendo la historia, se imaginó a sus nuevos amigos en el restaurante, riéndose y bromeando sin ella, antes de ir a algún club. O al Mahiki o al Boujis. Se le olvidó que en realidad no se había sentido muy cómoda en el grupo y, en cambio, se imaginó bailando con ellos y coqueteando. Sin embargo, ahí estaba, otra vez sola en su lecho matrimonial con una niña de dos años en el dormitorio de al lado. No era justo. Se había perdido los mejores años de su juventud y cuando por fin se le presentaba la oportunidad de recuperar un poco del tiempo perdido, siempre había alguna responsabilidad doméstica que se lo impedía.

Después se recriminó por pensar en su adorada Clara como en una «responsabilidad doméstica». Al cabo de un segundo se avergonzó de lo ingenua que había sido al creer que Toby la llamaba para una cita a solas. Al fin y al cabo, no había dicho nada que lo insinuara en ningún momento de la conversación. Menudas risas se debían de haber echado todos a su costa por el libro tan tonto que le había regalado y por lo pronto que se había marchado. Después pensó en Luke, que estaba en Escocia, y en el hecho de que no lo había llamado porque no le había dado la gana, y se sintió culpable. Vale, estaba enfadada por la frecuencia con la que la dejaba sola y —puesta a analizar la situación— un poco celosa por la libertad de movimientos de la que disfrutaba. Claro que cuando se casó con él ya sabía que viajaba mucho. Tenía que hacerlo para mantenerlas y, entretanto, ella se ponía a tontear con otro hombre. Era imposible pasarlo por alto. Se había comportado mal.

Madre e hija pasaron la mañana de domingo acurrucadas en el sofá, viendo *El libro de la selva*. Mientras observaba a Clara reírse a mandíbula batiente con las travesuras de Mowgli y Baloo, Poppy sentía el corazón rebosante de amor. Estaba furiosa consigo misma por haber echado la culpa de su frustración a la enfermedad pasajera de Clara. Era una madre terrible. Una malísima persona.

Sonó el timbre.

—¡El cartero! —gritó Clara.

—No, cariño, es domingo. —Poppy estaba desconcertada.

Cuando abrió la puerta principal, se encontró con un enorme ramo de amapolas.

—Para la señorita Poppy —dijo un chico con desgana desde detrás del ramo.

—Soy yo.

—Para usted. —Y le ofreció el ramo de mala manera antes de bajar corriendo los escalones para volver a su furgoneta.

Poppy giró el ramo para ver la tarjeta. Tenía el corazón desbocado. Estaba segurísima de la identidad de quien las enviaba, aunque nunca se sabía...

De las amapolas* se extraen ciertas drogas y tú eres, ciertamente, mi narcótico. Hasta pronto, preciosa. T xxx

Poppy inspiró hondo. Volvió a leer el mensaje un par de veces más, aunque el teléfono le impidió hacerlo una cuarta.

—¿Sí? —dijo, segurísima de que era él.

—¡Cariño, soy yo! —Piiii, piiii—. ¡Quítate de en medio, imbécil!

—Hola, mamá. ¿Qué tal Marsella?

Su madre tenía la voz ronca.

—Asquerosa. Que me esperen sentados.

—Vaya. ¿No viste a...? —No recordaba el nombre—. ¿A tu amigo?

—Nos tomamos una copa. Pero como su hermana estaba con él, no pudimos salir a cenar como habíamos planeado. Aunque dice que volverá pronto a Inglaterra y hemos quedado en vernos.

—¿De verdad? Me alegro. —La puerta principal se abrió en ese momento y apareció Luke, con aspecto cansado y con una maleta—. ¡Hola! —gritó Poppy mientras se metía la tarjeta que acompañaba al ramo en el bolsillo—. Mamá, tengo

* Poppy, el nombre de la protagonista, es «amapola» en inglés. *(N. de las T.)*

344

que dejarte. Luke acaba de llegar. Luego hablamos. —Y colgó haciendo oídos sordos a las protestas de su madre—. ¿Qué tal Minnie? —le preguntó a su marido.

—No sabría decirte. Nos dio la patada.

—¡Papiiiiiiiiiiiiii! —gritó Clara, que apareció corriendo por el pasillo.

Luke se puso de rodillas.

—Hola, tesoro. Te he echado de menos. Papi te ha traído una muñeca de Guatemala y… mmm… una vaca peluda de Escocia.

—Dame.

—Ahora mismo. —Luke agarró a la niña y la lanzó por los aires, haciéndola reír de felicidad.

—¿Os dio la patada?

—Ajá. Estaba todo preparado para la entrevista, el lugar, las luces, la cámara, y va Minnie y decide que está un poco cansada, así que hará la entrevista otro día. Y no hay más vuelta de hoja.

—¡Ay, pobrecito! —Aunque Poppy había pasado toda la semana con un cabreo creciente hacia Luke por ser un marido tan descuidado, la compasión inundó su tierno corazón—. ¿Quieres un café? —le preguntó mientras iba hacia la cocina.

—Me han dicho que tienes una columna —dijo Luke, que la seguía de cerca.

La mano de Poppy se detuvo en el aire y no cogió la tetera.

—Sí. Ya lo sabías… —dijo con voz alegre.

—No, no sabía nada.

—¡Sí que lo sabías! Te lo dije.

—No me has dicho nada.

—Estoy segura de que te lo dije. —Poppy comenzó a rebuscar en el armario el café que le gustaba a Luke—. La columna para *Wicked* —insistió, dándole la espalda—. Creía que me estabas escuchando cuando te lo dije.

—No me lo has dicho.

—¡Sí te lo dije! —Poppy no sabía mentir. Se le ponía la cara como un tomate y se le tensaba el cuerpo como si fuera una salchicha congelada.

Luke resopló.

—¿Puedo leerla?

Poppy cogió a regañadientes la manida copia de la revista que estaba en la mesa de la cocina. Su intención había sido la de esconderla antes de que Luke volviera.

—«¿La zorra contraataca?» —dijo Luke cuando llegó a la página después de hojear la revista, horrorizado.

—Yo no le he puesto el nombre, han sido ellos.

—Eso espero. Pero ¡por Dios! No es muy serio que digamos. —Siguió leyendo en silencio, intentando fruncir el ceño, aunque el trabajo del doctor Mazza se lo impedía—. Poppy —dijo al cabo de un momento—, no puedes hacer esto.

—¿Por qué no? Tú querías que trabajara. Pues he encontrado trabajo.

—Quería que consiguieras un trabajo como Dios manda. No que le soltaras chismes a un periodista fantasma sobre lo mal que viste fulanita cuando sale de copas y lo cerda que es Hannah. ¡Madre mía, esto la habrá puesto como una fiera!

Poppy sintió un nudo en el estómago. Como no sabía qué responder, enterró la cara en el cuello de su hija.

—Cariño, ¿quieres que veamos la vaca peluda que te ha traído papá?

Luke se pasó la tarde sentado tras su escritorio, poniéndose al día con las facturas y el trabajo. Poppy y Clara se pasaron la tarde viendo un DVD de dibujos animados. Para cenar Poppy calentó un risotto congelado y antes de las diez estaban en al cama, el uno al lado del otro, haciendo todo lo posible para no rozarse y respirando como si estuvieran dormidos, aunque ambos estaban despiertos. Y aunque sabían que debían discutir de nuevo el tema de la columna, los dos llegaron a la conclusión de que sus estados de ánimo eran demasiado frágiles y, además, se sentían demasiado culpables por sus respectivas infidelidades para abordar el tema en ese preciso momento.

La semana pasó. Poppy envió un mensaje a Toby para darle las gracias por las flores, pero no recibió respuesta. Asistió a unas cuantas fiestas, pero no lo vio. Un día almorzó con Bárbara, que le dijo que siempre había sabido que su regreso sería triunfal y después le presentó una larga lista de clientes interesados en que promocionara sus productos. Poppy se la llevó a casa para pensárselo bien e intentó ilusionarse por alguna cosa, pero en realidad tenía la cabeza puesta en Luke y en el bache que estaba sufriendo su matrimonio, y también en Toby y en su aparente desinterés.

Migsy la llamó el jueves a las once en punto.

—¡Hola, Poppy! ¿Cómo estás? ¿Te han ingresado el dinero? Bien, cuéntame qué has hecho esta semana.

Poppy le soltó la lista de los nombres de las personas que había visto y de los sitios donde había estado.

—Genial. Eres la chica de moda que a todas nuestras lectoras les gustaría ser. Pero tenemos que darle un poco de vidilla a la columna si queremos que sea tan buena como la de la semana pasada. ¿Qué te pareció Danielle Minton de cerca? Te juro que siempre había sido de la opinión de que ponerse Botox no tiene nada de malo hasta que la vi cara a cara.

Poppy se removió, inquieta.

—Migsy, sabes que no quiero hacer comentarios desagradables.

—¡No son desagradables! Son divertidos. Vamos, Poppy, todo el mundo dice que tus comentarios son un soplo de aire fresco. ¡No irás a decirme que no pensaste en Tutankamón cuando viste a Danielle, vamos!

—Se parecía un poco, sí —admitió a regañadientes.

—¿Qué ha estado haciendo Clara esta semana?

Ese tema era seguro.

—Bueno, llevamos una semana de pesadilla con la comida. No quiere comer nada que no sean galletas bañadas de chocolate, y el fin de semana pasado se hizo pipí en el supermercado, justo cuando acababan de limpiar el suelo. ¡Pasé una vergüenza horrorosa!

Migsy se echó a reír.

—Qué gracioso. Nuestras lectoras te entenderán perfectamente. ¿Y qué opinas de todo este asunto de Minnie Maltravers? Al fin y al cabo, tu marido ha estado en Guatemala, haciendo reportajes sobre su colaboración con esa organización humanitaria, ¿no?

—Sí —contestó Poppy tan orgullosa como el día en que le dieron el premio a la taquilla más ordenada en Brettenden House—. Y después…

—Y después…

—Nada.

—Y después ¿qué?

—Esto no saldrá en la revista, ¿verdad? Es estrictamente confidencial, entre tú y yo.

—¡Por supuesto!

—Bueno, Luke tuvo que salir corriendo de Guatemala e ir directo a Edimburgo para entrevistarla. La idea era hacer la entrevista al mediodía y volver a Londres por la mañana, pero Minnie los tuvo seis horas esperando y cuando por fin decidió que estaba preparada para hacerla, la llamaron por teléfono y luego dijo que estaba demasiado cansada y que prefería irse a cenar.

—¿De verdad? —preguntó Migsy con desgana—. Luke se cabrearía, seguro.

—Pues sí. —Poppy se dejó llevar por el antiguo deseo de impresionar a Migsy—. Se cabreó muchísimo. Había volado de una punta del mundo a la otra, para nada. Dice que está como una cabra.

—¿Va a volver a entrevistarla?

—Bueno, eso espera, pero no lo sabe. La odia y la llama

«Minnie la Quejica». Dice que en persona no es nada del otro mundo y que se le veían las cicatrices alrededor de los ojos.

—Pobre Luke —dijo Migsy. Parecía tan desinteresada como si estuviera intentando explicarle la política agrícola de la Unión Europea—. Poppy, voy a tener que dejarte. Es que tengo que hacer una entrevista telefónica a Kate Thorton sobre las cosas que tiene en la mesita de noche. Hablaremos la semana que viene a esta misma hora. Diviértete y cuídate mucho.

—Tú también —contestó Poppy, y en cuanto colgó, recordó que iba a decirle que le enviara el artículo por correo electrónico antes de publicarlo. En fin, ya la llamaría luego. Tenía cita en la peluquería para hacerse las mechas. Se preguntó si a Toby le gustarían.

Historia de una ruptura: resumen. Hannah Creighton, de cuarenta y seis años, se quedó destrozada hace casi tres años cuando su marido, el presentador de televisión Luke Norton, la abandonó junto a sus tres hijos (Tilly, de dieciséis, Issy, de quince, y Jonty, de diez) por una modelo de veintidós años conocida como «la zorra». Ahora Hannah nos habla de sus sentimientos a través de sus hilarantes columnas sobre el proceso de divorcio y nos da su opinión sobre la repentina aparición de la zorra como la columnista Poppy Norton.

Pues ya lo sabéis todos. La zorra que tan cruelmente me robó a mi marido tiene nombre. Se llama Poppy Norton, tiene veinticuatro años, una hija de dos llamada Clara a la que le encantan los *Teletubbies* y asiste a un sinfín de fiestas. ¡Ah! Y era modelo. En otras palabras, y creo que todos estaréis de acuerdo conmigo, es una mujer con enjundia.

Nunca la he visto en persona. Pero cuando vi su foto en una revista de cotilleos en la sala de espera del dentista y leí en su columna las tonterías que decía sobre las fiestas a las que había asistido, sobre la ropa que le gustaba y sobre los programas de televisión que le gustaban a su hija, fue como si me dieran un puñetazo. Sé que mis sentimientos son irracionales —no quiero que Luke vuelva—, pero leer esas chorradas fue como si me echaran un cubo de agua fría por la cabeza. ¿Esa frívola era la mujer por la que mi marido había dejado a sus tres preciosos hijos? Aunque parezca sorprendente, ninguno de los cuatro hemos visto a la segunda esposa de Luke. Mis hijos decidieron, en un alarde de entrañable lealtad hacia mi persona, que no querían verla jamás. Sin embargo, sufro mucho al pensar que cambió a Jonty, a Issy y a Tilly por esa desgracia de persona. Claro que las cosas son como son. Poppy era mucho más guapa que yo —e incluso mucho más guapa que yo en mis buenos tiempos— y, evidentemente, muchísimo más joven. Sí, es normal que Luke cambiara a una mujer con título universitario, con un diploma de cocina y con una intachable hoja de servicios en el AMPA por una chica monísima idéntica a otras muchas de su edad.

No obstante, la emoción predominante mientras leía la columna de Poppy era la lástima. Al leer entre líneas, descubrí que no es feliz en su hogar, que su marido no la apoya. Descubrí a una chica joven que se siente muy sola y que intenta llenar sus días con fiestas y compras. O tal vez me lo esté imaginando. Supongo que no ayudará que Luke me enviara el mismo día que obtuvimos la sentencia firme de divorcio un mensaje que decía: «Te echo de menos. Te quiero muchísimo. Por favor, dime que me quieres».

Y tampoco ayudará que la Viagra siguiera llegando regularmente a casa dos años después de que se hubiera marchado. O que mis amigos y compañeros me comenten que lo han visto tonteando con otras mujeres, aquí y en el extranjero.

Todo esto demuestra lo atrás que he dejado aquel aciago día de hace ya casi tres años cuando descubrí que Luke tenía una aventura con esa Lolita. En aquel entonces perder a mi marido fue como si se me hubiera muerto alguien, pero sin poder llorar su pérdida. Ahora, sin embargo, comprendo que fue el comienzo de mi nueva vida. Al echar a Luke de casa, he recuperado mi autoestima. Tengo un novio que está buenísimo. El sexo es maravilloso —con mi ex lo había dado por imposible—. Continuamente me llegan ofertas para aparecer en televisión, para escribir una novela, para trabajar en revistas…

Aunque no todo ha sido fácil. En cierto modo estaba acostumbrada a actuar como una madre soltera, ya que Luke pasaba mucho tiempo fuera por su trabajo, pero desde que se fue de casa y me vi obligada a ganarme el pan, no me ha quedado más remedio que enviar a los niños a un internado. No os penséis que estamos hablando de Dotheboys Hall ni mucho menos, pero me parte el alma que hayamos tenido que separarnos de esta manera.

Sin embargo, el hecho de haber sobrevivido me da mucho que pensar, sobre todo cuando hace poco Luke me mandó un correo electrónico invitándome a cenar. El futuro se abre ante mí. En lugar de ser la esposa desaliñada que se queda en casa cuidando a los niños, me di cuenta de que podía ser una mujer sofisticada que coquetea durante la cena con el legendario Luke Norton.

Durante una milésima de segundo me pregunté si su encanto volvería a conquistarme. Después recordé que esa noche estaba ocupada porque tenía que lavarme el pelo y que iba a estar ocupada todas las noches durante el resto de mi vida. Parece que la pobre Poppy también está ocupada escribiendo su diario. Le deseo suerte.

37

Después de estar dos años soñando con él, añorando momentos pasados, preguntándose si alguna vez volvería a ocurrir y diciéndose que estaba mejor sin él, Thea no podía creérselo. Amanecía en Edimburgo y ella estaba en la cama con Luke. Desnudos. Después de haber hecho el amor. Los sentimientos que había intentado reprimir durante tanto tiempo campaban en esos momentos a sus anchas como una manada de ñus. Había regresado a la casilla número uno como un yonqui que hubiera vuelto a la aguja tras años de estar limpio. Era una Lukeinómana. Lo adoraba. Lo había echado de menos de la misma forma que habría echado de menos una de sus extremidades si se la hubieran amputado. Quería abrir la ventana y gritárselo a toda Escocia, pero por suerte estaba cerrada con un candado y solo Dios sabía dónde estaba la llave, de modo que se conformó con susurrarlo.

—Ha estado bien.

—¿Cómo dices?

Sin embargo, y antes de poder repetirlo, Luke salió de la cama y cogió la desgastadísima toalla que descansaba en el respaldo de una horrorosa silla morada.

—Voy a darme una ducha rápida —dijo—. Tenemos que salir pronto para el aeropuerto, ¿no? Ten cuidado al salir, que no nos pillen.

Y se metió en el baño de la habitación. Thea se sentó.

Aquello parecía un *déjà vu*. Había vivido esa experiencia con Luke, en otros hoteles de otras partes del mundo: media hora compartida en la cama, seguida del brusco recordatorio de que no debían verlos juntos. En el pasado siempre había esperado que todo cambiara la siguiente vez, pero nunca había sido así. Incluso después de dos años de separación, la pauta se repetía.

La quemazón de la vergüenza se extendió por su cuerpo como si fuera un sarpullido. Sin perder más tiempo, salió de la cama y recogió su ropa del suelo para ponérsela. En cuanto abrió la puerta, miró a un lado y al otro del pasillo. Satisfecha al comprobar que no había moros en la costa, corrió hacia su habitación. Tenía el tiempo justo para ducharse y cambiarse de ropa antes de bajar para pagar.

Se pasó el trayecto de vuelta a Londres reprendiéndose mientras Luke dormía a su lado. ¿Por qué había sido tan tonta y había vuelto a sucumbir? Sin embargo, había otra vocecilla que al mismo tiempo le recordaba que el sexo había estado bien. Muy bien. Incluso exhausto, borracho y decepcionado con el mundo en general, Luke sabía cómo satisfacerla, de la misma manera que ella también sabía satisfacerlo. ¿Por qué, por qué, por qué había tenido que enviar el dichoso correo electrónico a Hannah? Si no lo hubiera hecho, seguro que Luke y Poppy habrían cortado y en esos momentos estaría con ella.

Los días posteriores fueron muchísimo peores de lo que podría haber imaginado. El paréntesis que se había tomado con Luke le había hecho olvidar los problemas laborales, pero de vuelta en la oficina no había posibilidad de escapatoria. Dean estaba furioso. Roxanne, hecha una fiera. Thea decidió que lo único que podía hacer era dar la tabarra a Leanne como una niña que pidiera chucherías hasta que cediera y organizara otro encuentro para realizar la entrevista.

—Hola —dijo Alexa, que se detuvo junto a su escritorio el jueves por la mañana—. ¿Cómo va la cosa? ¿Se sabe algo de Jake?

—Me ha mandado un mensaje de texto con una patética disculpa. Aunque ni por esas va a librarse de que lo estrangule en cuanto lo vea.

—¡Pobre Jake! No seas mala. Es un encanto de criatura.

El comentario parecía muy sentido. Thea la miró.

—¿Cómo? ¿Noto cierta chispa por tu parte hacia el señor Kaplan?

—¡Qué va! No es mi tipo para nada. Demasiado bajo. Pero hay muchas que van detrás de él. Era la sensación del hotel.

—¿En serio? —preguntó con incredulidad.

Comenzó a marcar el número de Leanne por tercera vez esa mañana con la misma confianza que una embarazada de ocho meses que albergara la esperanza de librarse del parto.

—¿Diga?

—¡Hola, Leanne! —exclamó Thea, sorprendida por que la asistente hubiera contestado tan rápido—. Soy Thea Mackharven. ¿Cómo estás?

—Mmm, bueno, bien.

—¿Estás en Barbados?

—No puedo decírtelo —contestó Leanne—. Minnie me mataría. Eso sí, estamos en un lugar cálido. Minnie decidió que necesitaba un poco de sol para recuperarse del catarro. El pequeño Cristiano ha estado jugando en la playa. Una imagen preciosa.

—Me alegro por todos vosotros —dijo con fingida efusividad—. Supongo que has leído mis mensajes.

—Thea, me encantaría ayudarte, pero Minnie no se encuentra muy bien esta semana. Hará la entrevista, te lo prometo, pero no puedo darte una fecha concreta. Lo siento.

—No pasa nada, lo entiendo. Pero llámame en cuanto sepas algo. Cuídate. Disfruta del sol. Que tengas un buen día. —Colgó y bramó—: ¡Mierrrda! —Su móvil sonó de repente—. ¿Sí? —soltó de mala manera.

—¿Thea?

—Sí.

—Soy Jake. Estoy de vuelta. ¿Te apetece tomar algo esta noche?

Luke estaba sentado tras su escritorio, observando a Thea. Estaba guapa con la coleta porque el recogido resaltaba sus pómulos. Se lo había pasado bien con ella en Edimburgo, aunque en realidad no recordaba mucho, de tan atontado que estaba por el cambio horario y el alcohol. Tendrían que repetirlo pronto, concluyó, mientras la observaba hablar con Alexa. La dejaría esperando unos días y después la invitaría a cenar.

Necesitaba más que nunca reforzar la idea de que alguien lo deseaba. Siempre había tenido un sinfín de mujeres a su alrededor para alentarlo, para demostrar que era uno de los hombres más deseados del planeta. Pero ya no. En Guatemala había vivido un momento humillante cuando le tiró los tejos a la intérprete y la chica se rió antes de decirle que tenía la edad de su abuelo. En Escocia, justo antes de que Thea apareciera en la terraza, había vuelto a suceder con una de las invitadas de la boda, que lo había llamado «viejo verde». La gota que colmó el vaso fue descubrir la columna de Poppy. Sabía que debían tratar... mejor dicho, sabía que debían mantener una buena discusión sobre el tema, pero no se sentía con fuerzas para una trifulca.

En ese momento sonó su teléfono. Su hija mayor, Tilly. Al ver su nombre, sintió una mezcla de alegría y nerviosismo, porque recordó el ataque que Hannah había escrito en su columna. ¿Qué sentiría al saber que sus compañeros de colegio podían leer cosas de sus padres de esa manera tan poco digna? Cada vez que planteaba el tema a su ex, ella le respondía que debería habérselo pensado antes de dejar embarazada a una zorra, un argumento que, aunque no veía del todo justo, no sabía cómo rebatir. Estaba seguro de que Tilly llamaba para recriminarle algo, pero de todas formas aceptó la llamada con una sonrisa.

—¡Hola, cariño!

—Hola, papá. ¿Cómo estás? Oye, acabo de leer la columna de Poppy en *Wicked*. ¡Madre mía! ¡Es tan… ufff! Mis amigos dicen que está que se sale.

—¡Ah! —exclamó Luke. No tenía ni idea de lo que le estaba diciendo su hija, pero parecía contenta—. Estupendo.

—Papá, me estaba preguntando si nos podrías presentar a Poppy un día de estos. Es que me parece que hemos sido demasiado crueles con ella y que deberíamos arreglarlo.

—¿Lo habéis hablado con tu madre?

Una pausa.

—Ya conoces a mamá. Ella va a decir que no, pero tú eres quien decide aquí, no ella.

—Veré lo que puedo hacer —contestó, sin saber muy bien si le alegraba o le deprimía que la repentina fama de su mujer lo ayudara a recuperar el contacto con sus hijos—. ¿Qué tal estás tú, tesoro? ¿Estudiando mucho?

—Sí, papá.

Luke vio que la luz de la llamada en espera parpadeaba. Loren, la secretaria de Roxanne.

—Cariño, me están llamando por la otra línea y es importante. Tengo que atenderla. Me alegro mucho de haber hablado contigo, cielo. Te llamo pronto… Hola, Loren.

—Hola, Luke. Roxanne dice que si tienes un momento para hablar con ella esta noche, después del trabajo.

Una propuesta interesante. Posiblemente todavía estuviera colada por él. Incluso desesperada por saber si podían reavivar la llama. Tendría que pensárselo.

—¿Luke?

—Sí, claro.

—Estará en su oficina. Pásate justo después del programa.

Thea no tenía ni pizca de ganas de ver a Jake, pero dado su frágil vínculo con Minnie, no le quedaba más remedio que aceptar la invitación. Así que cuando acabó de trabajar, cogió el metro hasta Camden, donde Jake la esperaba en el mismo bar de la otra vez. Estaba moreno y llevaba una barba de dos días. Le sentaba bien. La sensación del hotel de Guatemala seguía insistiendo.

—Lo siento muchísimo —dijo antes incluso de que ella se sentara.

—Gracias —replicó Thea que, haciendo un esfuerzo supremo, añadió—: No es culpa tuya.

—Sí, pero me siento responsable de todas formas. Por haberte dado esperanzas.

—No tienes influencia sobre Minnie. Nadie la tiene. Hace lo que le apetece y punto. Pero tú lo intentaste, y por eso te lo agradezco. —Ojalá los dioses estuvieran siendo testigos de ese despliegue de benevolencia—. Cambiando de tema —dijo—, ¿qué tal el viaje?

—Agotador. Pero genial. Los reportajes de Luke fueron fantásticos. Gracias a ellos aumentaron las donaciones. Así que estoy en deuda contigo de por vida.

—Me alegro —dijo Thea—. En ese caso, invítame a tomar algo.

Mientras Jake iba a la barra a buscar las bebidas, se dio cuenta de que el bar comenzaba a llenarse. Vio que un chico subía a un escenario donde lo esperaba un micrófono mientras el resto de las mesas iban siendo ocupadas por bulliciosos grupos de gente.

—¿Qué pasa? —preguntó a Jake cuando volvió con el vino. Una botella, lo que parecía un poco presuntuoso, porque no pensaba quedarse mucho tiempo.

—Es la noche del preguntón. Se me había olvidado. Es divertido. ¿Te apetece participar?

—¡No seas tonto!

Jake se echó a reír.

—¿Por qué no? El premio son doscientas cincuenta libras. Podríamos donarlas a Niños de Guatemala.

—No me van estos juegos, y mucho menos en un pub.

—Pues es una pena. Seguro que tus conocimientos generales son increíbles. Me apuesto lo que sea a que te sabes las capitales de todos los países. ¿Australia?

—Canberra —contestó, fulminándolo con la mirada.

—Muy bien. La mayoría de la gente habría dicho Sydney. ¿Brasil?

—Brasilia, por supuesto. ¿Creías que iba a decir Río?

Jake soltó una carcajada.

—Eres un cerebrito. Vamos a jugar, ¿vale? ¿O tienes algo importante que hacer?

No lo tenía.

—Vale, ve a por un folio.

Sorprendentemente, fue una hora muy divertida. Tuvieron una breve discusión para decidir qué color correspondía al cero en la ruleta (ella apostaba por el rojo y Jake por el verde, pero Thea no dio su brazo a torcer) y cuál era el idioma oficial de Estados Unidos (según ella, no había ninguno; según Jake, era el inglés. Al final ganó la opción de Thea).

—Muy bien. Y ahora música pop —anunció el maestro de ceremonias—. Esta noche tocan los ochenta.

—¡Sí! —gritó Thea—. Esa es mi década.

Jake sonrió.

—Bueno, por lo menos uno de los dos sabrá de qué están hablando.

Thea lo miró con fingido desdén.

—No seas tan fresco, niñato. Estás celoso porque no me pongo pañales por la noche y duermo en una cama, no en una cuna.

—¿Cómo se llamaba el grupo formado por Andy McCluskey y Paul Humphreys?

—¡OMD! ¡OMD! —gritó ella. Iba por la tercera copa de vino y sabía que estaba bastante ebria.

Jake se echó a reír e hizo un gesto con las manos, reconociendo su ignorancia.

—¿De quién fue el éxito de 1982 «John Wayne is Big Leggy»?

—¡Fácil! De Haysi Fantayzee. —Y comenzó a cantar.

—1982… —repitió Jake, meneando la cabeza como si se hubiera referido a la gloriosa época de la Revolución industrial.

Thea le dio una palmada en la mano.

—Vale, ¿cuántos años tienes?

—Veintiocho. —Carraspeó y cuadró los hombros en plan chulo—. ¿Algún problema?

Ella también se estaba preguntando lo mismo cuando oyó su móvil.

—¡Vete a la puta mierda! —exclamó—. Me estoy divirtiendo. —Sin embargo, el poder que ejercía la Blackberry sobre ella era irresistible. Miró la pantalla. Número oculto.

—Lo siento. Será mejor que lo coja. ¿Sí?

—¿Thea? —Una voz con acento yanqui. Femenina. Temblorosa. Muy bajita. Tanto que apenas la oía por encima del ruido del pub.

—Sí, soy yo.

—Soy Minnie Maltravers.

—Pasa, Luke —dijo Roxanne.

Luke la miró con aprobación. Le encantaban esos trajes de líneas simples que tanto le gustaban a ella y que insinuaban lo mucho que había debajo. Estaba seguro de que lo que se marcaba bajo la falda era un liguero. Sí, había sido demasiado rápido a la hora de zanjar las cosas entre ellos. Se sentó y sonrió.

—¿Qué puedo hacer por ti, Roxanne?

—Quiero que escuches esto —contestó ella al tiempo que dejaba una grabadora digital en el escritorio.

Luke miró el objeto, confundido.

—Vale.

Ella la puso en marcha y se oyó el sonido de un teléfono.

«¿Diga?» Una voz masculina. Un tanto trémula. Cultivada.

«Hola, ¿hablo con el obispo de Bellchester?» La voz de Roxanne, pero fingiendo un fuerte acento londinense.

«Sí, querida, ¿en qué puedo ayudarte?»

«Llamo desde el club Frontline, en Paddington. Tenemos un abrigo que creemos que se ha dejado usted al marcharse.»

«¿El club Frontline? Me temo que no lo conozco, querida.»

«Pero si estuvo usted aquí hace poco con Luke Norton…»

«¿Con Luke Norton? Creo que se equivoca de persona. Hace años que no veo a Luke.»

«Vaya, pues lo siento. Nos habremos equivocado. Lo siento, señor.»

«Tranquila, querida. Espero que encontréis al dueño del abrigo.»

«Yo también. Gracias por su ayuda, señor.»

Click.

—¿Qué te parece, Luke?

—Yo…

—¿Con quién te gastaste ciento setenta y nueve libras con ochenta en el club Frontline? Falsificar facturas es motivo de despido, por si no lo sabes. Estás en un buen lío, Luke. —Sonó el teléfono de su escritorio—. Disculpa un segundo. ¿Diga? ¡Ah, hola! —Escuchó con atención, asintiendo con la cabeza—. Sí, vale. Bueno, si va a llamar a Thea directamente, estupendo. Sí, gracias por decírmelo. —Y colgó—. Bueno —dijo, mirando a Luke—, parece que tengo que darte otra oportunidad. Era la asistente de Minnie Maltravers. Va a hacer la entrevista. Mañana. En el estudio. Y solo hablará contigo.

38

La redacción era un auténtico caos. Se esperaba que Minnie llegara en cuestión de una hora y la entrevista sería en directo, un cara a cara, a las 19.38 minutos, justo después de la publicidad. El canal llevaba anunciándolo todo el día: «Esta noche Minnie Maltravers hablará en exclusiva para el *Informativo de las Siete y Media* sobre la famosa adopción».

El equipo de Minnie había mandado una nueva lista de exigencias que dejaba a Barbra Streisand como a una ermitaña.

—Quiere su camerino decorado con rosas blancas y cortinas del mismo color. Tiene que haber un reproductor de MP3 y de DVD —leyó Alexa, alucinada, en el último correo electrónico—. Tiene que haber dos cajas de Pop Tarts, una caja de Fruit Loops y «un cuenco de ensalada de atún recién hecha, con mahonesa Hellman's, huevos, salsa y atún (atún blanco, en trozos, de piscifactoría)». La única marca de agua que acepta es Volvic. Esto es muchísimo peor que lo de Escocia. ¿Estás segura de que no es una broma?

—Ojalá —dijo una agotada Thea.

Había vuelto a pasarse la noche en vela, negociando las condiciones con Leanne hasta que llegaron al acuerdo de que, a cambio, Minnie no estaría al tanto de las preguntas. Para seguir funcionando, se había tomado ocho cafés, así que estaba que se subía por las paredes.

Su móvil sonó.

—¿Luke? —dijo con voz tensa en un intento por parecer lo más profesional posible.

—Me preguntaba si podríamos hablar. Estoy en la cafetería.

—Vale.

Seguro que quería hablar sobre una de las preguntas. Thea salió de la redacción a toda prisa y avanzó por el pasillo con los enormes ventanales que daban al estudio. Faltaba menos de una hora para que comenzase el programa, por lo que los encargados de la iluminación estaban subidos a las escaleras a fin de conseguir el ángulo más favorecedor para la todavía inmaculada piel de Minnie. En una sala de maquillaje especialmente habilitada para la ocasión en la parte trasera del estudio, perfumada con velas negras con olor a granada de Jo Malone, la segunda maquilladora preferida de Minnie (la primera había dado a luz esa misma mañana y había hecho oídos sordos a todas las súplicas y sobornos de Thea para que trabajara) mezclaba colores en su paleta como si fuera Picasso. Carlo, el peluquero, que había vuelto a volar en primera clase desde Nueva York y se había alojado en el Lanesborough, jugueteaba con sus tenacillas y sus planchas de alisar. Abrió la puerta de la cafetería. Luke estaba sentado en el rincón más alejado, observando la lista de preguntas con el ceño fruncido mientras se tomaba un café.

—A estas alturas ya te las tendrías que saber de memoria —le dijo en broma.

Desde el fin de semana se sentía muy incómoda con él, pero decidió que la única manera de enfrentarse a la situación era seguir como si nada hubiera pasado.

—Sí —admitió él.

Bajo el maquillaje estaba muy pálido.

Thea lo miró. Nunca lo había visto de esa manera.

—¿Estás bien?

—Genial. Sí.

—¿Para qué querías verme?

—Yo… —Se reclinó en el respaldo de la silla—. Joder, Thea, ¿crees que todo va a salir bien?

Thea se quedó de piedra.

El seguro y controlado Luke Norton no preguntaba esas cosas.

—Pues claro que sí —respondió—. Minnie ya viene de camino, acabo de hablar con Leanne y tú vas a tener la exclusiva mundial. Será un bombazo.

—Pero supón que no. —La miró con una expresión muy seria—. Hay demasiadas cosas en juego, Thea. Sé que he caído en desgracia con Dean y Roxanne. —Antes de que Thea pudiera interrumpirlo, levantó la mano—. No es solo mi trabajo como presentador, hay… Bueno, tengo otros problemas. Y las facturas de los colegios no dejan de subir, y Hannah me está pidiendo más dinero. Es que… —Suspiró—. Esta noche tiene que ser un éxito.

—Y lo será —le aseguró Thea mientras intentaba disimular su inquietud. Ver a Luke nervioso era como ver al primer ministro sentado en el inodoro: echaba por tierra su impecable imagen.

—Thea, siento haber estado tan susceptible de un tiempo a esta parte. Yo… La noche que pasamos en Escocia fue increíble, pero estoy seguro de que comprendes mis motivos para mantenerme alejado. Eres una mujer maravillosa, pero… estoy casado y…

—Lo entiendo —se apresuró a decir ella.

—Pero mi matrimonio hace aguas. No puedo seguir engañándome. Y… no quiero pecar de vanidoso, pero sería maravilloso pensar que el… vínculo que siempre hemos tenido es tan fuerte como antes.

Thea tuvo la sensación de que todo empezaba a aclararse. De que todo encajaba en su lugar. De repente. Habían conseguido la entrevista y Luke la quería.

—¿Thea?

—Luke, yo… —Su móvil sonó—. ¿Diga? ¿Leanne? Ah, vale. Genial. Está todo preparado para recibirla. —Colgó—. Tengo que irme, Luke. Minnie está llegando.

—¿Te apetece que tomemos algo juntos después del programa?

—Me parece estupendo —le contestó con una sonrisa.

Después de mucho discutirlo, se acordó que la entrevista a Minnie no sería el plato fuerte del programa. Incluso Dean reconoció que eso iría demasiado en contra del espíritu serio al que todavía decía dedicarse el *Informativo de las Siete y Media,* cosa que podría convertirlos en pasto de los críticos. En cambio, debatirían los titulares del día antes del primer corte publicitario, las dos secciones siguientes estarían dedicadas a la entrevista de Minnie y después tratarían otras noticias en los cinco minutos finales. De modo que, mientras Luke leía los titulares sobre las tormentas devastadoras que asolaban América, las desastrosas cifras de ventas de Marks & Spencer y la reseña de otro inmolado en Tel Aviv, Minnie estaba en la sala de maquillaje, rodeada de guardaespaldas, para que le retocasen el colorete y dieran vida a sus rizos.

—¿Va todo bien esta vez? —preguntó Thea a Leanne en voz baja.

—Sí. De verdad que sí. El astrólogo de Minnie le ha dicho que debería hacer la entrevista hoy, así que ni de coña se va a echar atrás.

—Genial. —Thea todavía no se fiaba del todo. Miró el reloj—. Tiene que estar en el estudio en cinco minutos, cuando empiecen los anuncios.

—No hay problema.

Y no hubo ningún problema, ya que cinco minutos después Minnie abandonaba la sala de maquillaje ataviada con un elegante traje pantalón de color gris para sentarse en su silla. Por segunda vez esa semana, estrechó la mano de Luke. Casi haciéndole una reverencia, Rhys corrió a ponerle el micro en la solapa, antes de que la maquilladora apareciera con sus polvos y Carlo le hiciera un retoque de última hora con unas tenacillas calientes.

Iba a suceder. ¡Iba a suceder de verdad! Thea corrió a la galería.

—¡Luces y cámara! —Jayne hacía la cuenta atrás. Dean y Roxanne estaban tras ella—. Primer plano para ti, Luke.

Luke miró a cámara y esbozó la sonrisa inocente que era la marca de la casa.

—Buenas noches y bienvenidos una vez más al *Informativo de las Siete y Media*. Esta noche estamos sumamente encantados de poder ofrecerles una entrevista en exclusiva con Minnie Maltravers, la famosa supermodelo e icono de la moda.

—Cámaras a Minnie —ordenó Abe, el realizador, y el país vio cómo Minnie sonreía con elegancia a Luke mientras entornaba los párpados de forma coqueta.

Thea suspiró aliviada. Estaba pasando. Por fin estaba pasando.

—Minnie —dijo Luke al tiempo que se inclinaba hacia ella—, hace poco has adoptado a un bebé guatemalteco de nueve meses, algo que la mayoría consideramos un gesto humanitario. Sin embargo, tus actos parecen haber despertado la cólera en todo el mundo. ¿Sabes por qué has molestado a tanta gente?

Minnie negó con la cabeza.

—He actuado de buena fe —contestó ella con su afectada forma de hablar—. Solo quería ser madre y darle a un niño una vida mejor, pero me han respondido con muchísima violencia.

—Pero ¿no sabes por qué? —insistió Luke—. Un tribunal te condenó por tus problemas a la hora de controlar tu rabia y mucha gente que se ha pasado años intentando adoptar cree que te han dado un trato preferencial.

—Bueno, si lo ven así, es su problema —masculló Minnie antes de cerrar la boca como la cremallera de un bolso.

Luke enarcó una ceja.

—¿En serio?

—Dile que no sea tan agresivo —dijo Dean, nervioso.

—Luke, suaviza el tono —le dijo Thea al pinganillo—. No te lances a por ella tan pronto.

—Sí —contestó Minnie—. Siento que otra gente no pueda adoptar por la razón que sea, pero no sé por qué tengo que cargar con las culpas. Los trabajadores sociales nos examinaron a mi marido y a mí y decidieron que seríamos unos padres maravillosos para mi pequeño Cristiano.

—¿Y el hecho de que inauguraras un hospital y un colegio en su pueblo no tuvo nada que ver?

Los ojos almendrados de Minnie se entrecerraron.

—¿Por qué me criticas tanto? ¿Es que no es bueno construir hospitales y colegios? No entiendo por qué se están metiendo tanto conmigo por eso.

—No lo sé. —Luke se encogió de hombros—. Dímelo tú, por favor.

—Dile que suavice el tono —masculló Dean.

Roxanne negó con la cabeza.

—Está haciendo un buen trabajo. Le está preguntando lo que todo el mundo quiere oír. Si se enfada, será una bomba.

—Solo quería un bebé —dijo Minnie con su voz edulcorada—. ¿Qué tiene de malo? ¿¡Qué tiene de malo!? ¿He cometido algún crimen?

—Claro que no —respondió Luke con una sonrisa para tranquilizarla—. Es que la gente se pregunta por qué apenas has visto a tu hijo durante este mes cuando lo deseabas tanto.

Minnie se levantó echando chispas.

—¿Cómo sabes que no he pasado tiempo con él? ¿Cómo lo sabes? No tengo por qué aguantar esta basura.

Jayne se llevó las manos a la boca.

—¡Dios mío, se va a largar!

—Haz que la tranquilice —volvió a mascullar Dean.

—Luke, Luke. ¡Pídele perdón! —ordenó Thea—. ¡Por favor!

—Lo siento muchísimo —dijo Luke al tiempo que se inclinaba un poco hacia ella y le daba unas palmaditas en el brazo—. No te ofendas. De verdad que no era mi intención. Yo me limito a transmitirte las preguntas que el público lleva semanas haciéndose, pensando que tú querrías contestarlas, que querrías aclarar las cosas.

Minnie esbozó una sonrisa trémula, no del todo conforme.

—Vale —murmuró ella.

—Está haciendo un trabajo magnífico —dijo Roxanne, eufórica—. Ha conseguido mantener el equilibrio perfecto entre la adulación y la crítica. Bien hecho, Luke, de vuelta a la cima.

—Sí —admitió Dean a regañadientes—, es bueno.

—Publicidad —anunció Jayne.

—Muy bien —dijo Luke—. Volveremos después de un pequeño corte publicitario con Minnie Maltravers, que habla en exclusiva para el *Informativo de las Siete y Media* sobre la batalla que ha desatado su adopción.

Cuando todo acabó, nadie supo explicar cómo sucedió. Pero de algún modo y antes de meter la cuña de publicidad, se produjo una minúscula pausa. Durante el resto de su vida, Luke se preguntaría si uno de los ingenieros de sonido le hizo una encerrona (alguno a quien alguna vez le hubiera soltado un comentario desagradable o algo). Solo sabía que estaba más nervioso que de costumbre, agotado por las humillaciones de Hannah, por las exigencias de sus hijos, por la nueva vida social de Poppy y por el hecho de que esa entrevista sería el renacer de su carrera o su losa; de modo que, de alguna manera y pese a todos sus años de experiencia, no se dio cuenta de que seguían en el aire cuando susurró a su micro:

—Puta gilipollas.

El país entero lo oyó y se quedó de piedra. El vídeo estaba colgado en YouTube casi al instante, mientras el Canal 6 ponía el anuncio de un nuevo detergente líquido que respetaba el medio ambiente.

39

Poppy se perdió ese hito en la historia de la televisión británica porque estaba en el sótano de un club en Mayfair, con un canapé en una mano y una copa de champán en la otra, brindando por el lanzamiento de una nueva maleta de diseño. Se alegraba de haber podido salir de casa: Clara llevaba irritable todo el día. Brigita decía que le estaban saliendo las muelas, y cada vez que Poppy intentaba darle un beso o abrazarla, ella corría hacia su niñera gritando a su madre que se fuera.

Glenda también había estado de un humor raro. Cuando Poppy le preguntó cómo le iba, le soltó un «Bien» de malos modos en vez de recitarle su habitual lista de peripecias familiares, y prácticamente la apartó de un empujón mientras seguía limpiando con el plumero.

—¿Qué le pasa? —se preguntó Poppy en voz alta cuando la puerta de la cocina se cerró de golpe.

—Está cabreada —contestó Brigita—. Creo que te has olvidado de su cumpleaños.

Poppy se llevó una mano a la boca.

—¡Mierda! Fue la semana pasada, ¿no? ¡Dios mío! ¿Cómo he podido ser tan tonta?

—Estás ocupada, mami.

—No tanto. —Poppy fue corriendo a la cocina—. Glenda, Glenda, siento muchísimo lo de tu cumpleaños. Es que he estado… distraída. Te lo compensaré.

Glenda se encogió de hombros.

—No pasa nada, Poppy. No soy una niña. Los cumpleaños no significan nada para mí. —A juzgar por el rubor de sus mejillas, estaba claro que significaban mucho. Le sonrió, pero sin la ternura de antes—. Perdóname, querida, tengo que limpiar el cuarto de baño.

Dadas las circunstancias, fue un alivio ir a la fiesta. Las cosas habían cambiado muchísimo desde que comenzara a publicarse la columna: ya no era una observadora casi invisible, sino alguien con quien la gente quería hablar. Aunque la única persona a la que quería ver era Toby. No había tenido noticias suyas desde lo de las flores, pero llegó a la conclusión de que ese era su estilo. Algo en su interior le aseguraba que todo saldría bien. Claro que aún tenía que enfrentarse al problema de Luke, pero seguía colocando ese detalle al final de su lista de prioridades, como la cita con el dentista que llevaba meses retrasando. Luke y ella no habían hablado en serio desde que él volvió de Escocia, y aunque sabía que esa sería su gran noche, no tenía ganas de quedarse en casa para animarlo. Ya hablarían, se dijo. Pronto. Cuando pasara su gran entrevista y «Cuando sepa lo que tengo con Toby», aunque esto último lo añadió para sus adentros.

Charlie le dio unos golpecitos en el hombro.

—¡Hola, he visto la columna! No sabía que fueras la zorra.

Una semana antes Poppy se habría ruborizado, pero en ese momento se limitó a esbozar una sonrisa descarada.

—Tal vez no sea tan tonta como parezco.

—Es evidente que no.

Charlie cogió un rollito de jamón de Parma con *foie gras* de la bandeja de un camarero mientras Poppy agarraba una copa de champán de otra. Había estado muy nerviosa, tanto que, a pesar de llevar ya tres copas, no parecían ejercer en ella el acostumbrado efecto mágico.

—Me sorprende que no estés viendo la entrevista de tu marido.

—La estoy grabando. Porque yo también tengo que trabajar. —Poppy se sorprendió al percatarse de la brusquedad de su tono, pero antes de que pudiera disculparse, se quedó sin aliento. Allí estaba Toby, al otro lado de la estancia, riéndose con una mujer tan perfecta que solo podía ser un robot—. Perdóname —se apresuró a decir.

Tan pendiente estaba Toby de la conversación que tardó un rato en reparar en ella. Cuando lo hizo, dijo:

—¡Ah, hola! —Se inclinó y le dio dos besos—. Me alegro muchísimo de verte. He pensado mucho en ti.

—¿En serio?

—Pues claro. —La miró de arriba abajo—. Estás de infarto. —Su atención se desvió hacia otra mujer, que acaba de acercarse a ellos—. ¡Hola, Miranda! ¿Cómo estás? Miranda, te presento a Poppy.

Miranda, que era bajita y morena con un aire a Audrey Hepburn que hizo que Poppy se sintiera como la Masa, no le hizo ni caso.

—Hola. Toby, querido, me preguntaba si podrías ayudarme.

—Estoy a tu entera disposición. —Se llevó la mano al bolsillo—. ¿Cuánto quieres?

—Dos, por favor. ¿Puedo pagarte después?

Toby puso los ojos en blanco.

—No, querida, ya conoces las reglas. Al contado.

—¡Ah, vale! —dijo ella mientras rebuscaba en su bolso.

Poppy observó el intercambio y la venda por fin se le cayó de los ojos. Toby la miró.

—¿Quieres un poco?

—Yo… esto… No, gracias.

—¿Seguro? Yo voy a meterme una raya ahora mismo. Me da la energía necesaria para seguir. Ven conmigo.

«No necesitas drogas para pasártelo bien.» «Solo la probé una vez y ya estaba enganchado.» El problema de Poppy era que quería ser joven como todos los demás. Las drogas no serían tan malas como todo el mundo decía. Meena estaba bien, Toby estaba bien o… No, de hecho, no estaba bien, estaba bostezando y alejándose de ella.

—Nos vemos después —le dijo él.

—¡No! ¡Espera! Voy contigo.

Con el corazón en un puño, lo siguió al servicio de caballeros.

—Un segundo —dijo él antes de asomarse para luego salir—. Rápido, entra. —La metió a toda prisa en un cubículo y cerró la puerta.

Había papel en el suelo. Poppy deseó con todas sus fuerzas que no estuviera usado. Toby parecía no haberse dado cuenta, ya que estaba muy ocupado pasando los dedos por la tapa de la cisterna.

—Mierda —dijo—, lo han embadurnado de vaselina. Bueno, en fin.

Toby se sacó una bolsita blanca del bolsillo. Se agachó, bajó la tapa del inodoro y esparció un poco de polvo blanco sobre ella. Parecía limpiador en polvo, pensó Poppy mientras observaba cómo lo cortaba con una American Express negra.

—¿Delgada o gorda? —le preguntó Toby.

Poppy no tenía ni idea de lo que estaba diciendo.

—Supongo que me vendría bien perder unos cuantos kilos —contestó ella con timidez.

Toby soltó una carcajada.

—No, tonta, las rayas.

¡Como si le hubiera hablado en chino!

—Es fácil complacerme. —Se encogió de hombros como si nada.

—¡Ya lo sé! —Toby sonrió—. Pero sigo sin saber si la quieres delgada o gorda. —Al ver su expresión dolida, suspiró—. Vale, marchando dos delgaditas. —Cortó un poco más y se apresuró a enrollar un billete, pegárselo a la nariz y aspirar con fuerza. Poppy lo observó con detenimiento para ver cómo se hacía.

—¡Ah, genial! —exclamó él—. Diego ha vuelto a superarse. —Tendió el billete a Poppy—. Te toca, cariño.

Estaba un poco pegajoso y caliente de la nariz de Toby. Poppy se lo llevó a la suya con torpeza y aspiró como un cerdo en busca de trufas. Casi todo el polvo blanco salió disparado por la tapa. Avergonzada, lo intentó de nuevo y sintió un escozor en la nariz. Miró a Toby, muerta de vergüenza por su inexperiencia, pero él estaba muy ocupado recogiendo los restos con el índice —que se había humedecido— y restregándoselos por las encías.

—¿Contenta? —le preguntó él.

—Esto… claro —mintió.

Toby le tomó la cara entre las manos en ese momento y creyó que iba a besarla, pero en vez de eso le echó la cabeza hacia atrás y le examinó la nariz como si fuera un caballo de carreras.

—Tienes un poco aquí —dijo al tiempo que se lo limpiaba—. ¿Yo estoy bien?

—Pues… sí.

—Estupendo.

Toby abrió la puerta del cubículo y ella sonrió con timidez a un hombre que estaba intentando taparse la calva con el pelo de las sienes. El hombre le devolvió la sonrisa con la misma timidez.

—¿Nos vamos? —preguntó Toby al tiempo que le abría la puerta. Regresaron a la fiesta—. Bebe un poco de champán —le susurró al oído—. ¡Hola, Markus! ¿Cómo te va? —Estrechó la mano a un rubio con una chupa de cuero—. ¿Conoces a Poppy?

—Hola. —Poppy sonrió. Tenía las encías dormidas, pero la cabeza le funcionaba a la perfección. Se bebió la copa de champán de un trago, incapaz de saborearla—. Me gusta tu corbata.

—Gracias —respondió Markus. Tenía acento alemán.

—Me he planteado muchas veces lo de ponerme corbata

—dijo ella—. Creo que quedaría muy sexy en una mujer. Da un toque andrógino, cierto poderío. Si eres Annie Lennox o alguien parecido. Pero creo que yo tendría pinta de imbécil.

—Yo te veo muy bien —dijo Markus. A Toby ya lo había reclamado otro irritante bomboncito.

—¿Lo dices de verdad? Gracias. Los zapatos me están matando, pero da igual. Hay que sufrir para estar guapa, ¿no? Lo leí en algún sitio. Me estoy esforzando más ahora que tengo una columna y que ir a fiestas se ha convertido en mi trabajo.

—¿Tienes una columna? —Markus se había apartado de ella unos centímetros.

Poppy se preguntó si le habría escupido sin querer.

—Sí. —No supo por qué lo hizo, pero añadió—: En el *Times*.

—El *Times*.

—Sí.

—¿El *London Times*? —A juzgar por su entonación, cualquiera diría que acababa de anunciar que era el nuevo Mesías. «Gilipollas repelente.»

—Aquí estamos, ¿no? En la vieja Londres —dijo Poppy, que exageró su acento antes de echarse a reír—. Lo que tú digas, tronco. —Tenía el corazón desbocado y la adrenalina le corría por las venas a toda velocidad. Se sentía genial.

—Perdóname un segundo —dijo Markus mientras se alejaba.

«Plasta insoportable», pensó. Observó la pista de baile, donde unas cuantas personas se movían sin ritmo. Sintió la necesidad de enseñarles cómo se hacía. Al compás de los acordes de Rihanna, se unió a ellos.

—¡Maaarcha! —gritó.

Caray, bailaba de vicio. Sentía las piernas tan ligeras como plumas mientras se movía por la pista. Era muy consciente de la silueta que marcaba su vestido. Era muy consciente de que Toby la estaba mirando y tenía la sensación de que ella misma se veía desde el exterior. Tenía la boca seca como la suela de un zapato, así que cogió otra copa de la bandeja de un camarero y se la bebió en dos tragos. Volvió a mirar a Toby, pero estaba hablando con otra tía buena.

—¡Hola, Toby!

—¡Hola, Poppy! —Seguía igual de amable, pero parecía un poco distraído.

—¿Te queda más de… ya sabes?

—Claro. —Se metió la mano en el bolsillo y le tendió una bolsita.

—Yo… ¿Puedes acompañarme?

Toby se echó a reír.

—Ya eres mayorcita.

Le puso la mano en el brazo.

—Por favor.

Toby puso los ojos en blanco.

—Vale, tú ganas.

En esa ocasión el cubículo apestaba a diarrea recién salida. A Poppy no le importó. En cuanto se cerró la puerta tras ellos, se abalanzó sobre Toby.

—¡Tranquila, leona!

Por un momento le pareció que Toby se tensaba, pero después la pegó contra su cuerpo y empezaron a besarse con frenesí. Poppy estaba ardiendo, aunque tenía la boca tan anestesiada que le costaba sentir los besos de Toby. Estaba tirando del cinturón de sus pantalones cuando alguien llamó a la puerta.

—¡Oye!, ¿qué pasa ahí dentro?

Toby soltó una carcajada.

—No pasa nada, tío. No es lo que piensas. Nos estamos dando el tradicional lote.

—Nada de mujeres en el servicio de caballeros.

—Vale, vale, lo que tú digas. —Toby la soltó con mucho cuidado, como si fuera un trozo de alambre de espino—. Lo siento, cariño, pero vamos a tener que dejarlo.

—¿No podemos ir a tu casa? —preguntó ella.

La miró un momento como si lo estuviera pensando.

—La tuya sería mejor.

—¡No! Recuerda que estoy casada.

—Sí, claro. —La miró de nuevo, sonrió y meneó la cabeza—. Vale, guapa, tú ganas. Vamos a buscar un taxi.

40

Mientras los anuncios intentaban convencer a los británicos de que comprasen Scottex, acondicionador L'Oreal, pañales Dodot o pastillas Calgonit para el lavavajillas, Minnie Maltravers iba en el asiento trasero de su limusina negra («El conductor debe ser un hombre») de camino al hotel Mandarin Oriental, donde lo primero que pensaba hacer era despedir a una aliviadísima Leanne, que retomaría su profesión de gurú de técnicas respiratorias y se instalaría en Hawai. El estudio del *Informativo de las Siete y Media* estaba en plena hecatombe.

—¿¡Cómo cojones ha pasado esto!? —bramaba Dean—. ¿¡Es que no se ha dado cuenta de que seguíamos en el aire!?

—Es evidente que no —contestó Thea en voz baja.

—Mira el lado bueno —terció Alexa con voz alegre—. Todo el mundo estará hablando de nosotros.

—¡Sí, pero ahora mismo me importa un huevo! La Comisión para el Estándar en la Radiodifusión nos va a demoler por utilizar palabras malsonantes en horario infantil. ¡Hay que joderse! ¡Capullo! ¡Que lo saquen del estudio ahora mismo y que pongan a Emma en su lugar!

Y así fue como una aterradísima pero ufana Emma dio la bienvenida de nuevo a la audiencia del *Informativo de las Siete y Media*, que había aumentado a dos millones de espectadores durante la pausa publicitaria, gracias a los mensajes de texto que la gente se había ido mandando para avisar del desastre.

—Buenas noches. Seguimos en el *Informativo de las Siete y Media*. Sentimos comunicarles que la entrevista con Minnie Maltravers se ha interrumpido, ya que ha abandonado el estudio. Les rogamos disculpas. Y ahora continuamos con el resto de las noticias del día. La Iglesia católica ha anunciado esta noche que...

Sentado tras su escritorio, Luke se limpiaba el sudor de la frente.

—Lo siento, Dean. Lo siento muchísimo —decía, rodeado por todos los demás—. Ha sido un error. No sabía que seguíamos en directo.

—Luke, con la experiencia que tienes, ¿cómo es posible que haya sucedido?

Rhys —un profesional incluso en medio del desastre en el que estaban inmersos— estaba ojeando las páginas web de los periódicos cuando exclamó:

—¡Madre mía! Mirad esto.

Todos se apiñaron tras él para ver su monitor, que en esos momentos mostraba la página web del *Daily Post*.

Exclusiva: Minnie hizo que el sinvergüenza perdiera el tiempo.

Se trata de la historia por la que la gente se da de tortas: el relato de la reciente adopción de Cristiano Morales por parte de Minnie Maltravers. Anoche se supo que Minnie Maltravers prometió una entrevista al veterano corresponsal de guerra Luke Norton, del *Informativo de las Siete y Media*, al que dejó esperando durante seis horas antes de cancelarlo todo. Según su esposa, la modelo Poppy Norton, de veinticuatro años, el señor Norton y un equipo del programa volaron a Edimburgo para entrevistar a Minnie Maltravers y tuvieron que volver sin nada después de seis horas de espera, ya que la modelo, famosa por su impuntualidad, «no se sentía bien».

«Luke estaba furioso», ha revelado la señora Norton en su nueva columna en *Wicked*. «Voló de Guatemala a Edimburgo con la idea de hacer la entrevista al mediodía y volver a Londres a la mañana siguiente. Minnie los tuvo esperando seis horas y, después, cuando por fin decidió que estaba preparada para hacerla, la llamaron por teléfono y luego dijo que estaba demasiado cansada y que prefería irse a cenar.» De modo que a la mañana siguiente el equipo regresó con las manos vacías. Luke afirma que la modelo está como una cabra y la llama «Minnie la Quejica». Según él, en persona no es tan guapa como parece y tiene cicatrices alrededor de los ojos.

Se hizo un silencio sepulcral. Como era de esperar, Dean fue el primero en hablar.

—¿La zorra ha escrito eso en su columna?

Luke se dio la vuelta, pasmado.

—No tenía ni idea. Te lo juro.

—¿No le dijiste que mantuviera el pico cerrado? —Dean se echó a reír—. Esto es la leche.

Roxanne entró en ese momento.

—Creo que es mejor que no vengas durante un par de días, Luke.

—¿Me estás suspendiendo?

Roxanne se encogió de hombros.

—Si quieres llamarlo así, sí. Tenemos que hablar con los jefes y ver cómo solucionamos esto. Es un desastre total.

A Luke no se le ocurrió mirar el teléfono hasta que estuvo en un taxi de camino a casa. Cuarenta y tres mensajes nuevos. Casi todos de amigos, muertos de la risa. Uno de Tilly:

Papá, ¿te has vuelto loco?

Entre todos ellos, uno de Poppy:

Me quedo con Meena esta noche. Ya he hablado con Brigita. Dice que pasa la noche con Clara para atenderla por la mañana, así que tranquilo.

Luke miró el teléfono como un ventrílocuo al que acababa de contestarle uno de sus muñecos. ¿Dónde estaba su mujer? Había revelado sus intimidades y después, durante la peor noche de su carrera profesional, se largaba a casa de una de sus amigas como si no hubiera pasado nada.

El taxi se detuvo en la puerta de su casa. Delante de la verja de entrada había un grupo de hombres muy abrigados que se pusieron en acción nada más verlo. ¿Quiénes eran? Cuando bajó del taxi, los motores de las cámaras comenzaron a zumbar como un enjambre de insectos.

—¡Luke, oye, Luke! ¿Dónde está la zorra?

—¿Me dejáis? —replicó mientras pasaba entre ellos. Un par intentó cortarle el paso—. Oye, ¿de qué vais? Esta es mi casa. ¡Fuera de aquí! Estáis invadiendo una propiedad privada.

—¡Vete a la mierda, puto gilipollas!

—Puto gilipollas —corearon todos a la vez—. Vaya lengua, Luke.

—¡Que os den a todos! —gritó él mientras metía la llave en la cerradura. La giró, pero no pudo abrir. Alguien había echado el pestillo. Furioso, tocó el timbre—. Brigita, ¡déjame entrar!

Le pareció que pasaba una eternidad antes de que la niñera le abriera.

—Lo siento, papi —dijo ella cuando Luke entró tambaleándose en el recibidor—. Esos hombres no paraban de aporrear la puerta, así que eché el pestillo. Pasa y dime, ¿por qué has sido tan desagradable con Minnie?

La polvareda casi se había asentado a medianoche. Se mantuvo una larga reunión con el director de relaciones públicas para ver cuál era la mejor manera de enfrentarse al mundo al día siguiente. Cuando por fin acabó, Thea miró su teléfono y descubrió un sinfín de mensajes de voz y de texto. Ninguno parecía entender el problema que tenía encima. Todos creían que era graciosísimo.

> Lo más divertido que he visto en años. Dunc dice que se convertirá en un clásico en MySpace. Rachel x

Irritada, Thea lo borró. Maldito Dunc...

«Cariño —decía su madre en un mensaje de voz, más alegre de lo que la había oído en años—. Estoy espantada. Ya te dije que Luke Norton era una mala persona. Demasiado guapo para su propio bien.»

Desanimada, Thea salió del buzón de voz. Intentó hablar con Luke por quinta vez. Cuando estaban a punto de revivir un romance apasionado, iban y le daban la patada. Sin embargo, podía haberla llamado y dejar un mensaje en el buzón de voz.

Leyó el siguiente mensaje de texto.

> Joder. Seguro que estás deseando no haberme conocido en la vida. ¿Te hace una copa de disculpa? Jake.

Pues sí, le hacía. Más que nada porque quería que, cuando Luke le devolviera las llamadas, escuchara el ruido de fondo de un pub en vez del zumbido de su frigorífico y de la lejana sirena de alguna ambulancia camino de Brixton. Así que se apresuró a responder:

> Si puede ser ahora mismo, sí.

La respuesta fue casi inmediata:

> ¿Cuándo si no?

Quedaron en Soho House, el único lugar que se le ocurría que pudiera estar abierto a esas horas.

—Hacía años que no venía —comentó Jake mientras ojeaba el local en penumbra, con sus sofás y sillones de cuero ocupados por ejecutivos de diferentes cadenas de televisión ya talluditos.

—El escenario de la mayoría de las noches desenfrenadas de mi juventud —dijo Thea. De hecho, la última vez que estuvo fue la noche del BAFTA—. Me acabé cansando.

—No empieces ya con lo de «mi juventud». Ni que necesitaras bastón, vamos…

—Creo que esta noche he envejecido unos cuantos millones de años. —Apuró el vino y cogió la botella que tenían delante para volver a llenar la copa—. Menos mal que mañana es mi día libre. Será mejor que empiece a aprenderme los horarios de los programas de televisión para organizar mi vida en torno a ellos. Es posible que me enamore a distancia del presentador de algún programa de cotilleos.

—¡No creo que te echen por esto!

—A mí no me extrañaría. —Otro generoso trago de vino—. A Luke, seguro. Lleva ya un tiempo en el punto de mira.

Pensó en Luke. Seguía sin devolverle las llamadas, pero a esas horas seguro que estaba en la cama. Prácticamente le había dicho que iba a dejar a Poppy por ella. Decidió que hablarían por la mañana. Hasta entonces, se lo pasaría bien con Jake y albergaría la (absurda) esperanza de que el hombre al que amaba escuchara por la mañana los rumores de su cita nocturna y se avivara su pasión.

—Sería una lástima que echaran a Luke —dijo Jake—. Me cae bien. Nos echamos unas buenas risas en Guatemala, aunque reconozco que es un lastre. Me refiero a que se ve a la legua por qué lo llaman «sinvergüenza» y demás.

Thea le lanzó una mirada penetrante.

—No te entiendo.

—Bueno, se pasó todo el viaje babeando por una de las intérpretes y tonteando con todas las que se le ponían a tiro. Nos echamos unas risas a su costa. El pobre intentaba ser sutil, pero se le notaba mucho. —Miró a Thea—. ¿Te encuentras bien?

Thea tenía la impresión de que se le habían petrificado las extremidades.

—Sí, muy bien.

—¿Seguro? —Se inclinó hacia delante y la tomó de la mano, aunque ella se zafó con brusquedad—. Mira, sé que lo de esta noche ha sido un desastre en cierto modo, pero piensa en toda la publicidad que conseguirá el programa. Nadie va a echarte la culpa. La que saldrá perjudicada será la imagen de Minnie.

—No tiene nada que ver con lo de esta noche —confesó Thea—. Es que… Es que no me siento muy bien.

Jake frunció el ceño, preocupado.

—¿Quieres que te traiga algo?

—Otra botella de vino.

—¿No es una mala idea si te encuentras mal?

—¡Pareces una abuela! —masculló.

Jake se puso en pie.

—A ver, si te encuentras mal, lo siento, pero no voy a quedarme aquí para que la pagues conmigo. Si necesitas un amigo, genial. Si quieres estar sola, genial también.

Thea prácticamente escuchaba los engranajes de su mente mientras unía todas las piezas. Luke había estado babeando por cualquier cosa con faldas en Guatemala. No iba a cambiar nunca. Le había dicho todas esas cosas esa tarde porque… bueno, porque sí. Pero no las había dicho en serio. Nunca lo haría. Parafraseando a Roxette: «Tal vez haya sido amor. Pero ha acabado». Maldito Luke Norton. Mientras sus pensamientos echaban un freno imaginario, decidió dar un giro de ciento ochenta grados.

—Lo siento —dijo—. Me he pasado. Siéntate, por favor.

—Vale. —Jake no parecía enfadado—. Pero solo si prometes comportarte.

—No puedo prometértelo, pero lo intentaré.

Thea bebió otro sorbo de vino y sonrió. Jake le devolvió la sonrisa. Sí, era ocho años menor que ella. Sí, era bajo. Sí, trabajaba para una ONG. Sí, debería pensárselo dos veces. Pero...

Se inclinó hacia delante.

—En vez de pedir otra botella aquí, ¿por qué no nos tomamos la última en mi casa?

41

Poppy no podía dormir. Aunque la noche de verano era calurosa, hacía frío en el piso de Toby, de modo que se tapó con la sábana mientras tiritaba y soportaba el amargo sabor que tenía en la boca. Empezaba a dolerle un poco la cabeza como si alguien se la estuviera golpeando contra un muro. A su lado Toby roncaba suavemente, con un brazo por encima de la cabeza. Después del polvo, se había tomado una pastillita azul.

—Me ayudará a contener la resaca —le había explicado—. ¿Quieres una?

Poppy la había rechazado. Gran error, pensó en aquel momento mientras miraba la hora en la oscuridad. Eran casi las tres.

Tumbada de espaldas, rememoró las imágenes de esas últimas horas como si fueran un espantoso videoclip. Toby y ella saliendo de la fiesta bajo los cegadores flashes de las cámaras. Parando un taxi para ir a Whitechapel, donde él vivía, y besándose como posesos en el asiento trasero. Subiendo la escalera a trompicones hasta su casa, que no era el loft espacioso y pintado de blanco que había imaginado, sino una casita adosada decorada con muebles de Ikea. Dándose el lote en el sofá. Se estremeció sintiendo una mezcla de agonía y felicidad al recordar esos besos: dulces en sus labios, insistentes en sus muslos, hambrientos en sus pechos. De algún modo consiguieron llegar al dormitorio, donde Toby señaló la ropa esparcida y la cama deshecha para quitarle importancia antes de tumbarla en la cama y…

La cosa era que no había estado tan bien. Se había dado cuenta a pesar de su inexperiencia. Había sido un poco mecánico y Toby se había corrido muchísimo antes de que ella estuviera lista siquiera. Se sentía muchísimo más culpable por Luke que la última vez. «Pero él me trata muy mal», se justificó con Migsy, que había sustituido a su entrevistadora imaginaria, mientras observaba la sombra de Toby moviéndose sobre ella reflejada en el techo. «Nunca está en casa. No tenemos nada en común. Básicamente, me casé demasiado joven. Y siempre estoy deprimida, aunque nunca se lo he dicho a nadie. Claro que no me arrepiento porque tengo a Clara. Pero Toby es mi alma gemela. Estamos hechos para estar juntos…»

Nerviosa, se pegó a él. Toby, que seguía dormido, rodó hacia ella y le cogió el trasero con la mano. Siguió despierta durante horas, mientras escuchaba cómo las cañerías anunciaban el amanecer. Conforme la luz empezó a filtrarse por las cortinas, se incorporó sobre un codo y trazó el perfil aguileño de Toby con el dedo. Al ver que se movía, se detuvo. Escuchó que su respiración, lenta y profunda hasta entonces, se hacía más rápida y superficial. Empezó a sospechar que Toby ya no dormía, que fingía hacerlo. Se apresuró a ponerse de lado. Si no quería hablar con ella todavía, no pensaba estropear el momento. Cerró los ojos e intentó conciliar el sueño.

—Hola.

Se dio la vuelta al momento.

—¡Hola!

Toby meneó la cabeza un poco e hizo una mueca, lamentando el movimiento, antes de incorporarse de golpe.

—¡Mierda! Son casi las ocho. Tengo que irme. ¿Quieres darte una ducha?

—No, no. Tú primero.

—No, no. —Volvió a menear la cabeza—. Insisto.

Poppy se duchó con una sensación horrorosa en el cuerpo. ¿Por qué se había mostrado tan frío? Se enjabonó con su gel de Clarins, admirando su buen gusto —mucho más agradable que el anticuado Imperial Leather que usaba Luke— antes de envolverse en una toalla, vestirse y salir al comedor, donde Toby estaba desayunando un cuenco de cereales. En el armarito abierto a su espalda había tres latas de tomate al natural, dos botes de vitaminas, un paquete de pasta y un tubo de Pringles. Junto a la tetera había un buen surtido de infusiones: escaramujo, té Earl Grey, menta y equinácea. En ese momento se le derritió el corazón. La elección de comida de un hombre tenía algo que lo hacía vulnerable. No se había imaginado que a Toby le gustasen las infusiones, y al descubrirlo sintió el impulso de echarle los brazos al cuello, pero la expresión de su rostro le dejó claro que no sería una opción acertada.

—¿Quieres desayunar algo? —preguntó él a regañadientes.

Poppy sabía que había llegado el momento de irse.

—No, gracias, estoy bien —contestó, sin hacer caso al rugido de su estómago—. Mejor me voy. Tengo que ver cómo está mi niña.

—Joder, se me había olvidado que tenías una hija. —Se frotó los ojos con gesto cansado—. ¿Cuántos años tiene?

—Acaba de cumplir dos.

—Estupendo. —Esbozó una sonrisa fugaz y se encaminó a la puerta—. Puedo llamarte un taxi —se ofreció sin muchas ganas—. Si quieres coger el metro, gira a la derecha y después la segunda a la izquierda, allí está la parada.

—Cogeré el metro —se apresuró a decir Poppy.

Habían pasado apenas dos semanas desde que volvió de casa de Meena con la ropa de la noche anterior. En aquel entonces le había parecido algo casi glamouroso, al estilo de Amy Winehouse. Pero en ese momento le parecía algo vulgar y chabacano. Poppy no sabía cómo Meena lo soportaba. La felicidad que había sentido la noche anterior al saberse deseada una vez más desaparecía a marchas forzadas empujada por la culpa de la infidelidad hacia su marido.

«¡Estaba tan triste!», se recordaba una y otra vez; sin embargo, la excusa no surtía efecto. Al acercarse a la puerta de entrada de su casa, un grupo de hombres con abrigos la sacaron de sus pensamientos. Algunos fumaban, otros hablaban por teléfono, otros charlaban entre sí. Cuando estuvo más cerca, dejaron lo que estaban haciendo y la apuntaron con sus cámaras.

—¡Hola, Poppy! —gritaban por encima del ruido de las cámaras al disparar.

—¡Es la zorra!

—¿Dónde has estado?

—¿Cómo le va al puto gilipollas de tu marido?

—Perdón. —Poppy intentó abrirse paso, pero los flashes la cegaron con sus incesantes destellos—. ¡Dejadme tranquila! —gritó con increíble ferocidad al tiempo que rebuscaba las llaves en su bolso, que se le cayeron al suelo. Se agachó para recogerlas.

—¡Oye, tiene una carrera en las medias!

Los vecinos se asomaron a las ventanas. Los transeúntes se detuvieron para ver lo que pasaba. De alguna manera, Poppy se las ingenió para meter la llave en la cerradura y estuvo a punto de caer directa en los brazos de Luke al entrar.

—Vaya, por fin te has dignado aparecer.

—¡Lo siento muchísimo! —se disculpó, sorprendida por la expresión furiosa de su marido—. Te mandé un mensaje. Tuve que quedarme en casa de Meena. Estaba enferma. Me preocupaba su estado.

—¿Y yo qué? ¿Por qué no me has llamado? Te he dejado diez mensajes.

Pese a su tono, Poppy experimentó cierta alegría. Vale, la había echado de menos. Ya sabía lo que se sentía.

—¿Y tú qué? —repitió, pero se acordó en ese momento—. Ah, claro. ¿Cómo te fue la entrevista con Minnie Maltravers?

—¿No te has enterado?

—No. Iba a verla en Sky Plus. ¿Quieres que lo haga ahora?

—Fue un puñetero desastre —contestó Luke—. Un desastre espantoso porque le dijiste a todo el mundo que ya tuvimos un puñetero desastre en Escocia.

—¿A qué te refieres?

Sin embargo, sabía muy bien a qué se refería Luke. Mierda. A lo mejor había vuelto a irse de la lengua con Migsy.

—¡No me lo puedo creer! —gritó Luke—. Primero Hannah me traiciona en un periódico. Y ahora tú. ¿Qué está pasando? ¿Qué les pasa a mis esposas?

—No te he traicionado. ¿Qué quieres decir?

Luke sacó un ejemplar de *Wicked*.

—«Mi marido fue a Escocia para entrevistar a Minnie, pero se negó a hablar con él.» ¿Por qué no me lo dijiste, Poppy? Eso era confidencial. Estoy de mierda hasta el cuello. Me han suspendido.

—¿Y eso qué quiere decir?

—Quiere decir que me van a dar la patada. —Se golpeó el pecho como un actor de serie B que interpretara un monólogo de Shakespeare—. ¿Qué has hecho?

—Lo siento —dijo Poppy al tiempo que sacaba el teléfono del bolso y lo ponía a cargar. Empezó a sonar de inmediato.

—Seguro que son mis mensajes —dijo Luke cuando ella se lo llevó a la oreja.

Esperaba oír los gritos de su marido, pero escuchó la voz ronca de Bárbara.

«Poppy —dijo su agente muerta de la risa—. Menudo circo habéis montado entre tu marido y tú. Los teléfonos llevan sonando toda la mañana. Llámame, encanto. Esto va a traerte algo muy bueno.»

El timbre volvió a sonar.

—¡Ya estoy harto! —bramó Luke—. Voy a desconectarlo.

Una hora más tarde, Poppy lo entendió todo después de ver la grabación mientras Luke dormía con antifaz y tapones. Además, estuvo hablando con Meena, que no paraba de reírse, con una encantada Bárbara y una eufórica Migsy.

—Te juro que en *Wicked* estamos aplaudiendo hasta con las orejas. Estaba convencida de que serías una columnista genial, pero nunca nos imaginamos algo parecido. Vamos a darte dos páginas para la semana que viene. ¿Cómo lleva Luke todo el escándalo?

—Mmm. No creo que deba entrar en detalles.

—¡Pero tienes que hacerlo! Nuestros lectores se mueren por saberlo. Me imagino que está un pelín avergonzado, ¿no?

—Sí, claro que lo está. Y enfadado. Lo han suspendido.

—Ay, pobrecillo. Pero Minnie se estaba haciendo la dura, ¿verdad?

—Ya lo creo, es una pesadilla de mujer —contestó Poppy.

Siguieron charlando en esa línea varios minutos más.

—¿Quién era? —bramó Luke desde la puerta cuando ella colgó.

Poppy dio un respingo.

—De la revista, querían saber cómo me iba.

—No vas a seguir con la columna, ¿verdad?

Su tono logró que algo explotara en la cabeza de Poppy.

—¡Claro que sí! ¿Por qué tendría que dejarlo? —Se le llenaron los ojos de lágrimas—. Luke, lo siento. Les conté algunas cosas de Minnie, pero no pensaba que pudieran publicarlas. Fui una tonta, sí, pero no volverá a pasar.

—¿Por qué razón no te has buscado un trabajo como Dios manda?

—No se me ocurrió qué otra cosa hacer. —Le ardía la garganta y por vergonzoso que fuera sentía los mocos a punto de caerle por la nariz—. Así soy yo. Nunca fingí ser de otra manera. No soy un genio. No tengo estudios. No soy un tiburón de los negocios. No hago tartas como Hannah. No soy inteligente como Thea o Roxanne o las otras mujeres de tu oficina. Solo soy yo. Poppy. Si no te gustaba, no deberías haberte casado conmigo.

—¡No quería casarme contigo! —gritó Luke—. Solo lo hice porque… bueno, porque te quedaste embarazada y había tirado por la borda mi vida real y creí que era lo mejor. Pero en cuanto nos casamos, supe que había cometido un error.

Allí estaba. La verdad que habían evitado, pero que siempre había planeado sobre ellos.

—Ya —dijo Poppy muy despacio tras el sobrecogedor silencio que siguió a esas palabras.

Luke se pasó los dedos por el pelo.

—Cariño, lo siento. Oye, no lo decía de verdad. Quería casarme contigo, es solo que… bueno, no fue lo mejor.

—Supongo que no —admitió Poppy, que dio media vuelta y subió la escalera.

Una vez en el dormitorio, se sentó en la cama y clavó la vista en la pared, demasiado entumecida para asimilar lo que siempre había sabido en el fondo.

«Luke no me ama. Da igual. Toby sí. Luke no me ama. Da igual…»

Ojalá estuviera un poco más segura con respecto a lo de Toby… Su móvil sonó. ¡Seguro que era él!

—¿Diga? —respondió con nerviosismo.

—Cariño, soy yo.

—¡Ah! Hola, mamá.

—Luke está en un lío, ¿verdad? —Antes de que pudiera contestar, Louise continuó—: Y yo estoy tan enfadada que… Acabo de enterarme de que Jean-Claude ha estado en la ciudad y no me ha llamado.

—¿Cómo?

—Sabía que iba a venir a Londres y he estado esperando que me llamara, pero nada. Incluso le dejé por lo menos cinco mensajes en el móvil. Y cuando he llamado a su hotel, me han dicho que se ha ido esta mañana. ¡Menudo cabrón! ¡Hombres! Todos son iguales.

—Yo…

—Me siento fatal. Estaba segura de que era diferente.

Luke se asomó por la puerta.

—Mamá, lo siento muchísimo, pero si se ha comportado así, seguro que te das cuenta de que no te merecía. —Poppy se lo había dicho ya un trillón de veces—. Mira, tengo que dejarte. Luke me necesita.

—Menudo idiota. Soltar un taco en televisión… ¿Qué va a ser de ti ahora, Poppy?

—Tengo que irme. Ya hablaremos después. —Colgó—. ¿Qué pasa?

—Me han llamado de la oficina. Quieren que vaya.

—¡Ah! ¿Y eso es bueno o es malo?

—Adivina.

Pese a la conversación que acababan de mantener, Poppy seguía sintiendo algo por él. Extendió los brazos.

—Ven aquí, cariño. Seguro que todo se arreglará.

—¿Cómo que todo se arreglará? —exclamó Luke—. Ya volveré —dijo antes de dar media vuelta y salir.

De modo que así estaban las cosas. Poppy inspiró hondo en un intento por comprender su nueva situación. ¿De verdad le había dicho Luke que se había acabado todo? ¿Le importaba? No lo tenía claro. Tenía la sensación de que estaba formando una coraza protectora alrededor de su corazón, la que siempre había deseado tener, para protegerse del mundo exterior.

A través de la ventana le llegaba el ruido que hacían los fotógrafos y sus risotadas. De repente, la invadió una claustrofobia que le resultó insoportable. Abrió el cajón de la mesita de noche y empezó a ojear las invitaciones. Después cogió el teléfono.

—¿Meena? ¿Te encuentras mejor? Bien. Porque esta noche hay una fiesta que tiene muy buena pinta.

42

Luke sabía de antemano cómo iba a ser la conversación. Sin embargo, eso no lo hacía más llevadero.

—Lo siento —dijo Roxanne—. Me gustaría que las cosas fueran distintas, pero en la reunión de esta mañana con el consejo directivo todos hemos estado de acuerdo en que las cosas han pasado de castaño oscuro. Primero, los insultos en directo en horario infantil; después, el artículo de tu mujer; y por último, el asunto del obispo de Bellchester. Súmale a todo eso la columna de tu ex y la cosa llega a un punto insostenible para la cadena. Recibirás una buena indemnización y de cara a la galería diremos que fue una decisión mutua.

—Sabrán que no es cierto.

—No es cosa nuestra. —Se puso en pie y le ofreció una de sus delgadas manos—. Has sido un presentador maravilloso, Luke. Espero que podamos conservar los recuerdos de los buenos momentos que hemos pasado juntos.

Ni siquiera recordaba cómo había salido del edificio, salvo que lo acompañaron unos vigilantes de seguridad que lo escoltaron hasta un coche.

—¿Adónde, señor? —le preguntó el conductor.

Luke no podía pensar. Después de la reveladora conversación que había mantenido con Poppy, no se sentía capaz de volver a casa ni de enfrentarse a los *paparazzi*. Pensó en Hannah. En el pasado, siempre que tenía problemas, Hannah lo recibía con un trozo de bizcocho casero y algo de beber, seguido todo de una buena mamada. ¿En qué había estado pensando para tirar todo eso por la borda?

Se sacó el móvil del bolsillo y antes de pensar bien lo que estaba haciendo, marcó su número.

—Hola. Soy Hannah. Estoy fuera. En India, montando a caballo durante toda la semana. Vuelvo el lunes. Deja un mensaje…

Luke colgó. ¿A quién podía recurrir? Necesitaba un amigo. Y entonces se acordó. ¡Dios! La noche anterior había estado a punto de prometerle un futuro en común… por culpa de los dichosos nervios. En fin, seguro que lo recibía con los brazos abiertos. Buscó en la lista de contactos hasta llegar a la letra te.

Thea estaba en Stockwell, sentada a la mesa de su cocina en pijama mientras untaba mermelada en un cruasán. Se había pasado toda la mañana en la cama con Jake. Lo habían hecho tres veces. Y había estado bien. Muy bien, de hecho. Muy dulce, para ser exactos, que era la palabra que ella solía usar para describir la caja de pañuelos de papel de Laura Ashley que su tía Morna le regaló unas Navidades. Jake no había dejado de repetirle lo buenísima que estaba y lo cachondo que lo ponía; y por extraño que pareciera, le creía. Aunque su cabeza estaba como si tuviera a un grupo de ratones bailando un número de *Chicago*, se sentía incomprensiblemente alegre.

—¿Cómo ha pasado? —exigió saber—. Sabes que no me gustas.

Jake sonrió mientras cogía la tetera con el agua hirviendo.

—Su comportamiento de anoche lo dejó bien claro, señorita Mackharven.

—Mmm… —Thea frunció el ceño—. Estaba borracha.

—Y yo. Eso es lo que pienso decirle a la policía. Que te aprovechaste de mí.

—¡Cierra el pico! —Soltó una risilla tonta—. ¿Me pones una taza de té, por favor?

—¿Cómo te gusta?

—¿Tú qué crees? Con leche y sin azúcar. Es obvio. —Bostezó—. Mierda, supongo que tendré que bajar a comprar los periódicos. Lo de anoche fue un bombazo. —Sin embargo, y por primera vez en su vida, no tenía prisa por ir a ningún lado. De todas formas, como la lobotomía todavía no era completa, se inclinó para sacar su móvil del bolso. Lo había apagado cuando los besos comenzaron a ponerse serios la noche anterior. Nada más encenderlo, comenzó a sonar—. Mensajes de voz, mensajes de voz —dijo, pulsando el botón rojo—. Ya los escucharé luego. Mierda, también tengo cincuenta mensajes de texto. —Antes de que pudiera echarles un vistazo, el teléfono sonó de nuevo. Miró la pantalla y le cambió la cara—. Vaya, es Luke. Tengo que cogerlo.

Jake la miró.

—Tengo que cogerlo —repitió a la defensiva al tiempo que pulsaba el botón verde—. Hola. ¿Qué pasa?

—¿No lo sabes?

Thea se hacía una idea.

—No.

—Me han dado la patada. Después de diez años.

—Ay, Luke, lo siento muchísimo.

Jake hizo un gesto con la mano como si se estuviera rebanando el pescuezo. Thea meneó la cabeza y le dio la espalda. No le gustaba que se burlaran de Luke.

—¿Puedo ir a verte?

La pregunta la dejó helada.

—Yo… bueno, es que estoy un poco…

—No pasa nada —la interrumpió él—. No te preocupes. Olvídalo.

Thea miró a Jake, con ese pelo y esa cara alargada, y después se imaginó a Luke con sus rasgos de estrella de cine. Luke Norton, su amigo y amante ocasional. Siempre había estado ahí cuando la necesitaba y en esa ocasión la necesitaba de verdad.

No podía darle la espalda. Vale, sí, tal vez la hubiera utilizado en el pasado, pero esa vez sería distinto.

—¡No, espera! No pasa nada. No estoy ocupada. ¿Quieres mi dirección?

—Recuerdo dónde vives —contestó Luke—. Llegaré en un momento.

Thea colgó y lanzó una sonrisa de disculpa a Jake.

—Lo siento, pero Luke necesita verme.

—¿Me estás diciendo que quieres que me vaya?

—Bueno… —Thea se encogió de hombros—. A ver, no sé si te va a gustar estar presente mientras analizamos lo que ha pasado.

Jake respiró hondo.

—Vale —dijo—. Aunque no sé si esta es la mejor forma de tratar a alguien con quien acabas de pasar la noche.

El comentario le dolió.

—¡Jake! Me lo he pasado genial. Nos hemos reído muchísimo. —Sabía que no eran las palabras adecuadas, que había sido mucho más que eso. Pero… pero…—. Pero han despedido a Luke. Y es mi amigo. Me necesita.

—¿Nada más que tu amigo? ¿Estás segura?

Su mirada la puso nerviosa.

—Luke y yo nos conocemos desde hace muchísimo —respondió a la defensiva—. Me ha ayudado un montón a lo largo de los años. Lo menos que puedo hacer es devolverle el favor.

Jake se estaba poniendo la cazadora vaquera, adornada con una antigua chapa a favor del desarme nuclear. «No es más que un niñato», se dijo de repente, en un intento por distanciarse de él.

—Vale —dijo Jake—. Te creo.

—Jake, no te pongas así. —Thea le colocó una mano en un brazo—. Ha sido una noche genial, de verdad. Podemos…

—El tono suplicante de su voz la horrorizó. No era su estilo, pero…—. Por favor, ¿podemos seguir siendo amigos?

—Es posible. —Jake se encogió de hombros—. Siempre y cuando puedas hacerme un pequeño hueco mientras atiendes a Luke.

Oyó que un coche se detenía en la puerta. Dios, Luke debía de ir de camino cuando llamó. Porque sabía que no iba a rechazarlo. En parte se sintió irritada por su presunción, pero decidió no analizar el tema.

—Vale —dijo con brusquedad—. De acuerdo. Ya nos veremos, supongo. —Abrió la puerta principal.

Jake la miró un instante y meneó la cabeza como si estuviera asqueado.

—Nos vemos —dijo.

Tan pronto como cerró la puerta, Thea corrió hacia la ventana. Luke estaba saliendo de un Volvo. ¡Mierda! En ese momento Jake salió del edificio y, cómo no, se vieron. Intercambiaron un apretón de manos. Vio que Luke meneaba la cabeza. Jake le estaría diciendo algo para darle ánimos. Aunque sus palabras posiblemente fueran amables, el lenguaje corporal era tan hostil como el de un sheriff enfrentándose a unos cuatreros. Thea los analizó al detalle. Luke, tan alto y tan guapo. Jake tan bajito y tan… no feo, pero desde luego nada del otro mundo. Sin embargo, antes de que pudiera analizar a fondo la decisión que había tomado, los vio despedirse. Jake se marchó calle arriba y Luke se acercó a la puerta del edificio.

Bzzzzzzzz.

¡Joder! Thea corrió al dormitorio. No tenía tiempo para echarse la espuma acondicionadora. Se pasó un cepillo por el pelo, se puso un poco de brillo de labios, se quitó el pijama y sacó los vaqueros de la cesta de la ropa sucia.

Bzzzzzzzz.

—Hola —dijo casi sin aire.

—Hola. —Un silencio y luego—: ¿Puedo subir?

—Claro.

Escuchó los pasos de Luke en la escalera mientras se ponía una sudadera. Corrió hasta la puerta y abrió. Aunque ella jamás lo sabría, las palabras que Luke dijo en cuanto entró fueron las mismas que le dijo a Poppy tres años antes.

—He dejado a Poppy. Me vengo a vivir contigo.

43

La fiesta de esa noche tendría lugar en un salón privado del Claridge's.

—¿Qué se celebra? —preguntó Abdul, el taxista.

—No me acuerdo —respondió Poppy.

—Pero ¿habrá barra libre? —quiso saber Meena, nerviosa.

—Claro que sí.

—¿Estás segura de que no pasa nada si sales esta noche? —preguntó Meena con una sensibilidad poco característica en ella—. En fin, ¿no te necesita Luke con la que le está cayendo?

—No, está bien —contestó Poppy, que clavó la mirada al otro lado de la ventanilla.

Era incapaz de contarle la conversación que habían mantenido, porque estaba segura de que Meena le diría que nunca le había caído bien Luke, y no le hacía falta que nadie le recordara de forma tan brutal que su matrimonio había sido un error incluso antes de empezar. Así que se concentró en Toby. No había tenido noticias suyas en todo el día y comenzaba a perder la esperanza. Aunque a lo mejor imaginaba que ella asistiría a la fiesta de esa noche.

Al entrar en el salón lo buscó con la mirada. Daba igual. Aún era temprano. De forma automática cogió una copa de champán. Meena se había apresurado a acercarse a Claudia Winkleman, con quien había congeniado en la fiesta anterior después de admirar sus botas en el servicio de señoras. Durante un segundo Poppy se sintió muy sola, pero después, y para su inmenso alivio, vio a Charlie acercándose a ella. Lo saludó con la mano.

—¡Hola! —Le dio dos besos—. Me sorprende que hayas salido con todo lo que hay montado alrededor de tu marido.

—El espectáculo debe continuar —dijo justo cuando localizaba a Toby en medio de un animado grupo. De repente, tuvo la sensación de que se le subía la sangre a la cabeza—. Esto… Charlie, lo siento, tengo que… tengo que ir al servicio.

Charlie suspiró al seguir la dirección de su mirada.

—¿Todavía vas corriendo detrás de ese tío?

—¡Qué va! —Poppy se ruborizó.

Charlie le echó el brazo por encima con ternura.

—Mira, preciosa, sé que crees que soy un viejo chocho, pero escucha el consejo de tu tío Charlie: No vayas detrás de Toby. No es trigo limpio.

—No voy detrás de él —protestó ella, aunque se le estaba poniendo colorada la nariz—. Estoy casada.

—Pero no felizmente, ¿me equivoco?

La mirada de Charlie la invitaba a echarse a llorar, a decirle lo desastroso que era su matrimonio. Pero no lo haría. Se había convertido en una mujer dura.

Levantó la barbilla.

—Soy muy feliz.

—¿Y por qué no estás en casa con Luke? —preguntó él con voz amable, sin criticarla.

—Ha salido —contestó ella de mala manera. Y se le ocurrió algo—. No irás a publicar esto, ¿verdad?

Charlie suspiró.

—Si fuera un buen periodista, sí, lo publicaría. Pero llevo demasiado tiempo en este trabajo y me estoy ablandando.

Alguien dio unos golpecitos en el hombro a Poppy. Cuando se volvió, vio a un rubio gordo con gafas y la frente sudorosa.

—Poppy. Hola, soy Giles Ford, del *Observer*. Me preguntaba qué tienes que decir sobre el desastre de la «puta gilipollas».

—Sin comentarios —dijo con una sonrisa.

—¿Sabes que tu marido ha perdido el trabajo?

Se quedó helada un segundo. No la había llamado para decírselo. Pero después volvió a sonreír.

—Sin comentarios. Discúlpame.

Apuró la copa y cruzó la estancia a toda prisa hacia donde estaba Toby, que hablaba con una mujer igualita a una jirafa.

—Hola —lo saludó con desparpajo.

—Hola —respondió él con una sonrisa—. Me alegro de verte.

—Gracias por lo de anoche —dijo ella en voz alta para asegurarse de que la jirafa se enteraba—. Fue increíble.

—Esto… —Toby compuso una expresión alarmada. Le colocó la mano en el brazo—. Cariño, ahora vuelvo, ¿vale?

De repente, Charlie volvió a colocarse junto a ella.

—Poppy, querida, acompáñame un momento.

—¿Por qué?

—Porque quiero enseñarte algo. —Sonrió a Toby—. No te importa, ¿verdad?

—Para nada —respondió Toby. Fue imposible pasar por alto su impaciencia.

Charlie le puso la mano a Poppy en la base de la espalda y la obligó a internarse entre la multitud hasta llegar a una estancia vacía. Poppy echó un vistazo a su alrededor.

—¿Qué haces?

—Quería hablar contigo a solas. —Carraspeó—. Escucha, cariño. No sé qué pasa en tu vida personal. Pero sí sé que estar aquí esta noche no es lo más sensato del mundo. Tu marido y tú sois noticia por los motivos equivocados, y el que tú hayas salido sola esta noche lanza un mensaje muy claro.

—No me importa —afirmó Poppy con voz trémula.

—Creo que a lo mejor te importa mañana. Estás borracha, Poppy. De hecho, siempre que te veo lo estás. Me preocupas. Recuerda que yo he estado en esa misma situación.

Poppy estaba alucinada. Charlie había sido un alcohólico empedernido. Su situación no tenía absolutamente nada que ver.

—Sé lo que hago. Solo me estoy divirtiendo.

—Y yo sé que eso es lo que crees. Pero hazme caso cuando te digo que esto va a acabar muy mal.

Hablaba con una voz tan amable, tan comprensiva, que antes de poder evitarlo, Poppy le echó los brazos al cuello e intentó besarlo. Charlie se apartó de un salto como si estuviera a punto de asfixiarlo con un trozo de alambre de espino.

—¡No! —gritó.

—¿Qué pasa?

Charlie extendió los brazos como si quisiera calmar a un animal salvaje.

—Lo siento, querida —dijo con voz tranquilizadora—. Eres muy guapa y agradable. Pero de verdad que no es una buena idea.

—¿No te… no te gusto?

—Creo que eres maravillosa —respondió Charlie—. Pero la cosa es que podría ser tu padre.

—Igual que mi marido —replicó Poppy con tristeza.

—Creo que eso puede ser parte del problema.

Poppy estaba avergonzada. Charlie ni siquiera le resultaba atractivo. No sabía qué bicho le había picado.

—Lo siento.

Charlie sonrió y le dio unas palmaditas en el brazo.

—No te preocupes, estás borracha. Pero de verdad creo que deberías volver a casa. Puedo buscarte un taxi si quieres.

—No te preocupes —murmuró ella—. Estaré bien.

—¿No tienes familia con quien puedas pasar la noche? A lo mejor podrías quedarte una semana en casa de tus padres.

Poppy se echó a reír.

—No tengo padres en plural. Solo a mi madre. Y no creo que me ayude mucho. Estará encantada de ver que mi vida es un desastre.

—No lo creo.

—De verdad que sí. Ella lo pasó fatal y no puede evitar cierta satisfacción cuando les pasan desgracias a los demás.

—¿Qué le pasó?

—Bueno, se quedó embarazada de un tío que conoció en Saint Tropez cuando era muy joven y él desapareció sin más, por lo que tuvo que criarme sola y… no lo hizo demasiado bien. Digamos que odia a todos los hombres.

—¿Saint Tropez?

—Sí. —Charlie tenía una expresión muy rara, pero a Poppy no le importó—. Mira, gracias por ser tan amable. Tienes razón, mejor me voy a casa.

Salió dando tumbos de la estancia, seguida de cerca por Charlie.

—Hola, Poppy —dijo un hombre—. Bueno, ¿qué te parece el asunto de la «puta gilipollas»?

—Mi marido sí que es un puto gilipollas —dijo a voz en grito mientras la habitación empezaba a dar vueltas, justo antes de que todo se volviera negro.

Thea fue la primera en despertarse. Tardó un momento en darse cuenta de lo que pasaba, pero después fue como un mazazo. Luke. Luke estaba en la cama con ella. Otra vez. Luke, el hombre a quien amaba desde hacía siglos, por primera vez se había acercado a ella sin que lo invitara. La había desnudado y había intentado acostarse con ella, cosa que —todavía dolorida por su noche con Jake— había conseguido evitar haciéndole una buena mamada. Después se había quedado dormido.

Thea lo miró, sorprendida por la absoluta falta de emociones. Pero como ya había estado en esa misma situación tantas veces, sabía qué esperar. Sin importar qué palabras ardientes le dijera Luke en la pasión del momento, sabía con la misma certeza que el día seguía a la noche y que el sentimiento de culpa seguía a la compra de un paquete familiar de Lacasitos, que Luke se despertaría, soltaría un gemido, se pondría la ropa y saldría corriendo por la puerta de vuelta a casa con la zorra.

Como de costumbre, ella tendría que comportarse con total tranquilidad, despedirlo con la mano como si los revolcones recurrentes no tuvieran nada de humillantes. La única diferencia entre esa vez y las anteriores era que posiblemente fuera la última, sobre todo porque Luke se había quedado sin trabajo y no se cruzarían por los pasillos a cada rato. Aunque bien podrían cruzarse en la cola del paro o si encontraban trabajo como reponedores en algún centro comercial.

Se dio cuenta de que Luke se estaba despertando. Se apresuró a salir de la cama y a ponerse la bata. No quería que la rechazara estando desnuda. Ojalá tuviera tiempo para ir al cuarto de baño y pintarse un poco, pero ya estaba abriendo los ojos.

—Hola.

—Hola —le dijo ella como si Luke fuera un teleoperador que quisiera venderle doble acristalamiento.

—¿Qué tal?

—Bien.

Se produjo un silencio incómodo.

—¿Estás bien? —preguntó Luke.

—Bien, genial. A punto de hacer un poco de té. ¿Quieres?

—Me encantaría. Con leche y dos de azúcar. Y… ¿puedo usar tu cuarto de baño?

—Claro. —Otra pausa.

—Esto… ¿me das una toalla?

—¡Por supuesto!

Thea abrió un cajón y sacó una. Cuando se la dio, él se la colocó en torno a la cintura antes de salir de debajo de la sábana, como un participante de algún estúpido juego infantil.

—Voy a preparar el té —dijo ella a toda prisa.

Mientras Luke estaba en el cuarto de baño, ella se vistió a la carrera y, como no podía acceder a los productos del mueble del baño, se maquilló con lo que tenía en el bolso. Se estaba poniendo la máscara de pestañas cuando él salió.

—¿Te apetece comer algo?

—Dentro de un momento, a lo mejor. He pensado en darme un baño. Para aclarar las ideas. —Se acercó a ella, que estaba junto a la ventana—. Ha sido muy agradable. Muy agradable —le susurró al oído.

—Cierto —afirmó ella también en un susurro.

Vale, no era del todo cierto, pero Luke se lo estaba diciendo, cosa que nunca se había tomado la molestia de hacer.

Mientras él se estaba dando el baño, Thea miró lo que tenía en el frigorífico. Como siempre, solo había un cartón de huevos caducados y un poco de beicon. Menos mal que no se los había ofrecido a Jake, pensó mientras cascaba cuatro, los echaba en un cuenco y los olía. No le provocaron arcadas, así que supuso que debían de estar bien. Ya estaba anocheciendo, una hora nada adecuada para preparar el desayuno, aunque eso sería justo lo que su madre pensaría en esas circunstancias. Cuando Luke salió del cuarto de baño con el pelo mojado y la toalla enrollada a la cintura, como si fuera el protagonista del anuncio de una cadena de hoteles de lujo, ya tenía preparada la comida.

—¡Ah! —exclamó.

—¿Pasa algo? —preguntó ella.

—Bueno, es que… —Hizo un mohín como un niño enfurruñado—. No me gustan los huevos revueltos. Los prefiero cocidos.

—Vaya, lo siento.

—No pasa nada. Puedes comerte los míos —dijo él con expresión generosa—. ¿Tienes ketchup?

—Pues no.

—Mierda. Un sándwich de beicon no es nada sin ketchup.

Thea empezó a impacientarse.

—Puedo bajar a la tienda y comprar un bote —se ofreció.

—No, no, ¡no te molestes! —Le sonrió—. El médico me aconsejó que lo comiera así. Poppy sería incapaz de cocinar algo parecido ni aunque le fuera la vida en ello.

Poppy. Un nombre que no había vuelto a mencionar desde que anunció que la había dejado.

—Esto… ¿La has visto?

—Sí. —Un suspiro sentido—. Se ha acabado, Thea. Como te dije. Fue un error terrible, estúpido.

—Vale —convino ella mientras esperaba que la alegría la consumiera. Eso era justo lo que siempre había deseado. Pero solo sintió una punzada de preocupación por el modo en que había tratado a Jake. ¿Podrían seguir siendo amigos después de eso? No sabía cómo—. Será mejor que llame a la oficina —dijo—. Veré qué se cuece.

Luke la miró.

—¿Me estás diciendo que vas a seguir trabajando para esos cabrones?

Le devolvió la mirada con incredulidad.

—Bueno, pues sí. A ver, ¿para quién voy a trabajar si no?

—Creía que ibas a presentar la renuncia. Para solidarizarte conmigo.

—No puedo presentar la renuncia. ¿Qué iba a hacer después?

—No lo sé. ¿Qué voy a hacer yo? Supongo que lo mejor es que empiece a entrevistarme con gente. Que hable con mi representante. Debería ser capaz de encontrar algún trabajo como presentador. Puedo terminar mi libro. Puedo trabajar en tu cuarto de invitados si mueves algunas cajas. ¿De qué son, por cierto? ¿Es que todavía no te has mudado por completo?

—Esto… No, no del todo. —Tenía la cabeza en otro sitio. No daba crédito a lo que estaba oyendo—. ¿Qué me dices de tu casa de Maida Vale? —preguntó.

Luke se encogió de hombros.

—Supongo que dejaré que Poppy siga viviendo allí de momento. Vamos a tener que sentarnos y hablar de qué queremos hacer.

—No puedes dejarlo con Poppy sin más. Al menos lo intentarás de nuevo, ¿no?

Lo vio negar con la cabeza.

—Nuestro matrimonio fue una farsa desde el primer día. De no ser por Clara... —Se le quebró la voz—. Bueno, voy a tener que hablar con ella. —Levantó la taza—. ¿Me pones otra taza de té? Con menos leche, si no te importa.

QUÉ P**O GIL*****AS

HANNAH CREIGHTON, ex esposa del presentador del *Informativo de las Siete y Media*, Luke Norton, creyó que se le rompería el corazón cuando él la dejó hace tres años por la ex modelo Poppy Price. Pero ahora, al ver su desastrosa entrevista con Minnie Maltravers y en un artículo que será un bálsamo para todas las mujeres abandonadas, reflexiona sobre lo peligrosos que pueden ser los deseos.

Ojalá pudiera decir que estaba viendo la tele cuando mi ex marido se puso en ridículo en un programa de repercusión nacional la semana pasada. Sin embargo, estaba acurrucada bajo las sábanas de algodón de miles de hilos en un nuevo hotel de lujo en Udaipur, India, con mi maravilloso nuevo novio. Nos despertó el teléfono. Me llegó un mensaje, seguido de otro, de otro más, y así un montón.

Al igual que mi madre, lo primero que pensé fue que algo malo le había pasado a alguno de mis tres hijos, a los que creía a salvo en sus maravillosos internados. Para mi eterno alivio, no eran noticias suyas, sino del suicidio profesional de Luke, el hombre con quién compartí mi vida durante quince años.

¿En qué estaba pensando Luke cuando insultó a Minnie Maltravers? Eso es lo que todo el mundo se muere por saber y yo no puedo contestar, claro. Pero después de haber vivido tanto tiempo con ese hombre, sí puedo deciros que el fuerte carácter y la tendencia a soltar tacos siempre han sido una característica de Luke Norton.

También sé por experiencia que Luke es un maniático del control y le gusta salirse siempre con la suya. Tras haber metido la pata con Minnie Maltravers una vez (detalle del que nos enteramos gracias a la deliciosamente indiscreta segunda señora Norton), Luke habría sido incapaz de lidiar con un segundo encuentro malogrado; entre otras cosas porque, después de una larga e ilustre carrera, todo el mundo sabía que tenía los días contados como presentador ahora que su apuesto y joven rival, Marco Jensen, está consiguiendo cada vez más cuota de pantalla. Luke tenía que estar nervioso al saber que era su última oportunidad para demostrar su valía, además de furioso por que su mayor exclusiva en años estuviera relacionada con una modelo, a quien el gran corresponsal considera indigna de su atención.

Así que, vistos todos esos factores, me da en la nariz que sé por qué Luke se hizo un harakiri profesional de un modo tan espectacular.

Evidentemente, como su ex mujer, su comportamiento me tenía dividida. Después de haber sacrificado mi propia carrera para criar a nuestros hijos, la pensión de Luke es muy importante para mí. Hay que pagar las facturas de los colegios, mantener la casa familiar… y ver que todo eso se veía amenazado por culpa de un par de palabras soeces era más de lo que podía soportar. Sin embargo, una rápida llamada a mi abogado me aseguró que el finiquito de Luke, junto con su pensión por haber trabajado en *El informativo de las Siete y Media*, nos garantizaba la seguridad económica.

Una vez calmada esa vulgar preocupación, me vi libre para reflexionar sobre otro asunto: lo contenta que estoy de no seguir casada con Luke. Después de haber odiado con todas mis ganas a la joven señora Norton, a la que hasta hace poco solo me refería como la zorra, por primera vez siento lástima de ella.

La imagen de un iracundo Luke que volvía a casa desde el trabajo esa noche me hizo temblar de miedo y también reír con un alivio casi histérico. Me di cuenta de que en otras circunstancias me habría tocado a mí calmar su ira. En cambio, podía volverme hacia los brazos de mi amante y seguir durmiendo otras maravillosas ocho horas antes de otra dosis de sexo altamente creativo. El alivio resultó casi embriagador.

Por supuesto, hay ciertas cosas de Luke que adoraba y sigo adoran-

44

Era casi surrealista. Luke no parecía tener prisa por marcharse a ningún sitio. Presa de una repentina timidez que le impedía preguntarle por sus intenciones, Thea le preguntó en cambio si quería ver el *Informativo de las Siete y Media*.

—¿Y ver a ese imbécil de Jensen ocupando mi sitio? No,
gracias.

Un poco más tarde compartieron un menú para llevar del
restaurante indio favorito de Thea, que estaba en su misma calle.

—¿Te gusta? —preguntó Thea con aprensión. Siempre
había soñado con compartir ese momento con Luke.

—No está mal, aunque se han pasado un poco con las espe-
cias. No has ido a India, ¿verdad? Hasta que no lo hagas, no
sabrás lo que es el curry de verdad.

—Ah, vale. Bueno, a mí me gusta este sabor. —Pulsó un
botón del iPod y la voz de Bob Dylan cantando «Lay Lady
Lay» flotó sobre la mesa. ¿Se habría escrito alguna vez una
canción más romántica que esa?

—¡Por Dios! ¿Tenemos que escuchar esto? No soporto a
Dylan, con esa voz tan nasal y quejicosa. ¿Te parece que coma-
mos en silencio?

—Vale —contestó ella.

¿Cómo era posible que no supiera ese detalle sobre Luke?
Claro que nunca había compartido sus gustos musicales con
él, porque siempre le había dejado que escogiera.

Después de cenar no supo muy bien qué hacer. Normalmente, cuando cenaba con algún amigo, el intercambio de cotilleos para ponerse al día era lo normal, pero Luke no era lo que se decía un amigo. Se dio cuenta de que no sabía lo que era. ¿Su amante? ¿Un rollo ocasional? ¿Su novio? No parecía encajar del todo en ninguna de las tres categorías.

—¿Te gustaría ver un DVD? —le preguntó.

Luke estaba echando un vistazo a su extensa colección de películas.

—Mmm. No hay nada que me apetezca. ¿No tienes algún western de los buenos?

—No. Los westerns son películas de tíos.

—Siempre he pensado que tú eras un poco masculina —replicó él con gesto distraído. Bostezó—. Da igual. De todas formas no me apetece ver una película. Vámonos a la cama.

Entraron en el baño por turnos.

—¿Te importa si utilizo tu cepillo de dientes? —preguntó Luke, que abrió la puerta para asomar la cabeza.

—No —contestó ella, que entró cuando Luke salió y se encontró un apestoso olor flotando en el ambiente.

Respirando por la boca, se retocó el maquillaje. Esa noche tendría que comportarse como una fiera en la cama. Luke iba a pasar toda la noche con ella. Era lo que siempre había deseado. Por la mañana sería domingo, de modo que podrían estar todo el rato que quisieran en la cama, haciendo el amor, leyendo los periódicos y bebiendo café, antes de ir a dar un paseo por el río. Sus fantasías comenzaban a hacerse realidad.

Se preguntó qué debía hacer con respecto a la ropa. Por regla general dormía con pijama, pero le parecía un poco recatado. Sin embargo, entrar en el baño y salir desnuda le parecía demasiado descarado. Se preguntó qué habría hecho Luke. Cuando salió, se lo encontró en la cama, arropado, con la vista clavada en el techo y las manos detrás de la cabeza.

—Mañana tendré que ir a comprar unas cuantas cosas si voy a quedarme aquí un tiempo.

Thea pensó que debería organizar un desfile militar para festejar la victoria o una exhibición de vuelo de las fuerzas aéreas. Sin embargo, y por extraño que resultara, volvió a sentir esa especie de desilusión.

—¿Quieres quedarte?

—Si no te importa, claro.

—Por supuesto que no —respondió al tiempo que se quitaba la camiseta. En cuanto se quitó los vaqueros, se metió en la cama en bragas y sujetador.

Permanecieron tendidos el uno junto al otro, tan inmóviles como un par de esfinges en una tumba. Hasta que la mano de Luke se posó en su muslo.

«¡Ay, Dios mío! —pensó mientras Luke le quitaba las bragas y se colocaba sobre ella—. Me he convertido en una de esas mujeres que echan un polvo sin quitarse el sujetador.»

Tenía ganas de llamar a Rachel para decírselo; pero, en cambio, cumplió con su parte, gimiendo y jadeando, hasta que notó que Luke se estremecía y se tensaba sobre ella.

Se despertaron temprano.

—¡Dios! Este colchón es incomodísimo —se quejó Luke—. Es demasiado blando. ¿Y qué ha sido ese jaleo que se oía de madrugada?

—Los borrachos del pub de enfrente siempre se pelean los sábados por la noche. Es una tradición.

—No sé cómo puedes vivir aquí. ¡Encima de una tienda!

—No dirías lo mismo si de repente se te antojara hacer la Primitiva o comprar un cartón de leche.

Sin embargo, Luke ni siquiera sonrió.

Thea sugirió salir a desayunar a una cafetería de Brixton que le encantaba, pero él se negó.

—No me apetece que la gente nos mire.

Thea bajó a comprar los periódicos a la tienda y los leyeron en el salón mientras desayunaban un café con tostadas. En todos los periódicos hablaban de él, y muchos contenían datos erróneos de su carrera y comentarios desfavorables de otros periodistas que siempre habían tenido celos de sus logros, tanto personales como profesionales. Además, casi todos citaban el comentario impulsivo de Poppy al reportero del *Sunday Mirror*, a quien le había dicho que el «puto gilipollas» era su marido.

—Está intentando hundirme a propósito. No volveré a trabajar en la vida —refunfuñó Luke. No le había hecho ni pizca de gracia descubrir que su representante estaba de vacaciones en las Maldivas y que no le apetecía discutir ningún plan con él hasta su regreso, cosa que no sucedería hasta el lunes de la semana siguiente.

—Por supuesto que lo harás —lo contradijo Thea—. Eres una estrella en tu campo.

—Sí, tengo cierta reputación, ¿verdad?

—Claro. Todo el mundo se peleará para contratarte, ya verás. Aunque no saben que estás aquí —añadió con alegría.

—Tienen mi número de móvil —señaló Luke con tirantez al tiempo que le cambiaba la cara—. ¡Hay que joderse, esto es increíble!

De repente, Thea creyó estar en mitad de una aburrida escena matrimonial de una comedia televisiva.

—¿Qué pasa? —preguntó con voz dulce.

—Hannah ha escrito en el puto *Sunday Prophet*. Dios, me ataca incluso desde India.

—Me dan pena tus hijos —dijo Thea en voz baja.

Luke se volvió para mirarla.

—¿Cómo dices?

—Nada. Déjame que lo lea.

Luke arrojó el periódico al otro lado del salón.

—No. No lo aguanto más.

—Podría ser peor —le recordó ella al momento.

—No sé cómo.

Thea decidió que la mejor estrategia era no hacerle caso.

—¿Qué te apetece hacer hoy? Podríamos dar un paseo.

Luke puso cara de asco.

—Ya te he dicho que no podemos salir. Nos reconocerían. Además, me duele la pierna. La herida de metralla de Afganistán me está dando la lata.

—¡Ah, vale! ¿Vamos al cine? —Esa era otra de sus fantasías, que alimentaba tanto como si fuera el siamés de una viuda millonaria. Los dos sentados en la última fila de un cine, dándose cucharadas de helado el uno al otro mientras veían una película con subtítulos—. Están poniendo una película estupenda ambientada en la Hungría anterior a la guerra.

—¡Madre mía, no! No estoy de humor para películas. —Cogió la programación de televisión—. Hay un partido de críquet a las dos. Lo veré.

De modo que Thea pasó el primer día de su nueva vida con su gran amor sentada en el salón con las cortinas medio corridas mientras Luke gritaba a la tele:

—¡Venga, cabrones!

Se sentía inquieta y no dejaba de mirar hacia la ventana, en cuya esquina superior se veía un trozo de cielo muy azul. Sabía que la gente estaba tumbada en el césped, bebiendo té helado y aprovechando todo lo posible el inestable verano inglés. Quería hacer lo mismo. Pero ya habría tiempo para todo, se dijo a fin de tranquilizarse. Debía tener muy presente que era una etapa complicada para Luke. Cogió los periódicos con disimulo y comenzó a hojearlos en busca de alguna historia con potencial que pudiera presentar a Dean. Porque, sin importar lo que Luke dijera, pensaba ir al trabajo al día siguiente. Nadie la había llamado para decirle lo contrario, por cierto.

—¡Di que sí! Así se hace, Kev.

En ese momento sonó su móvil. Agradecida por la distracción, lo cogió sin mirar siquiera quién la llamaba.

—¿Sí?

—Hola. Soy Jake.

—¡Ah, hola! —Lanzó una mirada nerviosa a Luke, pero estaba totalmente absorto en la televisión. De todas formas, se metió en el dormitorio—. ¿Qué tal?

—Bien. ¿Qué planes tienes para esta noche?

Sintió una inesperada oleada de alivio.

—Pensaba que no ibas a hablarme nunca más.

Jake parecía un poco enfurruñado.

—Sí, lo siento. Exageré un poco las cosas. Me gustaría quedar contigo; si estás libre, claro.

Mierda. No sabía qué decirle.

—Lo siento. Mi… mi madre vendrá a pasar la noche conmigo. Hemos planeado una cena tranquila.

—¡Ah! —Un silencio—. Bueno, no pasa nada. ¿Cuándo podemos vernos?

—Mmm. No tengo la agenda a mano, pero ya te llamaré. —Dio un respingo. La respuesta había sonado como la de una secretaria eficiente, pero ¿cómo se suponía que debía actuar en semejante situación?

—¿Thea?

La voz de Luke la asustó.

—¿Qué? —respondió al tiempo que tapaba el teléfono con la mano.

—¿No tienes cerveza?

—Pues no. Lo siento.

—Joder. Me apetece una.

—Ahora mismo bajo a la tienda y compro unas latas.

—Vale —dijo él antes de regresar al salón.

—¿Ese era Luke? —le preguntó Jake.

—¡No! —gritó con voz chillona—. ¡No! Era uno de mis hermanos.

—¡Ah! ¿También están tus hermanos?

—Sí. ¿No te lo había dicho? Lo siento, Jake, pero tengo que irme. Me están esperando.

—Vale —contestó él con voz distante.

—Te llamaré mañana desde el trabajo, en cuanto eche un vistazo a mi agenda.

—Como quieras —dijo Jake.

Cuando colgó, sintiéndose como si tuviera un enorme pedrusco en el estómago, oyó el móvil de Luke y después su renuente contestación:

—Hola, Poppy.

Poppy no recordaba la vuelta a casa después de la fiesta del Claridge's, pero Brigita le dijo que Charlie la había acompañado.

—¡Qué hombre más amable! Te ayudó a entrar y me dijo que te cuidara. Estabas como una cuba. Lo siento, Poppy, pero eso no está bien.

—Lo sé, Brigita. Yo también lo siento.

—Por favor, no vuelvas a hacerlo. Sé que asistir a esas fiestas forma parte de tu trabajo, pero en mi país las mujeres no hacen estas cosas.

—Lo sé, lo siento.

Brigita chasqueó la lengua.

—El señor Charlie es un cielo. Le preparé un té y me preguntó si tenías alguna foto de tu madre. Le dije que no lo sabía, pero que creía que no.

—¿De verdad?

¿Querría Charlie conocer a Louise? Le parecía improbable. Claro que tenía otras cosas más importantes en las que pensar en esos momentos.

Se quedó en casa el sábado por la noche, ya que la reprimenda de Brigita seguía muy fresca. Pensó en tomarse unas copas mientras veía la tele. No entendía cómo no le había dado por beber muchísimo antes. Sin embargo, descubrió con frustración que no había alcohol en la casa, así que se acostó temprano y se levantó el domingo sintiéndose inusualmente despejada. Clara seguía dormida, un milagro en toda regla, así que siguió acostada con la vista clavada en el rayito de luz que se colaba entre las cortinas y se preguntó si Luke volvería a casa. Le había mandado un mensaje diciéndole que se quedaba con unos amigos para reflexionar sobre lo que iba a hacer.

El hecho de que su marido ni siquiera fuera capaz de hablarle la enfureció tanto que decidió no responder al mensaje siquiera. Luke la despreciaría de todas formas, le dijera lo que le dijese. Estaba harta de ser la única que tiraba de la relación. Sabía que había sido una idiotez comentar a Migsy lo de Minnie, pero Luke la había perjudicado aún más al casarse con ella sin amor.

Sus pensamientos volvieron a Toby. Otro de la misma calaña. El viernes por la noche se había mostrado tan distante que había captado el mensaje a la perfección. Todas las historias que Meena le había contado a lo largo de los años sobre los rollos de una noche, unas historias que en aquel entonces le parecían muy alegres, habían adquirido un matiz más serio y desagradable. Meena siempre las describía como algo divertidísimo, pero en su mayor parte debían de hacerle mucho daño. Aunque no era la primera vez que se lo hacían pasar mal, ya había llovido mucho desde la adolescencia. Y puesto que su experiencia como chica soltera había sido tan breve, no había descubierto lo brutales que podían ser ese tipo de relaciones ni el comportamiento tan peculiar de los hombres.

Sin embargo, y a pesar de que Toby le había hecho daño, Poppy reconocía que no le había roto el corazón. Sí, la atracción que sentía por él era muy fuerte, pero apenas lo conocía. Sencillamente le había excitado ver que la atracción era mutua. Claro que, como era normal, le dolía que fuera capaz de descartarla con la misma facilidad con la que Meena dejaba una barrita de chocolate en el frigorífico sin acordarse siquiera de su existencia.

—¡Mamiiiiii!

—¡Hola, corazón! —Poppy se dio la vuelta. Ver la sonrosada carita de su hija fue todo un alivio—. Ven a la cama conmigo.

Estaban acostadas hojeando viejas revistas y decidiendo sus colores favoritos cuando sonó su móvil.

—¡Oyeeee! —¿Cómo era posible que Meena siempre estuviera tan alegre?—. ¡Dios, Poppy! Eres famosísima.

—¿Cómo dices?

—Sales en todos los dominicales: «Mi marido es un puto gilipollas». —Meena soltó una risita tonta—. Evidentemente, han cambiado las dos últimas palabras por una fila de asteriscos, pero no hace falta ser Stephen Hawking para adivinarlas. Espero que mi madre no los vea. Lleva un tiempo diciéndome que no cree que seas una buena influencia. —Al ver que Poppy no decía nada, Meena siguió con cierto recelo—: Luke debe de estar cabreado.

—No lo sé —admitió Poppy con voz inexpresiva—. No le he visto.

—¿Que no le has visto? ¿¡Cómo!? ¿Quieres decir que se ha largado?

—Eso parece.

—¿Quieres que vaya para allá?

—Sí, por favor. —Hubo un silencio, tras el cual Poppy añadió—: Meena, estoy muy triste. Lo he fastidiado todo y ahora voy a tener que criar sola a mi hija.

—¡Para el carro! No te preocupes. ¿Qué tiene de malo que tengas que criar sola a tu hija? Clara y tú seréis como Lila Grace y Kate Moss. Será genial.

—¿Te refieres a que me pasaré todos los días de juerga sin ver a mi hija? —Necesitaba beber algo para relajarse, pero ni siquiera era mediodía.

—Por supuesto que verás a tu hija. Lo único que tienes que hacer es demandar a cualquier fotógrafo que venda una foto de Clara y serás rica. De cualquier forma, tú tranquilízate. Estaré ahí en cuanto me duche y me vista. Dentro de unas… no sé, ¿tres horas?

Poppy miró por la ventana. Los fotógrafos habían desaparecido el día anterior, pero habían regresado por la noche y allí estaban, revisando sus objetivos, bebiendo café y protestando por lo creído que se lo tenían los actores de televisión. Horrorizada, Poppy se ocultó tras las cortinas. Era incapaz de enfrentarse a ellos. De modo que fue al despacho de Luke y encendió el ordenador para navegar por internet. En cuanto se puso al día con las últimas novedades, ocultó la cara entre las manos.

—¿Qué he hecho?

—Mi color favorito es rosa, rojo, lila, naranja y azul —dijo Clara, sentada a sus pies.

Aunque había estado intentando contenerse para no llamar a Luke, una actitud un tanto infantil, acabó sucumbiendo. Para su sorpresa, él contestó.

—¿Dónde estás? —le preguntó. De fondo se oía un televisor. Ninguna pista más.

—Con unos amigos del trabajo.

—¿Los conozco? —preguntó, sin darle importancia.

—No, a ninguno —masculló Luke, aunque añadió con voz más suave—: ¿Cómo está Clara?

—Bien. Clara, ven a hablar con papi.

—No, papi, ¡vete! —dijo Clara, que estaba destripando a un mapache de peluche.

—Lo siento. —Poppy hizo una pausa—. ¿Cuándo vas a volver? —Al notar que no le contestaba, añadió—: ¿Hola? ¿Sigues ahí?

—Sí, estoy aquí —acabó por decir él.

—Luke, sé que hemos fastidiado las cosas, pero tenemos que hablar. Por el bien de Clara.

—Lo sé.

—¿Y cuándo vamos a hacerlo?

—No estoy seguro. Dame unos días para pensar.

—Vale —accedió ella.

Estaba a punto de colgar cuando Luke añadió:

—De todas formas, no querrás volver conmigo. Me han despedido. Ya no soy el hombre rico y triunfador con el que te casaste.

—No me casé contigo por tu éxito. Me casé contigo porque te quería. —Y colgó sintiéndose como si le hubieran dado una puñalada. Aunque se creía inmune al dolor a esas alturas, estaba claro que se había equivocado.

—Mami, ¿por qué lloras? No llores.

45

Pasaron varios días. Por milagroso que pareciera, a Thea le aseguraron que no la responsabilizarían del desastre de Minnie.

—Si Luke es incapaz de mantener su bocaza cerrada es culpa suya, no mía —dijo Dean—. Además, nos ha dado unos índices de audiencia increíbles. Así que mueve el culo y busca a más divas mimadas para que le tiren un vaso de agua a Marco o le digan a Emma que no debería ponerse unas blusas tan escotadas.

Luke no daba señales de querer mudarse de su apartamento. Mientras ella estaba en el trabajo, él salió a comprar un cepillo de dientes y espuma de afeitar, unos cuantos calcetines y calzoncillos, unos pantalones y un par de camisas. Los colgó en el armario, apretujando los vestidos de Thea, y por la noche echó la ropa sucia al cesto de la colada. El jueves por la mañana se cabreó.

—No tengo pantalones limpios —protestó mientras Thea se ponía la chaqueta y cogía las llaves.

—¿Cómo dices?

—Me he quedado sin calzoncillos limpios. ¿No has lavado ningunos?

Thea se quedó de piedra.

—Pues no, la verdad. ¿Y tú?

Por un instante Luke pareció avergonzado. Pero por un instante muy breve.

—No sé cómo funciona tu lavadora.

Thea inspiró hondo. Una cosa que solía hacer mucho de un tiempo a esa parte.

—Luke, has estado en Cachemira, en Somalia, en Afganistán y en Timor Oriental. Seguro que puedes averiguar cómo funciona una lavadora.

—¿A qué temperatura se lava la ropa interior?

—A treinta grados como mucho para no arriesgarnos. Tengo que irme. Voy a llegar tarde al trabajo.

—Enséñame a hacerlo —le suplicó él en un intento por negociar, como si Thea fuera la cabecilla de una facción talibán a la que había que convencer para que le concediera una entrevista.

—Voy a llegar tarde. Y tengo que andarme con ojo en el trabajo.

No debería haber dicho eso.

—Al menos uno de los dos tiene trabajo. Enséñame a hacerlo. Por favor.

Así que le explicó cómo llenar la bolita de detergente, ponerla en el tambor y girar el mando para seleccionar la temperatura adecuada.

—Cuando haya terminado, saca la ropa y tiéndela en el cuarto de baño. —Antes de que pudiera preguntarle cómo se hacía eso, continuó—: Voy a tomar una copa con mi amiga Rachel después del trabajo, así que volveré bastante tarde.

—¿Y qué voy a cenar? —preguntó él como si acabara de decirle que estaba obligado a ir a Vietnam.

—No lo sé. ¿Y si pides algo a algún sitio? Tengo que irme.

Fue un alivio cambiar el cada vez más claustrofóbico piso por el sudoroso y poco fiable metro, un alivio que se incrementó al llegar a la oficina. La defunción de Luke, como la defunción profesional de todos los rostros conocidos, había sido rápida y silenciosa. Apenas si se recordaban ya los días en los que

Luke había sido el dueño y señor. Y Marco, aunque Thea solo lo admitiría bajo tortura china, estaba haciéndolo mucho mejor como presentador de lo que había imaginado.

—Es irritante, ¿no? —comentó Lana mientras veían el programa desde sus escritorios en la redacción.

—No es ni la mitad de baboso que solía ser —admitió Thea a regañadientes—. Es como si hubiera madurado de repente.

—Luke siempre parecía un poco aburrido, como si el trabajo fuera muy poco para él. Pero se ve a la legua que Marco está disfrutando. Por cierto, ¿cómo está Luke?

Thea se quedó helada. La idea de que todos en la oficina averiguaran que estaba viviendo con ella la horrorizaba, exactamente igual que una adolescente se horrorizaría al descubrirse un grano el día del baile de fin de curso.

—No tengo ni idea —contestó tras una brevísima pausa.

—¿Ah, no? Pensaba que habrías tenido noticias suyas. —Lana era la viva imagen de la inocencia—. Erais tan buenos amigos… Bueno, da igual, seguramente esté demasiado ocupado tirándose a su nueva amiguita, sea quien sea.

—Mmm. Dios, pero mira qué hora es. Tengo que llamar a un contacto.

—Se rumorea que se ha mudado con otra chica joven —dijo Lana bajando la voz—. Desde luego hay que reconocerle el mérito, porque ese viejo zorro no se rinde nunca.

Justo en ese momento sonó su móvil.

—Lo siento —se disculpó Thea, mintiendo como una bellaca—. Hola, Rachel, ni se te ocurra decirme que acabas de romper aguas y que no puedes ir al pub.

—¿Qué? ¡Ay, he sentido algo! ¡Joder! ¿Qué ha sido eso?

—¡Rachel! ¿Estás bien?

—¡Ja, te lo has tragado! No te preocupes, el bebé tiene órdenes estrictas de quedarse dentro. Tengo cosas más importantes que el parto de mi hijo de las que ocuparme.

—Déjale claras las prioridades desde el principio —dijo Thea—. Las amigas de mamá siempre estarán antes que él.

—Por supuesto. El caso es que te llamaba para decirte que todo está bien y que nos veremos a las ocho y media.

—¿En el hindú vegetariano?

—No, que le den, en el Prince Alfred en Maida Vale. En cuestión de un mes no voy a volver a salir en la vida, así que voy a exprimir al máximo los pocos días que me quedan de libertad.

De camino al pub, Thea se sintió liberada como el protagonista de *El expreso de medianoche* en la escena final. Esa era su primera noche libre —no se le ocurría una manera mejor de definirlo— desde que Luke se mudó con ella. Había tenido que soportar seis noches enteras de partidos de críquet y películas del Oeste pésimas, ya que Luke controlaba el mando a distancia. Seis noches que normalmente habría dedicado a recrearse con un baño de aceites de Jo Malone, una mascarilla facial y música de Bob saliendo por los altavoces de su iPod se habían ido al traste por un Luke que llamaba a la puerta preguntándole si iba a tardar mucho porque tenía que hacer pis. Seis noches en las que había tenido que enjuagar el lavabo para quitar los restos del afeitado de Luke antes de lavarse los dientes y en las que el sexo había pasado de la noche a la mañana de ser increíble a ser otra cosa más en su lista de obligaciones, tuviera ganas o no.

Thea no se había imaginado que las cosas serían así, aunque reconoció que tampoco había pensado mucho al respecto. Los sueños sobre Luke nunca habían contenido ninguna escena doméstica, porque las escenas domésticas no iban con ella. De algún modo se había imaginado yendo de hotel en hotel, con personal que hiciera las camas y les llevara la comida en bandejas de plata, con el aliciente de la historia que hubieran cubierto ese día para alimentar la conversación.

La casa era un sitio donde estar sola. En ese momento se daba cuenta de lo mucho que le gustaban sus noches silenciosas después del caos de la oficina, sus fines de semana con una bolsa de Lacasitos y una novela negra. Recordó que todas sus relaciones sentimentales habían acabado en cuanto sus novios querían ir a Ikea y organizar cenas para los amigos. ¿Por qué se había imaginado que todas esas cosas serían distintas con Luke?

Y luego estaba el asunto de Jake. No la había llamado, pero tampoco lo culpaba. Todos los días pensaba en llamarlo. En mandarle al menos un correo electrónico. Pero todos los días se contenía. Le gustaba Jake, le gustaba muchísimo. Se lo había pasado en grande en la cama. Pero estaba con Luke y tenían que conseguir que la cosa funcionara. Después de haber pasado tantos años deseándolo, era demasiado humillante admitir que había cambiado de opinión.

—¿Qué vas a tomar? —preguntó a su amiga, que estaba repantigada en una banqueta. Pero se fijó en la botella de vino que había en un cubo de hielo y en las dos copas.

—¡Rachel! ¿Qué es esto?

—Vamos, no empieces tú también. No lo aguanto más. Solo me voy a tomar una copa. O dos. Vamos, este bastardo ya está hecho, ¿qué puede haber de malo? Da lo mismo. Cuéntame cómo te va. ¿Qué me dices de Luke? ¿Va mejor la cosa?

—Pues la verdad es que no. —Se llenó la copa—. Todo es rarísimo. Hemos recorrido el mundo en situaciones peligrosas, bajo presión, mientras nos disparaban, pero vivir en un piso en Stockwell parece que nos pone en una situación límite.

—No es tan elegante, ¿no?

—¿Cómo? ¿Estás diciendo que mi piso no es elegante? —Se echaron a reír las dos al pensar en el papel medio caído. Thea suspiró—. Tienes razón, no lo es. Luke no deja de quejarse porque parece un piso de estudiantes. Supongo que está acostumbrado a algo más… hogareño. Pero yo odio todo eso.

Y está acostumbrado a que alguien le prepare la cena todas las noches y le lave la ropa, y es incapaz de hacer frente al hecho de que yo no hago esas cosas.

—A lo mejor vas a tener que empezar a hacerlo. —Rachel se encogió de hombros—. Bueno, yo hago todo eso para Dunc.

—Pero yo soy incapaz —insistió Thea—. No va conmigo.

—Tampoco iba conmigo, pero se acaba aprendiendo.

—Pero... —Al ver la expresión filosófica de su amiga, Thea tuvo la impresión de que se había pasado toda la vida jugando una partida con el manual equivocado—. ¿Para eso se tiraron las sufragistas al paso de los caballos, para que nosotras tuviéramos que lavar, cocinar y limpiar además de tener trabajos fuera de casa?

—Y no te olvides de cuidar de los niños. —Rachel se dio unas palmaditas en su enorme barriga con un poco de miedo—. Al menos tú no quieres eso.

—¿Te lo estás pensando mejor?

—Estaba considerando la idea de llamar a Angelina Jolie por si quería añadir un recién nacido caucásico a su colección. Pero dudo mucho que mi bebé sea lo bastante guapo para Brad y ella. —Rachel tomó un sorbo de vino—. Sí, Thea, claro que tengo dudas. Estoy cagada de miedo por el futuro. Antes me extrañaba que las mujeres montaran tanto escándalo por tener que compaginar ambas cosas. Pensaba que podría contratar a una niñera y que todo seguiría como antes. Pero aunque todavía no conozco a este bastardo, ya lo quiero con locura y no estoy segura de poder ir a la oficina si tengo que dejarlo en casa. —El rostro de Rachel tenía una expresión soñadora, pero también preocupada—. Ojalá pudiera contar más con Dunc.

—¿Sigue diciendo que no va a cambiar ni un solo pañal?

—No, bueno, no del todo. Pero insiste en que redactemos una especie de contrato donde se recoja que tiene permitido salir tres veces por semana con los amigos.

—¡Permitido! ¡Ni que fueras una marimandona, oye! ¿Es

que se cree que vas a esperarlo detrás de la puerta con la escoba en la mano?

—No, pero… —Rachel suspiró—. Es muy duro, Thea. No puedo decírselo, pero me gustaría que no saliera tanto. Es curioso. Deseaba tanto tener un bebé que no me preocupé de cómo encajaría Dunc en la imagen, pero ahora… Lo necesito. Soy como una de esas patéticas heroínas de las novelas de Mills & Boon. Y el bastardo también va a necesitarlo.

Thea notó un ramalazo de culpabilidad. ¿Por qué nunca había visto a Luke desde esa perspectiva? Por malas que fueran sus esposas, seguro que ellas lo necesitaban. ¿Por qué había sido tan arrogante al pensar que podía reclamarlo?

—¿Estás bien? —le preguntó Rachel—. Has puesto una cara muy rara. Seguro que te he aburrido con mis tonterías. Bueno, ¿qué vas a hacer? Ya tienes lo que siempre has querido, pero ahora no estás tan segura.

—Es posible que solo necesite darle un poco de tiempo —respondió, pero sin mucha convicción—. Es un gran paso, pero ya llegaremos.

—¿Ha dicho Luke que se va a quedar para siempre?

—No con esas palabras, pero no da señales de marcharse.

—Bueno, pero si se queda, asegúrate de que lo hace como es debido. No dejes las cosas en el aire como Dunc y yo. Deberías casarte.

—Sí. Supongo.

La reacción de Thea fue tan tibia que Rachel dejó la copa en la mesa y la miró.

—Te has desenamorado de Luke, ¿verdad?

—¡No!

—Lo has hecho. Es como lo que me ha pasado a mí con el bastardo. Todo era como un sueño precioso, pero ahora que se ha hecho realidad, ya no te hace gracia. Tú… —Pero antes de que Rachel pudiera decir más verdades, inquietantes, pero como puños, Dunc entró en el pub.

—¿Va todo bien, señoras? —Dio una palmadita a Rachel

en la cabeza, como si estuviera acariciando a un gato. Para frustración de Thea, su amiga se ruborizó—. ¿Qué tal? ¿Alguna otra molestia?

—No, estoy bien. Pero tengo que ir al servicio. Tengo que hacer pis dieciséis millones de veces al día —explicó al tiempo que se levantaba con mucho trabajo.

Thea se preguntó cuánto tardaría en verse obligada a soportar una descripción detallada del contenido de los pañales del bastardo.

—¿Te pido algo? —le preguntó Dunc cuando su compañera se alejó.

—No, voy servida. —Señaló la botella—. Tómate una copa si te apetece.

—No me gusta el vino blanco —dijo Dunc.

Al mismo tiempo, una voz tras ellos gritó:

—¡Thea!

Se volvió al escuchar su nombre. Una pelirroja muy atractiva con un corte de pelo desenfadado se había acercado a ella. Llevaba un cárdigan de lana que parecía muy caro y los labios pintados. El miedo fue como una descarga eléctrica.

—¡Hannah! ¿Qué tal? —Se levantó de un salto y dio dos besos a la primera mujer de Luke. Hannah y ella siempre habían mantenido una relación tan real como un orgasmo en una película porno—. Estás estupenda. —Lo peor de todo era que lo estaba; muchísimo más estupenda que cuando estaba con Luke.

—Gracias. —Hannah Creighton, antes Norton, sonrió—. He estado probando algunas cremas nuevas para *Elle*. Es genial. Van a mandarme a un spa en las Maldivas el mes que viene. Es el efecto de las satisfacciones de la soltería, de no tener que preocuparme por dar de comer a Luke ni verme obligada a asistir a aburridísimos eventos. Solo tengo que embadurnarme la cara con Crème de la Mer y acostarme a las siete, y luego puedo largarme un mes entero si me apetece. —Sonrió—. Lo siento, me estoy dejando llevar. Bueno, ¿cómo te va, Thea?

Me enteré de que has vuelto de Estados Unidos. Seguro que estás disfrutando en el *Informativo de las Siete y Media*. Tiene que ser frenético, ¿no?

—Me va muy bien. ¿Cómo están los niños? —Thea no quería hablar de su vida privada.

—¿Los niños? —Hannah parecía tan perdida que cualquiera diría que le habían preguntado por las características climatológicas de Paraguay—. Ah, los niños. Bueno, están contentos con sus internados, y como Luke se los lleva los fines de semana alternos, de repente tengo muchísimo tiempo para mí sola. Es maravilloso. —Su mirada se posó en Dunc—. Hola, soy Hannah Creighton.

—Duncan. Iba a pedir algo. ¿Te apetece una copa?

«¡Dios, no!», pensó Thea. Por suerte, Hannah negó con la cabeza.

—Gracias, Duncan, pero no puedo. He quedado con una persona.

Dunc se fue a la barra y Hannah se lo comió con los ojos.

—Por Dios, Thea. Está cañón.

—¿De verdad? —Thea observó a Dunc y se preguntó por qué era la única persona que no lo veía de esa manera.

—Claro que sí. ¡Mira qué culo! Me alegro mucho por ti. Me preocupaba que no encontraras a nadie por volcarte tanto en el trabajo. Como la señorita Moneypenny.

—¿Cómo dices?

Hannah esbozó una sonrisa maliciosa.

—Así solía llamarte Luke. Su fiel ayudante. Siempre disponible para él. —La explicación la dejó muerta e incapaz de replicar, de modo que Hannah continuó—: Bueno, todos hemos seguido con nuestras vidas. Y Poppy le ha dado la patada. ¿Sabes con quién está viviendo Luke ahora?

—No —contestó con la misma voz aguda de un niño que se hubiera sentado sobre un alfiler.

—Ni yo. Lo está manteniendo todo muy en secreto. Pero las chicas me lo contarán. —La carcajada de Hannah tuvo un espeluznante parecido a la de Vincent Price en la copia de Thea del *Thriller* de Michael Jackson—. Sea quien sea, la acompaño en el sentimiento. Se va a llevar un buen chasco. Nunca me he sentido tan liberada como cuando dejé a Luke, yo… ¡Ah, hola!

Un hombre había colocado la mano a Hannah en el hombro. Era calvo, aunque intentaba disimularlo de una forma horrible con el poco pelo que le quedaba, y llevaba un chubasquero de color rojizo que había vivido tiempos mejores. Saltaba a la vista que era un bebedor empedernido, y que solo veía la luz del sol desde que la prohibición de fumar en lugares públicos lo había obligado a salir a la calle para fumarse dos cigarrillos cada hora. A Thea se le revolvió el estómago como cada vez que se le acercaba un vagabundo. ¿Iba a pedir a Hannah que le diera algo? Sin embargo, lo vio extender una mano hacia ella.

—Hola, soy Jay, el novio de Hannah.

—Yo… esto… soy Thea.

—Vamos, Jay —masculló Hannah. Se le había puesto la nariz de un rojo muy poco favorecedor. Thea se dio cuenta de que estaba avergonzada—. Encantada de verte —le dijo a Thea de mala manera—. A ver si quedamos para ponernos al día. Para almorzar o algo.

—Me encantaría —murmuró Thea justo cuando Dunc regresaba con su copa de vino.

—Ha sido un placer conocerte, Duncan. Cuida de esta mujer, es muy especial.

—Pues… Vale.

Hannah los dejó justo antes de que Rachel llegara a la mesa.

—¿Esa era quien yo creo que era?

—La misma —contestó Thea con la sensación de que un autobús a toda velocidad la había puesto perdida con el agua de un charco.

—¡Mierda! ¿Qué te ha dicho?

—Ha pensado que soy el novio de Thea —soltó Dunc

entre risas, como si fuera tan ridículo como encontrar un Burger King en Marte.

Con un enorme esfuerzo, Thea consiguió recuperar el control.

—Eso no es lo más importante. ¿Os habéis fijado en su novio? —Para su inmenso alivio, le había salido la voz.

Señaló con la cabeza el rincón donde Hannah y Jay estaban sentados. Él tenía una pinta entre las manos, y ella, una copa de vino. No podía decirse que estuvieran teniendo una charla animada precisamente, más bien parecían estar firmando un pacto de suicidio.

—Joder, me había imaginado a un cachas en plan Enrique Iglesias. ¿Estás segura de que es su novio y no su abuelo?

—Eso les pasa a las cuarentonas —sentenció Dunc con una suficiencia muy irritante—. Por mucho Botox que se metan y mucho ejercicio que hagan, tienen que revolver entre los desperdicios en busca de alguien con quien tomarse una copa.

—¡Eso es una ridiculez sexista! —protestó Thea.

Sin embargo, tenían la prueba delante. La cabeza le daba vueltas mientras intentaba asimilar ese nuevo dato. Ella era la señorita Moneypenny de Luke, y Hannah veía a un cachas en un viejo con un feo chubasquero. ¿Sería posible que todo lo que había contado Hannah sobre la increíble felicidad que había encontrado en su nueva vida fuera mentira? ¿Todo el mundo mentía o qué? Empezaba a creer que tal vez hubiera llegado la hora de decir la verdad.

46

Thea durmió mal esa noche. No dejaba de dar vueltas a lo de «la señorita Moneypenny», de modo que no pegó ojo aunque Luke dormía en silencio a su lado. Hannah tenía razón. Aunque no fuera una secretaria al uso, de las que estaban detrás del escritorio, siempre se lo había puesto todo en bandeja: se había enderezado en la silla nada más verlo entrar, lo había observado marcharse con melancolía y había tolerado sus conquistas con una sonrisa, disimulando el sufrimiento que la invadía. Siempre se había engañado al creer que eran iguales, porque en realidad él se había estado riendo de ella. Aunque pensaba que había estado jugando sus cartas muy bien, Luke se había percatado de su adoración y se había aprovechado de ella sin remordimientos.

Las dudas que había estado albergando con respecto a su nueva relación con Luke estallaron como una espinilla gigantesca llena de pus. Volvió la cabeza para observar al hombre del que llevaba años enamorada bajo el resplandor rojizo del despertador y meneó la cabeza. Se sentía asqueada por todo el tiempo malgastado. Un tiempo que podría haber empleado en aprender idiomas, estudiar astrofísica, escribir poesía o diseñar y plantar un jardín. Bueno, tal vez lo del jardín fuera exagerado, pero podría haberse convertido en directora del *Informativo de las Siete y Media* en vez de quedarse estancada en su puesto de productora porque así podría pasar más tiempo con Luke. Un tiempo que podría haber empleado relacionándose con hombres sensatos que tuvieran los pies en el suelo. Aunque parecieran hobbits. Cambió el rumbo de sus pensamientos, porque sabía que no tenía sentido seguir por ahí.

No quería continuar perdiendo el tiempo. Tenía que poner fin a las cosas lo antes posible. Lo haría con sutileza, decidió mientras los ruidos de la ciudad se intensificaban al amanecer. Ya había destrozado a una familia por culpa de su desconsiderado egoísmo, así que intentaría enmendarlo empujándolo hacia Poppy para que la pobre Clara volviera a tener un padre.

Desayunaron en silencio mientras leían los periódicos. Al acabar, Thea preguntó:

—¿Vas a ir a ver a Clara pronto?

Aunque se esperaba el típico «No lo sé», Luke la sorprendió respondiéndole sin alzar la vista siquiera del *Guardian*:

—He mandado un mensaje esta mañana a Poppy mientras estabas en la ducha, diciéndole que iré mañana por la tarde.

—Bien.

—Así traeré algunas de mis cosas.

Thea alzó la vista, alarmada.

—¿Qué cosas? Aquí no hay mucho espacio.

—Unas cuantas cajas de libros. Los necesito para seguir investigando y escribir el mío. Ya te he dicho que los editores querrán publicarlo ahora que soy una figura controvertida —dijo mientras utilizaba los dedos para «entrecomillar» la palabra.

Thea odiaba a la gente que hacía ese gesto. ¿Cómo era posible que no lo hubiera visto antes?

—Supongo que tendrás que conocer a Clara en algún momento —siguió él—. Aunque al principio va a mostrarse recelosa. Tal vez sea mejor que Brigita esté delante.

—¿Brigita?

—Su niñera. Y a los otros también. Si a Hannah no le parece mal.

Thea levantó la cabeza de golpe.

—¿A Hannah?

—Pues sí. Será mejor que se lo diga cuanto antes. Supongo que al principio le extrañará, porque te conoce y eso, pero creo que te preferirá a Poppy porque tú no eres joven, ni rubia, ni estás buena.

—Ah, vale.

—Y salta a la vista que no vas de zorra. —Luke cayó en la cuenta de algo—. Dios, ¿cómo va a llamarte ahora en su columna? Seguro que las cosas se ponen interesantes.

—Luke —dijo ella después de hacer una pausa prudencial—, ¿le has dicho a alguien que…? —Quería decir «nosotros», pero le parecía una mala elección de palabra—. ¿Que estás viviendo aquí?

—Todavía no —respondió él—. Ya te he dicho que se lo diré a los niños antes que a Hannah. Después de eso lo haremos oficial.

Poppy intentaba mantenerse ocupada. Salía prácticamente todas las noches. Durante el día también estaba muy atareada: si no estaba durmiendo la mona de la noche anterior, tenía algún tratamiento de belleza que hacerse o alguna entrevista con marcas de cosmética interesadas en que probara sus productos. Aunque no habían llegado a un acuerdo oficial, Brigita trabajaba cinco días a la semana, además de buena parte de los fines de semana, y su sueldo era tan alto que Poppy apenas podía permitírselo, a pesar de todo el dinero que estaba ganando. Todos los días daba gracias a Dios cuando veía que la cuenta que tenía en común con Luke seguía con fondos e intentaba no preguntarse cómo iba a apañárselas si la cosa cambiaba. Sabía que si se divorciaban, Luke le pasaría una mensualidad, pero la idea de perseguirlo al estilo de Heather Mills le resultaba horrorosa. Así que mientras le pasara la manutención de Clara, no reclamaría ni un penique para ella.

Luke la llamó por fin. Tuvieron una tensa conversación durante la cual le dijo que iría el sábado a ver a Clara.

Clara se levantó muy gruñona el sábado, más gruñona de lo que era habitual en ella.

—Papi va a venir a verte —le dijo Poppy durante el desayuno. Al ver que la niña no decía nada, le preguntó—: Cariño, ¿no te comes los cereales?

—No —contestó Clara, apartando el cuenco.

—¿Tiene demasiada leche? —Ese solía ser el gran error.

—Uf.

—¿O hay poca?

—Brrrr.

—Una cucharadita nada más. Por mamá.

—¡No! —Y comenzó a berrear.

Poppy intentó tranquilizarla.

—Una por Brigita.

—Vete, mami. —Clara siguió llorando de forma desconsolada—. Sueño.

—¿De verdad? —Poppy sintió cierta alarma. Tirarse pedos en público, derramar agua en el suelo del baño y negarse a comer cualquier hortaliza que fuera verde eran comportamientos habituales en Clara. Quejarse porque tenía sueño, no—. ¿Quieres ver la tele?

—¡Nooo!

De modo que la llevó de vuelta a la cuna y disfrutó de una inesperada mañana de relax, con baño perfumado incluido. Cubierta por una toalla, fue a echar un vistazo a la niña. Una hora después, subió de nuevo. Clara seguía dormida, con el pelo rubio revuelto y empapado por el sudor. Le tocó la frente. Estaba más caliente de lo normal, así que la dejó dormir hasta la hora del almuerzo. Cuando se despertó, la niña se bebió dos vasos de agua de un tirón, se comió un trocito de pan y echó la casa abajo con sus gritos cuando Poppy intentó ponerle el termómetro. Así que dejó que volviera a dormirse.

Estaba planteándose llamar al médico para que hiciera una visita a domicilio cuando sonó el timbre. Al abrir la puerta se quedó sin aliento. Se le había olvidado lo guapo que era Luke, y también lo viejo. Parecía mucho más cansado que de costumbre. Más canoso, más fofo, como un peluche al que le hubieran quitado parte del relleno.

—Hola.

—¿Dónde está mi bichito?

—Dormida. Creo que ha pillado algún virus.

Luke reaccionó como si le hubiera dado una bofetada.

—¿No puedo verla?

—Claro que puedes verla. Pero no creo que vaya a hacerte mucha compañía, la verdad.

—La he echado mucho de menos.

Poppy se mordió el labio.

—Y ella a ti. Pasa.

Clara seguía dormida. Respiraba de forma superficial y estaba muy colorada.

—¿Está bien?

—Ya te he dicho que creo que ha pillado un virus. No me ha dejado que le pusiera el termómetro. Cuando se despierte, le daré un antitérmico. —Miró a Luke—. ¿Qué quieres hacer?

—Sentarme aquí a su lado un rato. Cuando se despierte, le leeré un cuento.

—Entonces me voy. ¿Cuánto tiempo piensas quedarte?

—Un par de horas —contestó él al tiempo que se encogía de hombros.

—Vale. Volveré sobre las cuatro. Si ves que empeora, llámame.

Podría haber ido de compras, en busca de un collar que combinara con el top amarillo y verde que pensaba ponerse esa noche, pero no estaba de humor; así que se limitó a pasear por el canal y acabó sentándose en un banco desde donde contempló a una familia de patos. Las lágrimas llegaron sin más. Ver a Clara con Luke le había hecho comprender el gran error que había cometido. Otra niña que crecería sin padre y con una madre obligada a trabajar a todas horas para sobrevivir. Aunque creyó que había roto el círculo al casarse con Luke, parecía que no había forma de engañar al destino.

Recordó los planes para la noche. Había decidido asistir a la fiesta de inauguración de una galería de arte en Regent's Park. Meena no podía acompañarla, ya que la esperaban en Wembley porque era el cumpleaños de su hermano. Un mes antes no habría ido sola ni loca, pero en esos momentos le daba igual. Lo que le preocupaba era dejar a Clara si estaba enferma.

La fiesta parecía un acontecimiento glamouroso y, además, a ella le gustaban las galerías de arte. Si la gente era aburrida, se distraería con los cuadros. Pero eso era lo de menos. Tenía que ir porque ese era su trabajo, más que un entretenimiento que le proporcionaba unos ingresos extra para caprichos. No podía escaquearse cada vez que le diera la gana, porque tenía que ganar dinero para vivir y mantener a Clara. No obstante, la salud de su hija era lo primero. Brigita llegaría a las seis. Decidió pedirle consejo para saber cuál era la decisión más acertada.

Cuando volvió a casa a las cuatro en punto, Luke tenía a Clara en brazos, pero la niña intentaba taparse los ojos y tenía muy mal aspecto.

—Hay luz, mami. Quiero dormir.

Poppy extendió los brazos y Luke se la pasó.

—¿Estás bien, tesoro?

—¡Luz!

—¿Quieres agua?

—Ya se ha bebido un vaso —contestó Luke—. Y a las tres le di el antitérmico. ¿Vas a llamar al médico si empeora?

—¡Claro!

Luke se arrodilló y besó a su hija.

—Cariño, papi tiene que irse, pero vendrá pronto a verte.

Las noticias dejaron desolada a la niña.

—No te vayas, papi.

—Tengo que irme.

Clara se lanzó hacia él y se abrazó a sus piernas entre alaridos. Luke intentó apartarla mientras Poppy se esforzaba por contener las lágrimas.

—Cariño, papá tiene que irse, pero volveré pronto. Te lo prometo.

—¡Noooo!

—Te quiero. —E intentando hacerse oír por encima de los chillidos, le dijo a Poppy—: Tenemos que hablar tranquilamente.

—Lo sé.

—Tal vez la semana que viene. Ya quedaremos un día para almorzar. —Esbozó una sonrisa triste—. Tendré todos los días desocupados.

—La semana que viene tengo planes. Un montón de entrevistas y sesiones de fotos. Miraré la agenda y ya te diré qué podemos hacer.

—Vale. —Luke se arrodilló para besar a su llorosa hija.

—Tesoro, te quiero. Volveré pronto a por ti e iremos al zoo.

Clara siguió chillando durante una hora entera. Poppy intentó darle de comer, pero la niña acabó tirando toda la comida al suelo. La llegada de Brigita supuso un gran alivio para ella.

—¿Crees que está bien? No sé si salir esta noche.

Brigita frunció el ceño.

—Tiene fiebre y una pequeña erupción. Creo que es posible que tenga la varicela.

—¿Cómo?

—La varicela. Es normal entre los niños. No es grave.

—Debería quedarme en casa —dijo Poppy.

—No, no, mami. No te preocupes. No es nada serio. Sal. Diviértete. Brigita se ocupa de todo.

—¿Estás segura?

Poppy tenía sentimientos encontrados. Por un lado quería quedarse en casa; pero, siendo realista, ¿qué iba a conseguir con eso? Recordó el episodio del cumpleaños de Toby. Los niños se ponían enfermos a cada instante y se recuperaban en un abrir y cerrar de ojos.

—Estoy segurísima —contestó Brigita—. Si Clara empeora, te llamaré. Ahora ve a vestirte. No te pongas el vestido negro, te hace unas rodillas muy raras.

La fiesta se celebraba en una carpa montada en el centro de Regent's Park. Poppy tuvo que atravesar la marea de fotógrafos que la aguardaba a la salida de su casa y volvió a repetir la experiencia al llegar a la fiesta. Mientras caminaba bajo la marquesina que llevaba hasta la carpa principal, vio a Toby de pie frente al guardarropa. Se quedó petrificada un instante y después se volvió hacia un camarero de gesto inexpresivo, cogió una copa de champán y se la bebió de un trago, tras lo cual echó a andar hacia Toby.

—Hola —lo saludó con frialdad.

—¡Ah, hola! —Toby se inclinó y le dio un par de besos en las mejillas—. Me alegro de verte.

—Lo mismo digo —respondió con altivez.

Aunque no había planeado dejar ni la cazadora vaquera ni el bolso en el guardarropa, quería seguir charlando con Toby, de modo que se los dio a la chica francesa que estaba tras el mostrador. Sus sentimientos oscilaban peligrosamente. Lo había descartado por ser traicionero y superficial, pero nada más verlo sintió el impulso de pavonearse delante de él, de lograr que se arrastrase a sus pies a modo de venganza por ser un veleta.

—¿Cómo estás? —le preguntó.

—Muy bien. Poppy, mira... yo... lo siento. Había pensado llamarte, pero he estado muy liado últimamente. Supongo que tú también.

—Sí, es un no parar.

—¿Entramos? —sugirió él al tiempo que señalaba con la cabeza hacia la carpa donde la fiesta estaba en su apogeo.

Poppy lo siguió. Saltaba a la vista que el acontecimiento era más sofisticado de lo normal. Las glamourosas modelos y los miembros de los grupos de rock que solían formar parte del grueso de los invitados habían sido reemplazados por hombres de nariz aguileña y mujeres de dicción perfecta. Como siempre, Toby parecía estar en su salsa y se movía de un grupo a otro intercambiando apretones de mano y risas. Incómoda, Poppy lo siguió como si fuera su sombra. Aunque lo había descartado tachándolo de un lío pasajero, volver a verlo puso de manifiesto la innegable atracción que había entre ellos y también lo furiosa que se sentía por su forma de tratarla.

Se concentró en un chico vestido con una chaqueta verde de cuello mao cuyo nombre estaba segura de que le haría un nudo en la lengua si intentaba repetirlo.

—¿De qué conoces a Toby?

—Bueno, de vernos por ahí —contestó ella al descuido.

—En ese caso supongo que también conocerás a Inge.

El comentario le provocó una incómoda punzada.

—Mmm… pues no —dijo con una sonrisa forzada.

El chico parecía horrorizado.

—¡Dios! ¿He metido la pata? Soy un desastre.

Poppy soltó una falsa carcajada.

—Tranquilo, Toby no es mi novio. Solo es un… amigo.

—Menos mal. Pensaba que la había cagado. Si te digo la verdad, no me extrañaría que cortaran. Su relación nunca ha sido muy estable que digamos, pero desde que se mudó con ella a Shoreditch parece que la cosa va mejor. El caso es que ella viaja mucho por culpa del trabajo y, claro, a él se le presentan muchas tentaciones y… ¿te encuentras bien?

Hacía semanas que Thea no se sentía tan feliz. Luke había ido a ver a Clara y después había quedado con Tilly e Isabelle para llevarlas al teatro. Volvía a tener el sábado para disfrutarlo a solas: un baño en la sucia piscina local y una película en el cine de Brixton con un paquete de Lacasitos tamaño familiar. En ese momento, mientras el sol se ponía tras el horizonte, subió el volumen a la música —Bob, por supuesto—, dispuesta a meterse en la bañera con el agua perfumada casi hirviendo. Eso sí que era vida...

—Todo para mí —canturreó mientras se metía en el agua—, ¡y es la leeeeeeeeche!

Aunque no lo era tanto. Aún no había echado a Luke. Tal vez esa noche, cuando regresara. No, porque de todas formas tendría que dormir allí y sería ridículo. Mejor por la mañana, ya que así podría hacer los arreglos oportunos durante el día para marcharse. Ojalá ver a sus hijos le provocara remordimientos de conciencia y se diera cuenta de que debía volver a casa.

Cogió el móvil para disfrutar de una larga conversación con Rachel, a la que le faltaban tres días para cumplir los nueve meses de embarazo. Estaba a punto de marcar cuando oyó el móvil de Luke en el dormitorio, una canción tontísima de estilo hip-hop que alguno de sus hijos le habría puesto. Mierda. Se lo había dejado. Claro que ese no era su problema. Marcó el número de Rachel.

—Hola, ahora mismo no puedo ponerme.

Su gozo en un pozo. Le dejó un mensaje preguntándole si se había puesto de parto y metió la cabeza debajo del agua. Cuando salió, el teléfono de Luke seguía sonando. El buzón de voz, seguro, indicándole que tenía un mensaje. Sonaría dos veces más y luego se callaría.

Pero no lo hizo. Porque siguió sonando. Y siguió. Y siguió.

—¡Por el amor de Dios! —gritó después de escuchar la horrorosa canción durante diez minutos—. ¡Ya voy!

Salió hecha una furia de la bañera, se cubrió con una toalla y abandonó el cuarto de baño descalza para apagar el móvil. Sin embargo, cuando lo cogió vio que en la pantalla decía «Brigita». Uno de los rollos de Luke, pensó malhumorada. Hasta que lo recordó: la niñera de Clara. Estaba a punto de activar directamente el buzón de voz cuando Brigita volvió a llamar. Luke no habría sido tan cerdo para enrollarse también con ella, ¿verdad? Viniendo de él, se esperaba cualquier cosa. Enfadada, respondió:

—¿Diga?

—¿Luke? ¿Dónde está Luke?

—No está aquí. Está en el teatro.

—Ay, no. —La voz de Brigita sonaba aterrada.

Thea sintió un escalofrío en la espalda.

—¿Qué pasa? ¿Qué ha pasado?

—Estoy en el hospital con Clara. No podía respirar. Tenía un sarpullido, así que la traje y los médicos dicen que puede ser meningitis. Y no localizo a Poppy. Ni a Luke. ¡Ayúdame, por lo que más quieras!

47

Desesperada por encontrar a Luke, Thea llamó al teatro.

—Lo siento —le dijo una mujer con voz nasal—. Acaba de terminar el intermedio y no podemos avisar a los espectadores hasta que termine la obra.

—¿Y cuándo termina?

—Dentro de dos horas. ¡Para su información, es *Hamlet*! Muy larga.

—¡Lo siento pero me da igual! —gritó Thea—. Su hija está en el hospital. Puede estar muriéndose. ¡Avíselo ya!

La mujer exhaló un suspiro teatral.

—Bueno, haré una excepción por una niña moribunda…

Mientras avisaban a Luke por los altavoces entre las protestas de un auditorio a rebosar, Thea llamó a Brigita para localizar a Poppy.

—Iba a una fiesta, pero no contesta al teléfono —respondió la niñera entre sollozos.

—¿A qué fiesta? —«Zorra estúpida, muy bonito cuando tu hija está enferma.»

—No lo sé. —Brigita se devanó los sesos en busca de algo que pudiera ayudar—. Llevaba un vestido, no vaqueros, así que tiene que ser de lujo.

—Eso no ayuda mucho. —Thea se mordió el labio. Sus años de experiencia periodística la habían convertido en un as del rastreo—. ¿Ha ido en taxi, en metro…?

—Ha llamado a un taxi.

—¿Sabes el nombre de la compañía?

—Sí. Cooper's. Es la que siempre usa.

—Pues llamaré a Cooper's —decidió Thea.

Poppy había estado bebiendo a buen ritmo. Las luces aumentaban y disminuían de intensidad conforme se movía por la galería. Era consciente de que la gente la miraba mientras se acercaba a Toby, pero le daba igual.

—Toby, ¿quién es Inge?

Una expresión muy fugaz, pero inconfundible, delató su inquietud.

—¿Quién te ha hablado de Inge?

—Ese tío de allí. Me ha dicho que vives en su casa de Shoreditch.

Un suspiro pesaroso.

—Creí que lo sabías.

—¿Cómo iba a saberlo? Porque parece que se te olvidó decírmelo. «Mira, este es mi piso. Ah, por cierto, no uses la crema hidratante que hay en el cuarto de baño porque es la de mi novia.»

—Bueno… La verdad es que es mi prometida. —Saludó con la mano a un indio que pasó de largo—. Rav, estaré contigo enseguida. Lo siento, Poppy, creí que lo sabías.

—No seguirá siendo tu prometida cuando se entere de lo nuestro.

Toby se quedó pasmado.

—No hay un «lo nuestro». Nos hemos divertido, nada más.

—Ha sido mucho más —protestó ella—. Te acostaste conmigo.

Lo vio menear la cabeza.

—Joder, creí que tú lo entenderías mejor que nadie. Al fin y al cabo estás casada, tienes mucho más que perder que yo.

Poppy se sintió como uno de los castillos de Clara cuando le sacaba una pieza de la base. Se dio cuenta de que en el fondo había esperado que Toby fuera su caballero andante, el que aparecería antes de los créditos del final para salvarla. Mientras se derrumbaban todos sus sueños, comprendió que nadie iba a salvarla, que estaba sola. No podía echarle la culpa. Ella era la única culpable.

—¡Poppy, vuelve!

Pero ella se alejó entre la multitud.

El hombre de los taxis Cooper's con quien habló estaba disfrutando de su posición de autoridad.

—Lo que me pides es información confidencial, preciosa. —Chasqueó la lengua—. Podrías ser una acosadora o algo así, ¿no?

—La hija de esa mujer está muy enferma en el hospital. Si no la encuentro, no sé si llegará a tiempo.

Se produjo un largo silencio.

—Llamaré a Abdul. —Otro silencio, tan largo que Thea estaba a punto de colgar para intentarlo de nuevo cuando por fin volvió a oír al hombre—. La llevó a la Galería Sanition en Regent's Park.

Thea no conseguía encontrar el número de la galería, seguramente porque al ser algo temporal no tenía. Soltó un taco y llamó a Brigita de nuevo.

—¿Cómo está?

—Nada bien. Está conectada a una máquina de soporte vital. Si no responde al tratamiento, dicen que a lo mejor van a tener que amputarle la pierna para detener la infección.

—¡Joder! —exclamó Thea—. Me meto en el coche ahora mismo.

Tardó cuarenta minutos en llegar a Regent's Park, un tiempo récord para Londres pero una eternidad dadas las circunstancias. Soltó un sinfín de barbaridades en todos los semáforos y deseó las peores enfermedades venéreas a todas las parejas de tortolitos que cruzaban por los pasos de peatones. Cuando por fin llegó, tuvo que dar cuatro vueltas a la manzana para encontrar un aparcamiento. Después de dejar el coche en un hueco donde solo cabría un cochecito de bebé, salió a toda velocidad, cruzó la verja de metal que daba al parque, dejó atrás a grupos de amigotes que disfrutaban de picnics al atardecer y corrió hacia la enorme carpa blanca.

—Lo siento —dijo un guardia de seguridad extendiendo un brazo muy musculoso para detenerla—. Su invitación, por favor.

—Se me ha olvidado.

El segurata observó con desdén su cara sin maquillaje, su pelo todavía húmedo, los vaqueros desgastados y la sudadera sucia.

—Sin entrada te quedas fuera, guapa.

—No, ¡no lo entiende! Tiene que dejarme entrar. Mi… mi amiga está en la fiesta, pero su hija se ha puesto muy enferma y está en el hospital. Tengo que decírselo.

—Claro, claro. Ahora sí que lo he oído todo.

—¿Crees que intentaría colarme en tu estúpida fiesta con estas pintas?

El segurata se encogió de hombros.

—La gente hace un montón de tonterías para estar en la misma habitación que Kate Moss. —Le dio la espalda.

—¡Por el amor de Dios! —exclamó Thea—. ¡Se está muriendo una niña!

El hombre volvió a mirarla.

—Estás muy mal si intentas algo así.

Thea comprendió de repente de dónde encontraba la gente la fuerza para levantar coches y rescatar a otras personas atrapadas. Agachó la cabeza, se lanzó contra el segurata y se escabulló por debajo de sus brazos.

—¡Oye, imbécil! ¡Vuelve aquí!

Echó a correr tras Thea, pero ella ya se había colado en la carpa. Una banda de música estaba tocando y la pista de baile estaba a reventar. Más bien se lanzó sobre la multitud antes de abrirse paso entre los bailarines.

—Lo siento —dijo cuando Elle Macpherson gritó de dolor porque le aplastó el pie—. Perdona.

Y por fin vio a Poppy, en mitad de la pista, moviéndose sin ton ni son al compás de la música. Por un segundo Thea se quedó quieta y la observó. Era guapísima, pero parecía muy perdida. Y otra vez llegó a la conclusión de que por mucho que le encantara odiar a Poppy Norton, la única emoción que la embargaba era la lástima.

Sin embargo, no podía perder tiempo con esas ideas. Pasó junto a un hombre delgaducho vestido con un pareo y dio unos golpecitos a Poppy en el hombro.

—¡Poppy! ¡Poppy!

La susodicha la miró con una expresión tan vacía como las balas en una película de acción.

—Soy yo, Thea. Una… una amiga de Luke.

—¿Qué coño quieres? —preguntó Poppy, cabreada.

—Es Clara. Está muy mal. En el hospital. Meningitis. Tienes que ir ahora mismo.

La cara de Poppy, que ya estaba blanca, perdió el poco color que le quedaba.

—¿Clara?

—Sí, Clara. Vamos, tenemos que irnos.

Poppy no se movió.

—¿Por qué no me ha llamado Brigita? Me prometió que llamaría.

—Y lo ha hecho. Pero no lo has cogido. —Thea empezó a tirar de ella por la pista de baile—. Vamos, tenemos que irnos.

—Me he dejado el móvil en el bolso, en el guardarropa. —Poppy se paró en seco y miró a Thea a los ojos—. Qué tonta soy. ¿Cómo coño he sido capaz de hacer algo así?

—Da igual —contestó Thea.

—No, no da igual. Lo dejé para poder hablar con Toby. Soy idiota.

—¡Vamos! —Thea siguió tirando de ella hasta salir de la carpa.

—¡Allí está! —gritó el guardia de seguridad al verla—. Sí, esa es la listilla.

—¡Vete a la mierda! —le gritó ella por encima del hombro mientras seguía arrastrando a una medio paralizada Poppy por la hierba chamuscada por el sol—. ¡Vamos! Voy a llevarte al hospital.

Cruzó la verja por la que había entrado y apuntó con el llavero hacia el lugar donde había dejado el coche.

Ningún sonido.

—¿¡Qué coño pasa!? —Sin embargo, comprendió al instante lo que había ocurrido. Se había ido sin cerrar el coche, como si fuera la protagonista de una película. Pero los coches sin cerrar no duraban mucho en el centro de Londres. Aunque ya se preocuparía de eso más tarde—. Cogeremos un taxi —dijo al tiempo que miraba a ambos lados de la calle. No vio nada con luces en el techo—. Vamos. Tendremos que ir hasta Baker Street para encontrar uno.

—¿Poppy? —dijo una voz masculina tras ellas. Thea giró la cabeza. Era un rubio de mediana edad trajeado que les sonreía mientras cerraba la puerta de su Skoda—. No te irás ya, ¿verdad? Porque yo acabo de llegar.

—¡Charlie! —exclamó Poppy antes de echarse a llorar.

—¿Estás bien?

—No, no lo estoy. Clara está en el hospital y no encontramos taxi.

El rostro arrugado de Charlie se descompuso.

—No te preocupes —la tranquilizó—. Ya os llevo yo.

Desde el asiento delantero del coche de Charlie, Poppy se volvió para interrogar a Thea.

—¿Sabes algo de Luke?

—Ya debería estar allí. No pude llamarlo al móvil porque se lo había dejado olvidado. —Lo sacó de su bolso—. Volveré a llamar a Brigita.

—¿Cómo he sido capaz de hacer algo así? —se recriminó Poppy—. Soy una mala madre, soy una madre malísima.

—No, no lo eres —la contradijo Charlie—. Has ido a una fiesta, nada más.

—Pero Clara estaba muy enferma. Debería haberlo notado. —Se volvió hacia Thea de nuevo—. Gracias por venir a buscarme —dijo—. Has sido muy amable.

Antes de que a Thea se le ocurriera algo que decir, llegaron a las puertas del hospital.

48

La noche se transformó en día, pero para Poppy y Luke el tiempo se había detenido. Estaban inmersos en un sofocante mundo con suelos de linóleo, llantos en los pasillos, susurros apagados, un intenso olor a lejía, miedo por todos lados y tostadas frías que llegaban a unas horas muy extrañas. Bajo la desagradable e intensa luz del hospital, Clara parecía mucho más bonita y más frágil que cuando era un bebé recién nacido. Tenía los ojos cerrados, un tubo insertado en la nariz y una vía en el brazo, y lo único que se oía en la habitación era el pitido intermitente del monitor y los sollozos de Poppy.

—No pasa nada —dijo Luke poniéndole una mano en el brazo—. Le están dando antibióticos por la vía y eso hará que se ponga mejor. La han cogido justo a tiempo.

—¿Y si no hubiera sido así? —preguntó Poppy, que comenzó a acariciar la frente a su hija.

Llevaba toda la noche a su lado y había visto a Clara sufrir una punción lumbar, tras lo cual había pasado un par de horas conectada a un respirador artificial. Seguiría velándola hasta que estuviera totalmente curada.

—Cariño —dijo—, lo siento. Siento mucho no haber estado contigo —volvió a susurrar. Miró a Luke—. Brigita se portó muy bien al traerla al hospital.

—Lo sé.

—Y Thea se portó como una campeona al encontrarnos.

—Sí. —A lo que añadió con sequedad—: No me extraña. Es una gran periodista.

—Se portó muy bien conmigo —siguió Poppy—. Antes me parecía una estúpida, pero anoche estuvo genial. —Un silencio y luego añadió—: Pero ¿cómo se enteró de que Clara estaba enferma? —Con todo el jaleo, no se había parado a pensarlo.

Luke no dijo nada.

—Brigita intentó localizarte a través de la oficina, claro —dijo Poppy, que sonrió por su capacidad deductiva—. Seguro que estaba tan nerviosa que se le olvidó que ya no trabajas allí.

—Seguro —repitió Luke justo cuando se oía un alboroto en el pasillo.

—Poppy, cariño. Poppy, ¿estás ahí? ¿Por qué le pasa esto a mi preciosa Clarabelle? —Louise entró en tromba en la habitación, seguida de Gary—. ¡Dios mío! —gritó al ver a su nieta—. ¡Es verdad! —Se arrojó a los brazos de Gary y siguió llorando a moco tendido—. ¡Ay, Dios mío! ¡Ay, Dios mío! ¿Qué voy a hacer?

—¿Qué ha pasado? —preguntó Gary, mirando a Poppy por encima de la cabeza de la temblorosa Louise.

—Tendrá que quedarse ingresada unos días, pero dicen que se recuperará.

—¡Ay, Dios mío! ¡Estaba muerta de miedo! ¡Muerta!

—Mamá, te dije que todo estaba controlado.

—Pero tenía que verla con mis propios ojos. —Louise meneó la cabeza—. Menos mal que Gary vino a casa para que fuéramos a ver el partido de golf y ha podido traerme, porque yo no estaba en condiciones de ir sola a ningún lado.

—Bien hecho, Gary —dijo Poppy.

Él asintió con la cabeza bruscamente.

—Jamás en la vida lo he pasado tan mal.

—Clara ha debido de pasarlo peor —dijo Gary, y Luke esbozó una fugaz sonrisa por primera vez en doce horas.

Alguien llamó a la puerta.

—Adelante —dijo Luke, pensando que podía ser uno de los médicos.

Sin embargo, era Charlie, cuyo aspecto también indicaba que había pasado toda la noche despierto.

—Hola, chicos, siento molestar. Solo quería ver si las cosas iban bien.

—No irás a sacar esto en el periódico, ¿verdad? —le preguntó Luke con los ojos entrecerrados.

—¡Luke! Por supuesto que no va a hacerlo. —Poppy estaba furiosa—. Clara va a ponerse bien. Charlie, muchísimas gracias por todo lo que hiciste anoche. —Se acercó a él y lo abrazó.

—Ha sido un placer —contestó él al mismo tiempo que Louise soltaba un chillido sofocado.

—¿Charles Grimes?

Charlie se tensó.

—Sí —contestó con recelo.

Louise se había quedado blanca por debajo del bronceado artificial.

—Sabes quien soy, ¿no?

Poppy los miró con expresión extrañada.

—¿O necesitas que te refresque la memoria? —siguió Louise—. El bar de Ronnie, en Saint Tropez. A principios de los ochenta. Los Yes de fondo, «Owner of a Loney Heart». Yo con una gorra de ala ancha. El apartamento encima del restaurante chino. Seis semanas maravillosas antes de que te tragara la tierra y me dejaras con dos palmos de narices y preñada.

Charlie clavó la vista en el suelo.

—Lo sé. Lo descubrí hace pocos días. Lulú Price.

—En persona. —Louise se volvió hacia Poppy con un rictus extraño en los labios—. Espero de corazón que no haya nada entre este hombre y tú, porque es tu padre.

49

Clara estuvo en el hospital una semana entera. Espantada por lo cerca que había estado de perderla, Poppy casi no se apartó de su lado. Debido a la llamada tan pública de Luke en el teatro, los periódicos se llenaron de historias sobre la carrera desesperada del sinvergüenza y la zorra hacia el hospital, pero en cuestión de pocos días Paris Hilton encontró un novio nuevo y el mundo se concentró en otras cosas.

Poppy y Luke pasaron más tiempo juntos que en cualquier otro momento de su breve matrimonio, y mientras Clara dormía, hablaron muchísimo más de lo que habían hablado nunca.

—Los dos sabemos que no funciona —reconoció ella—. Me casé contigo por los motivos equivocados. No estaba preparada para casarme. Necesitaba a alguien que me protegiera. Y tú te casaste conmigo porque estaba embarazada. —Cuando Luke intentó negarlo, ella levantó la mano para que guardara silencio—. Lo hiciste. Fue muy noble de tu parte, pero no fue justo. Hice algo malo, y lo único que puedo hacer ahora para remediarlo es dejarte libre. Dejarte volver a tu antigua vida.

—No creo que eso sea posible.

—Me iré de casa —siguió Poppy—. Encontraré algo para Clara y para mí. Podrás verla cuando quieras.

Luke meneó la cabeza.

—No, me iré yo. Bueno, ya lo he hecho. Pero vosotras deberíais seguir viviendo allí.

—Gracias, pero no puedes permitirte que sigamos viviendo en casa. No tienes trabajo. Tienes que reducir un poco tus gastos.

—No puedo abandonaros a Clara y a ti —dijo Luke.

—Podemos mudarnos a un sitio más pequeño. Menos elegante. Estaremos bien.

A Luke se le formó un nudo en la garganta. Poppy había perdido muchísimo peso en los últimos días. Le resultaba preocupante que alguien mucho más joven que él pudiera llegar a conclusiones tan maduras sobre la vida que habían compartido.

Extendió un brazo y recorrió su mentón con un dedo.

—¿Estás segura, Poppy? A lo mejor deberíamos intentarlo de nuevo. Por el bien de Clara, al menos.

Ella negó con la cabeza.

—No funcionaría. En serio. Debemos acabar con todo ahora, antes de que Clara sea lo bastante mayor para entender las cosas.

Luke sabía que tenía razón. En cierto modo se sentía aliviado de que lo dejara libre.

Aun así, sintió una profunda tristeza por haber destrozado tantas vidas de esa manera.

—Eres una mujer increíble, lo sabes, ¿no? Has criado a Clara prácticamente tú sola y ha salido bastante bien.

—Yo no lo tengo tan claro. Ser madre es muy duro. Nunca sabes si lo estás haciendo bien. Y cualquier cosa buena se debe a Brigita, no a mí.

—Se debe a ti. Lo has hecho de maravilla.

A Poppy se le llenaron los ojos de lágrimas.

—¿Por qué no me lo habías dicho antes?

—Porque acabo de darme cuenta.

Luke estaba al borde de las lágrimas cuando Clara se desperezó y empezó a abrir los ojos.

—¡Hola, cariño! —la saludaron a la vez.

—Mami —dijo la niña, indignada—. Papi. Chocolate.

Charlie fue a visitarlos al hospital al tercer día. Poppy seguía sin poder asimilar la revelación de su madre, aunque no se lo había tomado tan mal como la propia Louise que, después de señalar con el dedo al hombre que le había arruinado la vida, salió de la habitación de su nieta directa al pub que había enfrente del hospital, donde ordenó a Gary que le pidiera el gintonic más grande que pudieran servirle, seguido de un segundo y de un tercero.

—Me he quedado pasmada —le dijo Poppy a Charlie en la cafetería del hospital mientras se tomaban un par de tés en sendos vasos de plástico. Las enfermeras les habían jurado que los avisarían si Clara se despertaba.

—Pues ni la mitad que yo. No paraba de pensar: «Por Dios, soy tan viejo que esta chica con la que me encuentro en todos lados podría ser mi hija», y resulta que lo eres. Y que tengo una nieta.

El recuerdo de aquella noche en la que se abalanzó sobre él para besarlo planeó sobre ellos como un pájaro de mal agüero, pero ninguno de los dos lo mencionó ni lo mencionaría jamás.

—Pero lo suponías —dijo Poppy.

—Empecé a sospecharlo. El comentario que hiciste sobre tu madre y el sur de Francia en los ochenta me hizo pensar.

—Y cuando me llevaste a casa, te pusiste a husmear. Brigita me lo dijo.

—¿De verdad? Lo siento mucho. Estuvo muy mal, pero tenía que averiguarlo. Aunque no tenías ninguna foto de tu madre, me puse a buscar en Google y encajé todas las piezas.

—¿Pensabas decírmelo?

—Claro. Fui a Regent's Park con la esperanza de concertar una cita contigo para llevarte a algún sitio tranquilo y contártelo. Me moría de los nervios. Me aterraba que me rechazases. Pero el destino nos ayudó.

—¿No se te ocurrió buscarme antes? —preguntó Poppy—. ¿Cuando era pequeña? —Una parte de ella se sentía furiosa. Siempre había querido saber dónde estaba su padre, por qué él no se había molestado en buscarla.

Charlie extendió las manos.

—Claro que sí. No pensaba en otra cosa. Pero recuerda que después de dejar a tu madre pasé seis meses en desintoxicación. Sin contacto alguno con el mundo exterior. Cuando salí, me esperaba una carta de Louise diciéndome que había tenido un bebé, pero que no quería saber nada de mí. Ni siquiera sabía si eras niño o niña. Por supuesto que le escribí unas cuantas veces, pero no obtuve respuesta, y al final me rendí. Decidí labrarme un futuro mejor. —Se encogió de hombros con una mueca burlona—. Aunque, como puedes ver, tampoco es que lo haya conseguido.

—Tu fotografía sale todos los días en el periódico.

Charlie sonrió.

—A estas alturas deberías saber que el hecho de que tu foto salga en los periódicos no quiere decir nada. La verdad es que tengo cuarenta y cinco años, vivo en un apartamento de un solo dormitorio en Crouch End, tengo un trabajo ridículo y unas novias que me dejan en cuanto se enteran del futuro tan negro que me espera. —La miró con tristeza—. Al menos ahora tengo una especie de familia.

Poppy lo abrazó.

—Claro que la tienes. Y nada podría hacerme más feliz. Clara y yo vamos a verte muy a menudo, que lo sepas.

—Bueno, ¿qué vas a hacer ahora? —preguntó Charlie.

En esa ocasión fue Poppy quien se encogió de hombros.

—No lo sé. Supongo que seguir con la columna. ¿Qué otra cosa puedo hacer? Sobre todo ahora que voy a ser madre soltera.

—¿Qué quieres decir con eso de «madre soltera»? Sigues casada con Luke. Solo habéis atravesado un bache.

—Soy una madre soltera —insistió Poppy.

Charlie le cogió la mano.

—¿Por qué no lo intentas de nuevo? Yo mejor que nadie sé que hay que esforzarse para que las cosas salgan bien.

Poppy meneó la cabeza con firmeza.

—Si Hannah no acepta a Luke, es problema suyo. Pero yo no puedo retenerlo. Nunca podré hacerlo feliz.

—Ni tú ni nadie, creo.

—Voy a dejar de beber. Tenías razón. Se me estaba yendo un poco de las manos.

—Lo llevas en la sangre. Detesto tener que decirlo, pero creo que deberías abstenerte del todo.

—¿En serio?

Charlie afirmó con la cabeza.

—Agua mineral a partir de ahora.

—Mejor tónica. Con una rodajita de limón casi puedes saborear la ginebra.

Charlie volvió a darle un apretón en la mano y siguieron sentados en silencio, sin terminar de creerse que se hubieran encontrado.

Thea estaba en la oficina, intentando encontrar a una monja que estuviera dispuesta a acudir al plató para enfrentarse al primer ministro por su postura respecto al aborto cuando su teléfono sonó.

—¿Hablo con Thea? —preguntó una voz femenina muy joven.

—Sí soy yo. ¿Es la hermana María?

Al otro lado de la línea se oyó una carcajada tan delicada como si le hubieran echado suavizante.

—No me sorprendería acabar en un convento. Pero no, soy Poppy. Poppy Norton.

—¡Ah! ¿Cómo estás? ¿Cómo está Clara? —Seguro que había averiguado lo suyo con Luke y la llamaba para ponerla a caldo.

—Se está recuperando muy bien. Mañana podremos llevarla a casa. Hemos tenido mucha suerte. Solo quería agradecerte que fueras a buscarme esa noche. Si no lo hubieras hecho, no sé qué…

Thea tragó saliva.

—Clara se habría recuperado de todas maneras —la interrumpió con voz gruñona.

—Eso da igual. La cosa es que llegué al hospital. Te debo una. Aunque no sé muy bien cómo devolvértela.

—No te preocupes. Cualquiera habría hecho lo mismo.

—Adiós, Thea.

—Adiós.

A Thea le costó concentrarse en la hermana María por el sentimiento de culpa. Era incapaz de aplazarlo más, esa noche hablaría con Luke.

Llegó a casa poco después de las nueve. No esperaba verlo. Podría decirse que Luke había estado viviendo en el hospital, ya que solo volvía para dormir o ducharse. Pero esa noche la puerta principal no estaba cerrada con llave dos veces y lo descubrió sentado frente al televisor, con su habitual whisky doble en la mano. Era una cálida noche de verano, y la ligera brisa que entraba por la ventana llevaba consigo el reggae que amenizaba la barbacoa que estaban haciendo al final de la calle.

—¿Cómo está Clara? —le preguntó.

—Vuelve a casa mañana. —Luke la miró a los ojos—. Y yo también.

—¡Vuelves con Poppy! —Le salió como un grito.

Como era de esperar, Luke lo malinterpretó.

—Lo siento, Thea —dijo al tiempo que se levantaba—,

pero ya he cometido demasiados errores. No puedo seguir yendo de mujer en mujer cada vez que las cosas se tuercen. Tengo que volver a casa.

—Lo entiendo —le aseguró ella.

Luke no acababa de creérselo. Sabía que estaba siendo un cerdo al destrozar tan pronto el sueño de la señorita Moneypenny después de haber alcanzado la dicha conyugal con él. Pobre Thea. Le esperaba un futuro repleto de gatos que serían como sus hijos y de clases de manualidades nocturnas. Sin embargo, ya había malgastado demasiado tiempo esos últimos años viviendo una mentira, y se negaba a seguir haciéndolo.

—¿Qué quieres decir con eso de «Lo entiendo»?

—Pues eso, que lo entiendo. —Thea se encogió de hombros y fue a la cocina—. Voy a ponerme una copa de vino. ¿Quieres?

Luke la siguió.

—¿No quieres saber por qué lo dejo?

—Minnie Maltravers ha llamado para decirte que no puede vivir sin ti.

—¡No digas tonterías! —exclamó malhumorado mientras Thea se apartaba del frigorífico y lo miraba con una sonrisa muy rara, un tanto compasiva.

—Mira, Luke, no te preocupes. Lo nuestro no funciona. Tú y yo nos lo hemos pasado muy bien estos años, pero todo se basaba en habitaciones de hotel, destinos exóticos y aventuras. Lo nuestro no va de vivir en un pisito de dos habitaciones en Stockwell ni de discutir quién tiene que bajar a la tienda para comprar aliño para ensaladas. No es así como te gusta vivir ni tampoco como me gusta vivir a mí. Te irá mejor con Poppy. Ella puede ocuparse de ti.

Debería sentirse aliviado porque le dejara irse con tanta facilidad. Sin embargo, Luke estaba enfadado: primero Poppy y después Thea lo dejaban libre con la despreocupación que emplearían para despachar a un albañil chapucero.

—No vuelvo con Poppy —la corrigió, contento por tener al menos ese as en la manga—. Vuelvo con Hannah.

Le produjo cierta satisfacción ver la expresión incrédula de Thea.

—¿Hannah? No te aceptará.

Se le escapó una breve carcajada.

—¿Has hablado con ella? Porque yo sí y está encantada de tenerme de vuelta.

Una nueva oleada de furia consumió a Thea al pensar en todos los años malgastados. Sin embargo, era una tontería mostrarle su frustración. Luke lo malinterpretaría al creer que reaccionaba así por su abandono. De modo que se limitó a decir:

—Es lo mejor que podría haber pasado. Al fin y al cabo, fui yo quien reenvió a Hannah el correo electrónico de Poppy. Así que me parece lógico que me dejes para volver con ella. Llámalo justicia poética si te apetece.

Luke la miró sin dar crédito.

—¿¡Tú le mandaste el correo!?

Thea se sonrojó y se encogió de hombros.

—Sí.

—¡Gilipollas! ¿Tú le mandaste el correo electrónico? —Luke se volvió hacia la ventana y clavó la vista en el exterior—. ¿Sabes todo el daño que has hecho, Thea? ¿Te lo imaginas siquiera? Ese mensaje destrozó a mi familia. Arruinó la vida de muchas personas.

—Lo sé. Y lo siento. —La disculpa parecía poca cosa.

Era muy poca cosa, la verdad. Tendría que vivir con la culpa para siempre. Tal vez fuera el hecho de no haber conocido a su padre lo que la había hecho ignorar el papel tan esencial que los padres jugaban en una familia y lo mal que estaba intentar separarlos de estas.

—Tienes razón —convino Luke—. Estaré muchísimo mejor con Hannah. —Cogió su maleta—. Y cuanto antes me vaya con ella, mejor. Adiós, Thea.

—Adiós, Luke.

Debería estar contenta, pero cuando la puerta se cerró con un golpe, una enorme lágrima resbaló por su mejilla, seguida de una segunda y después de una tercera, ya que el sueño que llevaba alimentando tantísimos años acababa de sufrir una merecidísima muerte.

DE POR QUÉ EL DIVORCIO
NUNCA PUEDE SER LA RESPUESTA

por Hannah Creighton

Hace unas cuantas semanas se produjo cierto revuelo en la prensa cuando se hizo público que me había reconciliado con mi ex marido, Luke Norton, el que fuera presentador del *Informativo de las Siete y Media* y concursante de la edición de este año de *Strictly Come Dancing*. Supongo que en parte fue algo inevitable.

Desde que Luke y yo nos divorciamos hace tres años, después de que descubriera su aventura con Poppy Price —que ya tiene veinticinco años—, he relatado con pelos y señales el infierno que me hizo pasar, por no mencionar el que hizo pasar a nuestros tres hijos. A él lo apodé «el sinvergüenza» y a ella, «la zorra». Me burlé de él por su costumbre de comprar Viagra por internet y le dije al mundo que estaba mejor sin él.

Y desde luego, en ciertos aspectos, la vida sin Luke fue toda una revelación. Refloté mi olvidada carrera periodística, recobré antiguas amistades, viajé por el mundo y redescubrí gran parte de mi antigua pasión por la vida: una pasión que había quedado enterrada bajo las acuciantes exigencias de la maternidad. Sin embargo, y a pesar de mi aparente desparpajo ante semejante desgracia, era incapaz de aplacar el dolor de mi corazón, el dolor que toda mujer cuya familia se haya deshecho reconocerá, esa sensación de que debería haber luchado con más ahínco para salvar mi matrimonio.

Cuando descubrí la aventura de mi marido, gracias a un correo electrónico de su amante que llegó por arte de magia a mi bandeja de entrada, me dejé llevar por el desengaño, el orgullo y la furia. Después de pasar años volviendo la cara para no ver supuestas indiscreciones, el ama de casa devota y sumisa se rebeló de repente.

Sin dar a Luke oportunidad alguna para explicarse, lo eché de casa y lo envié a los brazos de su amante embarazada. Cuando me suplicó que lo aceptara de nuevo, me negué a escucharlo y le mandé los papeles del divorcio. Mis amigas me dijeron que había hecho lo correcto, que me había negado a ser una mujer sumisa, un felpudo. Y durante mucho tiempo las creí.

Sin embargo, y a medida que pasaba el tiempo, empecé a cuestionarme esas palabras. Aunque seguía furiosa con Luke, lo echaba de menos al igual que lo hacían mis hijos. Empecé a entender que sus infidelidades tal vez fueran espantosas, pero que no eran imperdonables. Me di cuenta de que a lo largo de los años de nuestro matrimonio había dejado de ser la vivaracha profesional con la que se había casado para convertirme en un muermo que solo hablaba sobre quién hacía la mejor mermelada de la fiesta del colegio o del piercing que tenía en la nariz la niñera de los vecinos. Engordé un montón de kilos y me paseaba por la casa en bata y con mis botas Ugg. ¿De verdad podía echarle la culpa por haberse cansado de mí?

Mientras meditaba sobre el desastroso estado de la que fuera nuestra grandiosa nación, me di cuenta de que no predicaba con el ejemplo precisamente. La anarquía de nuestras calles, el escaso civismo que rige casi todas nuestras relaciones diarias… todo se debe a los hogares destrozados. Luke y yo éramos dos adultos cabales que deberíamos haber sabido comportarnos de otra manera, pero nos negamos a despejar los espinosos caminos que bloqueaban nuestra relación marital, y en cambio decidimos coger la salida más rápida y fácil.

Empecé a decirme de todo. ¿Por qué no habíamos puesto más de nuestra parte para arreglar las cosas? Comprendí que Luke estaba pensando lo mismo. Las llamadas, los correos electrónicos y los mensajes de texto que me enviaba rogándome que nos viéramos para cenar, para hablar aunque fuera por teléfono… Me mandó flores y joyas, pero el orgullo me instó a devolverlo todo y a continuar jactándome ante los demás de lo feliz que era, aunque en realidad se me rompiera el corazón.

Por supuesto, no he estado sola todo este tiempo, pero me he dado cuenta de que por más encantador que sea mi nuevo amante, no puede reemplazar el vínculo que Luke y yo compartimos, construido a lo largo de casi dos décadas de increíbles experiencias vitales como la de tener hijos, la de instalar una cocina nueva o la de ser presentados a la reina durante una fiesta en los jardines del palacio de Buckingham.

Como era de esperar, cuando Luke me pidió volver a intentarlo, tuvimos que tener en cuenta a su jovencísima esposa y a su hija pequeña. ¿Era justo romper una nueva familia para arreglar la vieja? Tenía sentimientos encontrados al respecto, pero Luke me convenció de que era lo mejor. Poppy y él se habían casado porque las circunstancias habían empujado a uno a los brazos del otro y —como ya predije en su tiempo— habían descubierto casi al instante que su relación solo se basaba en una atracción sexual pasajera. Luke sigue viendo a su hija con asiduidad y Poppy se está labrando con tesón una nueva vida como presentadora de televisión y madre divorciada. Le deseo lo mejor del mundo.

Pero volvamos a Luke y a mí. Puedo decir con la mano en el corazón que el día que volvió a nuestra casa y a nuestra cama fue el más feliz de nuestras vidas. Más feliz incluso que el día de nuestra boda, porque ahora entendemos lo que significamos el uno para el otro. Hemos aprendido por las malas el verdadero significado del amor, la confianza y la familia. Nos han puesto a prueba y, pese a todo, la hemos superado. Ahora somos más fuertes que nunca, y no me arrepiento en absoluto de haberlo aceptado de nuevo. El éxito no reside en no cometer errores, sino en intentarlo, fracasar y volver a intentarlo. Muchas mujeres lo echan todo por la borda porque sus maridos no resultan ser perfectos. No entienden que para los hombres el sexo solo es eso, sexo.

Bien sabe Dios que no soy una santa. Luke sabe que esta es su última oportunidad. Si vuelve a descarriarse, ¡le corto los huevos! Pero confío en que no lo haga. Ahora sabe perfectamente lo que puede perder. Me valora y también valora a los niños, muchísimo más que antes, y cuando veo el brillo del amor en sus ojos todas las mañanas, sé que da igual lo que pueda pasar, porque merece la pena.

50

Era una plomiza mañana de mediados de septiembre y Poppy estaba intentando que Clara saliera de casa para ir al supermercado.

—¡No quiero el gorro! No es rosa.

El orgullo de Poppy al oír que su hija era capaz de pronunciar frases enteras quedó ensombrecido por la exasperación.

—Es morado y es precioso —replicó sin darle más importancia.

—Quiero un gorro rosa. ¡Quiero un gorro rosaaaaaaa!

—Cariño, no tienes ningún gorro rosa.

—Compra uno.

—¡Por el amor de Dios! —exclamó Poppy mientras Clara se tiraba al suelo y se ponía a chillar como si la estuvieran matando. Con semejante jaleo fue un milagro que oyese el teléfono—. ¿Sí? —dijo al coger el auricular. Tuvo que meterse un dedo en la otra oreja.

—Quiero… uno… rosaaaaaaaa.

—Madre mía. ¿Dónde estás, en un manicomio?

—Tu nieta quiere un gorro rosa.

—Ya —repuso Charlie con prudencia—. Bueno, para alegrarte el día, ¿has leído el *Sunday Prophet*?

—¿Estás intentando avisarme de algo?

—Lo último de tu querida amiga. ¿Quieres que te lo lea?

—No, tranquilo, lo leeré online. —Poppy pasó por encima de Clara, que seguía revolcándose en el suelo, se sentó delante del ordenador y comenzó a navegar como toda una experta—. ¿Sigues ahí? —preguntó mientras la página que buscaba se cargaba—. ¿Qué tal van las cosas?

—Bien, no puedo quejarme. Me estaba preguntando si necesitas que alguien cuide de la niña en los próximos días.

—Cualquier excusa es buena para venir a ver a esta caprichosa, ¿verdad? —le soltó de buen humor mientras esperaba a que el artículo apareciera—. No te preocupes, últimamente no salgo mucho por la noche y Brigita se encarga de cuidarla cuando tengo que hacerlo, pero si quieres, puedes venir el lunes. Es el primer día de Clara en la guardería y seguro que no daré pie con bola. Estoy muy nerviosa.

—Le irá bien.

—¿Y si no le gusta y me suplica que no la deje allí sola?

—No lo hará —contestó Charlie con la errada confianza de aquellos que jamás han tratado con niños—. ¿Has encontrado el artículo?

—Sí, espera que lo lea. —Lo ojeó con rapidez y se echó a reír—. Bien hecho, Hannah. Ha logrado darle la vuelta a una situación potencialmente embarazosa para ella.

—¿Hay algo de verdad en lo que dice?

—Por lo que yo sé, son felices —respondió Poppy—. Hannah lo tiene agarrado por donde tú ya sabes. Y como es ella la que mantiene a la familia, lo tiene de chófer para llevar y recoger a los niños de los colegios. Además, tiene que posar para esas fotos que acompañan sus artículos sobre su maravillosa vida familiar.

—¿Tú crees que volverá a encontrar trabajo algún día? —preguntó Charlie.

—Creo que no le pone mucho empeño. Su libro sale en febrero y Hannah insiste en que le dé mucha publicidad. «Yo sí que fui un sinvergüenza» y ese tipo de promoción, ya sabes. Y me ha dicho que va a escribir una autobiografía que le llevará un año de investigación y muchos viajes.

—Entiendo que quiera largarse, pero ¿y Clara?

—Lo hemos arreglado. Clara y yo nos reuniremos con él unos días en los lugares más tranquilos que visite. Me muero de ganas de viajar. Creo que cuando vea con mis propios ojos algunos lugares en los que ha trabajado, lo entenderé mejor.

—¿Eso significa que hay reconciliación en el horizonte? —Charlie parecía espantado.

Poppy se echó a reír. Al ver que la rabieta había pasado, levantó a Clara del suelo, le dio un beso en la nariz y, por segunda vez esa mañana, abrió la puerta de su nuevo apartamento en Shepherd's Bush.

—Ni de coña. Vamos, cariño. Tenemos que ir a por tu revista. ¿O prefieres un cuento?

—¡Los dos!

—Bueno… a lo mejor. —Cuando por fin estuvieron caminando por la acera cogidas de la mano, Poppy retomó la conversación con Charlie—. He pasado por todas las emociones con Luke. Amor apasionado. Aturdimiento. Tristeza. Odio. Y ahora, cuando hablo con él, siento… no lo sé, una especie de felicidad. Cometí un error al casarme con él, pero Clara fue fruto de nuestra unión, así que no puedo decir que me arrepienta de todo.

—Así me gusta.

—Además, Clara ha puesto fin a mi carrera de modelo, y no sabes lo que me alegra eso. De no ser por ella, no habría comenzado mi carrera como columnista porque no tendría una hija de la que los lectores quisieran saber. Y… supongo que con eso llegamos al punto en el que me encuentro.

—¿Con tu nuevo trabajo?

—Charlie, estoy muy nerviosa. ¿Crees que lo haré bien?

—Lo harás genial. Un programa sobre lugares donde pasar una tarde sin aburrirse. No se me ocurre ninguna otra cosa que pueda irte mejor.

—En una cadena que solo tiene cinco espectadores.

—En cuanto la gente se entere de lo bien que presentas el programa, seguro que habrá muchos más.

—Y todo gracias a ti y a la gente que me has presentado. No sabes cuánto te lo agradezco.

—No ha sido nada. —Hubo una pausa antes de que Charlie añadiera—: Te quiero, Poppy.

—Yo también te quiero, Charlie. Ah, por cierto. Cuando vengas, ¿te importaría traer una caja de herramientas? Es que el grifo de la cocina gotea. —Poppy se interrumpió de repente—. Perdona, acabo de ver a alguien que conozco. Luego te llamo.

Con Clara de la mano, cruzó la calle a la carrera.

—¡Hola! ¡Ay, Dios mío! Felicidades. No tenía ni idea.

Thea, que iba empujando un flamante cochecito de bebé, se ruborizó. El hombre bajito que la acompañaba se echó a reír.

—¿Es un niño o una niña? —preguntó Poppy al tiempo que se inclinaba para ver al bebé—. Ay, Dios, qué tonta soy. Pues claro que es un niño. ¡Si va todo de azul! Con lo que me desquiciaba que las ancianitas me preguntaran si era niño o niña cuando Clara siempre iba vestida de rosa y con un lazo en el pelo…

—Mmm… no es mío —la interrumpió Thea.

—¿Cómo dices?

—Que no es mío. Es de mi amiga Rachel. Estamos dando un paseo mientras sus padres eligen alianzas.

—¡Ah, vale! —exclamó Poppy mientras se inclinaba de nuevo para observar al bebé dormido y disimular el bochorno—. Claro. Solo hace un par de meses que me llevaste al hospital y la verdad es que no parecías estar embarazada. ¡Ay, qué cosa más bonita!

—Pues sí —convino Thea con reticente orgullo—. Soy su madrina.

Hubo un silencio antes de que Poppy mirara al chico que la acompañaba.

—Lo siento. Soy Poppy. Mi ex marido trabajaba con Thea.

—Sí, lo conozco. Trabajamos juntos en Guatemala. Me llamo Jake.

—Hola. —Una pausa—. ¿Sigues trabajando en el *Informativo de las Siete y Media*? —le preguntó a Thea.

—Sí. Acaban de nombrarme directora del programa. —Thea volvió la cabeza como si la calle, un tanto abandonada, estuviera plagada de micrófonos ocultos—. Aunque no sé cuánto tiempo voy a quedarme.

—¿Tienes otro trabajo en el horizonte?

Thea sonrió y se encogió de hombros.

—No, pero estoy pensando que necesito un cambio. Jake está organizando un proyecto de ayuda humanitaria en Brasil y me apetece acompañarlo. Desde allí puedo trabajar como *freelance*. Antes tenía ciertas responsabilidades económicas, pero ya no y...

Clara tiró de la mano de Poppy.

—Mamiiiiii. Quiero mi revista. Y mi cuento.

—Clara, no seas maleducada. Mamá está hablando.

—Tranquila —dijo Thea—. De todas formas tenemos que seguir paseando o este se despertará.

Poppy se movió, incómoda.

—En fin, me alegro de haberte visto, Thea. Y buena suerte. —Pensó en decirle que ya hablarían, pero habría sido una tontería.

—Gracias —dijo Thea—. Lo mismo digo. —Siguió paseando con Jake calle abajo justo en el momento en el que aparecía el sol.

Poppy los observó un segundo, pero Clara le dio otro tirón y se vio obligada a seguir caminando en la dirección contraria.

Impreso en Talleres Gráficos
LIBERDÚPLEX, S.L.U.
Pol. Ind. Torrentfondo
Ctra. Gelida BV-2249 Km. 7,4
08791 Sant Llorenç d'Hortons (Barcelona)